FLORDELIS
A PASTORA DO DIABO

Ullisses Campbell

FLORDELIS
A PASTORA DO DIABO

© 2022 - Ullisses Campbell
Direitos em língua portuguesa para o Brasil:
Matrix Editora
www.matrixeditora.com.br
/MatrixEditora | @matrixeditora | /matrixeditora

Diretor editorial
Paulo Tadeu

Edição e checagem
Gabriela Erbetta

Capa
Anderson Marçal

Projeto gráfico e diagramação
Patricia Delgado da Costa

Ilustrações
Félix Reiners

Créditos das fotos
Pág. 299 (primeira): Fabiano Rocha / Agência O Globo
Pág. 301 (primeira): Ricardo Borges / Folhapress
Demais fotos: redes sociais e arquivos pessoais

Revisão
Cida Medeiros

CIP-BRASIL - CATALOGAÇÃO NA PUBLICAÇÃO
SINDICATO NACIONAL DOS EDITORES DE LIVROS, RJ

Campbell, Ullisses
Flordelis / Ullisses Campbell. - 1. ed. - São Paulo: Matrix, 2022. 304 p.; 23 cm.

ISBN 978-65-5616-270-6

1. Flordelis, 1961-. 2. Carmo, Anderson do. - Assassinato. 3. Políticos - Biografia - Brasil. 4. Igreja protestante - Clero - Biografia. 5. Reportagens e repórteres. I. Título.

22-80480   CDD: 923.2
                CDU: 929:32(81)

Gabriela Faray Ferreira Lopes - Bibliotecária - CRB-7/6643

**Agradecimento eterno aos
meus guardiões jurídicos hoje e sempre:
Alexandre Fidalgo e Juliana Akel Diniz**

Agradeço também a
Allan Duarte (delegado)
Ana Clara Costa (jornalista)
Ana Paula Macedo (jornalista)
André Ricardo de Souza (sociólogo)
Edin Sued Abumanssur (cientista social)
Emílio Surita (jornalista)
Fábio Martinho (jornalista)
Fernando Bastos (procurador da República)
Guilherme Dudus (advogado)
Igor Coelho (podcaster)
Janira Rocha (advogada)
João Rafael Torres (psicoterapeuta)
Jorge Leite Junior (cientista social)
Lidice Meyer (antropóloga)
Marcelo Hojo (odontólogo)
Plínio Fraga (jornalista)
Roberto Tardelli (advogado)
Rogério Vilela (podcaster)

REDES SOCIAIS

Instagram:
@ullissescampbell
@mulheresassassinas

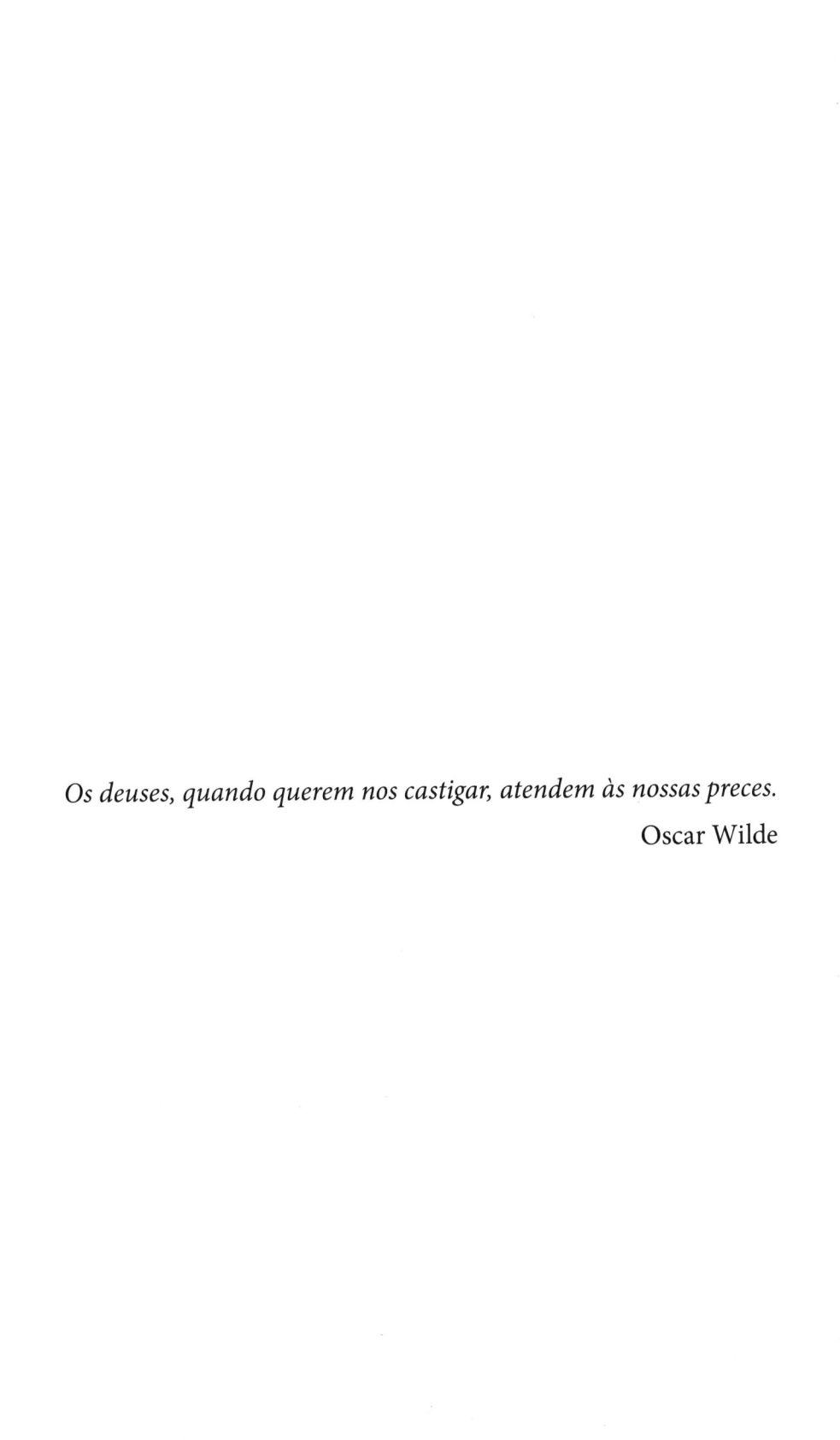

Os deuses, quando querem nos castigar, atendem às nossas preces.
Oscar Wilde

SUMÁRIO

APRESENTAÇÃO
UMA ODE À MENTIRA 12

CAPÍTULO 1
A BRUXA DO JACAREZINHO 16

CAPÍTULO 2
VARRE, VARRE, VASSOURINHA 54

CAPÍTULO 3
CALADA NOITE PRETA 86

CAPÍTULO 4
FORMAÇÃO DE QUADRILHA 120

CAPÍTULO 5
LÁGRIMAS DE CROCODILO 142

CAPÍTULO 6
CENTOPEIA HUMANA 162

CAPÍTULO 7
CICATRIZES DA FÉ 200

CAPÍTULO 8
UM CORPO QUE CAI 236

ÁLBUM DE FAMÍLIA 272

APRESENTAÇÃO

UMA ODE À MENTIRA

Ambição, amor, assassinato, Bíblia, cadeia, crime, dinheiro, escândalo, família, fé, feitiçaria, ilusão, intrigas, justiça, lealdade, luxúria, magias, maternidade, orgia, poder, preconceito racial, religião, romance, sangue, sentença, sexo, sucesso e traição. As etiquetas (tags) sugeridas para classificar a biografia de Flordelis dos Santos de Souza parecem não ter fim, assim como os arcos da sua trajetória. Sua biografia parece realismo fantástico, característica marcante dos livros de Gabriel García Márquez. A vida, no entanto, dizia o próprio escritor colombiano, já é fantástica por si. Ao sair pelas ruas do Rio de Janeiro "recolhendo" crianças e adolescentes para montar uma organização criminosa dentro de casa, Flordelis transformou sua existência em um enredo que mais parece ficção de folhetim. No início da década de 1990, seu caminho se cruzou com o do jovem aprendiz de bancário Anderson do Carmo, de apenas 14 anos, então namorado de sua filha, Simone. De "genro", o garoto logo passou a "filho" – chamava Flordelis de "mãe". Mais tarde, envolveu-se afetivamente com ela e os dois acabaram se casando. Sim, a relação é confusa mesmo. Visionário e centralizador, Anderson traçou um plano ambicioso para sua amada: torná-la pastora evangélica, cantora gospel famosa e deputada federal. Alçada ao estrelato, porém, Flor perdeu o controle sobre seu destino e suas finanças.

Para se livrar do "filho-marido", portanto, acionou a prole para matá-lo. Primeiro, tentou envenenamento com arsênico. Depois, pediu para Flávio, filho biológico, assassiná-lo com arma de fogo. Da pobreza na favela do Jacarezinho ao plenário da Câmara dos Deputados, passando pelos púlpitos das igrejas, Flordelis percorreu um roteiro pautado pela mentira. Não se sabe, por exemplo, se o pai dos três filhos biológicos, nascidos na década de 1980, é realmente o homem que aparece nos registros de nascimento deles. A carreira de supermãe, segundo ela, começou com o resgate de 37 crianças de uma chacina na Central do Brasil – mas a matança nunca existiu. Para rechear sua jornada de dramas, inventava passados trágicos para cada criança que acolhia: Rayane foi achada no lixão, Cristiana foi resgatada de uma enchente, Roberta estava morrendo em uma caixa de sapatos, Carlos Ubiraci era responsável pelo paiol do Comando Vermelho, e por aí vai... Já casada com Anderson do Carmo, disse ter engravidado em 1998 e dado à luz Daniel. O bebê, na verdade, foi tirado da mãe, a dona de casa Janaína do Nascimento Barbosa.

Na busca pelo sucesso, Flordelis e Anderson imitaram o Diabo, pastorando em pele de cordeiro dentro de igrejas evangélicas. Expulsos da Assembleia de Deus, montaram uma congregação só para eles. Ao mesmo tempo, cultuavam figuras satânicas e entidades da umbanda e quimbanda, fazendo uma mistura fajuta de ocultismo. Como religiosa, Flordelis sempre foi uma farsa: distorcia rituais, fraudava milagres, fingia curas e fazia falsas profecias para ganhar dinheiro. No entanto, para não estigmatizar religiões evangélicas nem crenças de matriz africana, ainda tão marginalizadas, esta obra revela também uma série de crimes sexuais praticados por padres pedófilos contra seus fiéis. São relatos de embrulhar estômagos fortes. Ao mostrar com detalhes como líderes invocam o nome de Deus para cometer toda sorte de perversidades, presta-se uma homenagem a quem usa a religião honestamente, levando conforto espiritual genuíno a quem precisa.

É difícil estruturar um compêndio com tantos personagens, tramas, subtramas e intrigas entrelaçadas. Para facilitar a leitura, a narrativa central segue em ordem cronológica. Por dois anos, o autor mergulhou no processo de mais de 30 mil páginas do caso. Mas, como diz o jornalista Ricardo Noblat, documentos não falam por si. Isto é, para a reportagem, o que está fora dos autos também está no mundo, ao contrário do que dizem operadores do Direito. Os autos do processo, nesse caso, serviram somente como ponto de partida para a investigação. Foram mais de cem entrevistas com pessoas que estiveram e estão no entorno de Flordelis, incluindo "filhos", parentes, vizinhos, ex-namorados, amigos, inimigos, além de policiais, advogados, promotores e até traficantes. Os diálogos foram reconstituídos a partir desses depoimentos, e alguns personagens tiveram os nomes trocados quando essa foi a condição imposta por eles para colaborar. Todos os fatos recontados nos próximos capítulos são verdadeiros? Provavelmente não. As pessoas mentem para embelezar suas memórias, tornar a rotina mais interessante, satisfazer seus interesses, por vaidade ou por hobby. Para coroar sua gloriosa biografia, Flordelis publicou um livro em 2011, cujo título é seu próprio nome. No subtítulo, ela escreveu: "A incrível história da mulher que venceu a pobreza e o preconceito para ser mãe de cinquenta filhos". Quando Janira Rocha, sua advogada penal, leu a obra, sugeriu usá-la no tribunal, na defesa da ré. "Dona Janira, esse livro é um pacote de mentiras!", confessou a pastora. O universo da assassina gospel realmente é fantástico, como a imaginação de García Márquez. Porém, Flordelis faz parte do Brasil de hoje, e não da Macondo fictícia do escritor colombiano.

CAPÍTULO 1

A BRUXA DO JACAREZINHO

"Quem me segue não precisa de velas porque nunca andará nas trevas."

Deus, pai todo-poderoso, despejava um dilúvio sobre o Rio de Janeiro naquela noite de sábado, 27 de junho de 1970. Em meio à tempestade que assombrava com relâmpagos e trovoadas, a casa de Calmozina Motta, 37 anos, fazia água. Separados por paredes de tijolos aparentes, os quatro cômodos estavam alagados – assim como muitas moradias vizinhas da Rua João Pinto, no coração do Jacarezinho, favela na zona norte nascida de um quilombo que, na época, abrigava mais de 20 mil pessoas.

Várias telhas de amianto do teto de Calmozina estavam partidas. Culpa do abacateiro frondoso plantado no quintal da vizinha, Mariazinha Macêdo, 40 anos. Era uma telha a menos a cada fruta que caía. Sem forro, a água escorria em cascata do telhado sobre os móveis da sala e dos quartos. Naquela noite, ninguém tinha condições de dormir no Jacarezinho. Francisco Jorge dos Santos, o Chicão,

36 anos, segundo marido de Calmozina, subiu na mesa de madeira para tentar remendar os buracos pelo lado de dentro da casa. Laudicéia, 19 anos; Amilton, 18; Abigail, 13; Flordelis, 9; e Fábio, 8, ajudavam a mãe na luta contra o aguaceiro usando vassoura, rodo e pano de chão. Com as chuvas fortes, transbordavam o rio Jacaré e seus afluentes, que cortavam a comunidade de ponta a ponta. A força das águas destruía móveis e levava na correnteza roupas e utensílios domésticos. Para piorar, a companhia de fornecimento de energia elétrica desligava as subestações e deixava a região às escuras. Em meio ao desespero daquela hora, alguém chamou à porta da casa da família de Calmozina. Com uma lamparina na mão, Chicão recebeu dona Conceição e o marido, Lucivaldo. O casal tentava se proteger com um guarda-chuva, mas estava ensopado. Eles conheciam Calmozina de vista, dos cultos da Assembleia de Deus. Não partilhavam de intimidade alguma, por isso Conceição adiantou-se às dúvidas:

– Calmozina do céu, me desculpe pela inconveniência. É uma emergência. Meu marido está perdendo a vida. O médico disse que não passa de hoje. Já tentei de tudo. Levei até a igreja católica. O padre disse que nem Nossa Senhora de Lourdes, a protetora dos enfermos, pode salvá-lo. Pelo amor do Altíssimo, não deixe meu marido morrer! – suplicou a mulher, às lágrimas.

Conceição era dona de casa. Lucivaldo trabalhava na Guarda Portuária do Rio de Janeiro, mas estava de licença médica. Há um ano tratava de um câncer agressivo no pulmão, irradiado para outras partes do corpo. Desenganado, foi mandado para casa pelos médicos, mas Conceição não se resignou. Nos últimos dez dias, já havia levado Lucivaldo a um babalorixá, e depois a um médium, que dizia receber o espírito do doutor Fritz, o médico alemão que teria atuado na Primeira Guerra Mundial. Ofertas aos santos, banhos de descarrego e cirurgia espiritual não trouxeram resultado algum. Numa visita ao padre Carlos Ramos, que ganhara fama de milagreiro na Paróquia Nossa Senhora do Bonsucesso, o clérigo se limitou a ofertar a bênção de extrema-unção.

Quanto mais Lucivaldo peregrinava em busca de salvação, mais definhava. Conceição estava ali para apelar a Calmozina, cuja fama se espalhava: diziam que ela seria capaz de profetizar e curar. Chicão ofereceu as cadeiras da sala para que se acomodassem. Lucivaldo não tinha forças para falar e caminhava apoiado na mulher, com passos lentos e curtos. Respirava com muito sacrifício.

A chuva e a escuridão continuavam. Na sala parcamente iluminada, os cinco filhos de Calmozina seguravam velas de cera vermelha, sem conter o burburinho. Amilton tinha medo dos supostos poderes sobrenaturais da mãe. Flordelis e Fábio, as crianças mais novas da família, entendiam pouco sobre aquilo. Laudicéia e Abigail, as mais velhas, ficavam incomodadas com o ritual. Além de provocarem um entra e sai a qualquer hora do dia e da noite, as ditas sessões de cura deixavam a mãe mentalmente esgotada.

Em resposta ao apelo de Conceição pela saúde do marido, Calmozina pediu silêncio, apagou as velas e começou a rezar. Em transe, a voz ficara mais grave e rouca:

– Este pobre homem não está morrendo por desejo do Criador! Ele está sendo arrastado para um buraco sem fundo pelo Satanás. Mas o Senhor é o nosso pai. Somos o barro, e Ele, o oleiro. Todos somos obras divinas. Ó, Pai, mostre a sua soberania diante de tudo e de todos e deixe este servo aqui junto de sua família. Afaste o poder maligno do Demônio deste corpo. É uma súplica!

Calmozina emendou a falar em línguas estranhas.

– Mãe, estou com medo. Pode acender a vela? – interrompeu Amilton, tremendo de medo.

– Não! Como Jesus, eu sou a luz do mundo. Quem me segue não precisa de velas porque nunca andará nas trevas! – respondeu Calmozina, ainda com os olhos fechados.

Mariazinha, a vizinha dona do abacateiro, era católica não praticante. Enxerida, ouviu de longe a sessão de cura de Calmozina. Tratou de chamar o marido e os filhos para testemunharem, mesmo sob chuva, o que acreditava ser uma ação de exorcismo. A sala ficou apertada para tanta gente. A ventania derrubava mais frutas no telhado e Mariazinha ficava envergonhada com o barulho. Lucivaldo começou a estremecer na cadeira, saliva escorrendo da boca ao queixo. Calmozina revirava os olhos, enquanto Amilton chorava de pavor. Entre um amém e outro, Flordelis, fascinada, observava a cena. Uma goteira enorme caiu na cabeça de Lucivaldo no auge da pregação.

Chicão se moveu para afastar a cadeira, mas Calmozina interveio:
– Não mexa em nada! A entidade está derramando sua cura sobre o doente por meio da água sagrada e límpida que vem do céu.
– Amém! – ouviu-se em coro.

A goteira engrossou. Calmozina ordenava aos gritos que o Diabo deixasse o corpo de Lucivaldo. Pegou-o pelos cabelos e jogou-o ao chão molhado. "Sai, Satanás! Sai, Satanás! Sai, Satanás!", repetia com toda a potência da voz. De acordo com os presentes, de uma hora para a outra Lucivaldo ganhou forças e levantou-se com uma agilidade inesperada. Conceição começou a chorar. Seu marido havia sido curado pela bruxa do Jacarezinho, acreditava ela. Houve um alvoroço na casa. "Glória à vida!", gritavam os fiéis da família – exceto Amilton, que saiu de casa correndo, desesperado, na chuva. Às pressas, Laudicéia providenciou um copo de água para ajudar a mãe a se recuperar. Flordelis respondeu ao espetáculo com risadas nervosas. De tanto ver a mãe "curando" doentes na sala de casa em cenas dramáticas, ela passou a desejar esse "poder" para si. Na infância, todas as vezes que alguém perguntava "Flor, o que você quer ser quando crescer?", ela respondia: "Quero ser bruxa que nem a mamãe!".

Encerrada a sessão de exorcismo de Lucivaldo, Calmozina sentou-se no sofá, olhou as telhas rachadas e o chão molhado pela chuva e, então, voltou-se para Mariazinha, que estava em pé num canto da sala:
– Mariazinha, esse telhado parece uma peneira por causa dos seus abacates...
– Pode deixar que vou cortar os galhos que estão sobre a sua casa e providenciar o conserto do seu telhado! – prometeu a vizinha, saindo em seguida, constrangida.

Lucivaldo deixou a casa de Calmozina dizendo-se bem-disposto. Nem parecia o homem que chegara ali em estado terminal. No dia seguinte, voltou de bicicleta à casa da bruxa, levando sacos de feijão, arroz e macarrão como forma de agradecimento. Alguns meses depois, porém, Lucivaldo perdeu completamente o apetite. Magro e fraco, foi novamente internado e morreu em 3 de outubro de 1970, com o enterro realizado no Cemitério da Ordem Terceira da Penitência. A surpresa da cerimônia fúnebre foi a descoberta de que o falecido tinha outra família para os lados do Engenho de Dentro, bairro vizinho do

Jacarezinho. Houve bate-boca entre as duas viúvas enquanto o caixão descia até a cova. Quando soube do entrevero, Calmozina atribuiu o fracasso em salvá-lo à vida pecaminosa de Lucivaldo. Ela ilustrou a infração divina lendo um trecho da Bíblia, selando o destino do marido bígamo: "Os que morrem no Senhor gozarão de felicidade eterna. Os que escolheram viver fora do propósito de Deus, que optaram pelo caminho largo, irão para o lugar de tormento consciente e de onde jamais poderão sair".

– Onde é esse lugar, mamãe? – quis saber Amilton.

– É o inferno, filho – respondeu a bruxa.

Calmozina era negra, magra e media 1,58 metro. Na juventude, os cabelos eram escuros, compridos e ondulados, inspirados na cantora Gal Costa. Preferia deixar os fios soltos e raramente os penteava. Os olhos eram castanhos, com olheiras escuras que resultavam em um aspecto lúgubre. Faltavam-lhe alguns dentes. Econômica nos gestos e na fala, era semianalfabeta. Tinha aparência frágil, mas a mãe de Flordelis era uma mulher forte e poderosa. Em casa, comandava a família com rigor e disciplina. Nem sempre fora assim. Sofreu no primeiro casamento e, depois, nas mãos de um namorado que não valia um centavo.

Filha do jagunço Eupídio Motta e da dona de casa Sebastiana Francisca, Calmozina nasceu de parto caseiro em 19 de março de 1933 em Santo Antônio de Pádua, cidade fluminense a 262 quilômetros do Rio de Janeiro. Caçula de uma prole de cinco crianças, viveu a infância e a adolescência em Itaperuna, no noroeste do estado. Distantes um do outro por 60 quilômetros de asfalto precário da BR-393 e por uma estrada de terra bastante esburacada (RJ-198), os municípios de Pádua e Itaperuna tinham perfil rural. Eupídio chegou a trabalhar como "delegado" de fazenda em São José de Ubá. Sua função era coordenar um grupo de jagunços encarregados de expulsar à bala de carabina os posseiros das terras do patrão. No auge da pistolagem, o pai de Calmozina conseguiu comprar cinco alqueires de terra e oito cabeças de gado. Acumulou dívidas e perdeu todo o patrimônio para agiotas a quem devia.

Empobrecido, Eupídio passou a oferecer Calmozina e as outras filhas para que fossem levadas pelos solteiros da vizinhança – segundo acreditava, só um casamento livraria a família de uma vida miserável.

Submissa, Sebastiana não se opunha aos planos do marido. Esse tipo de relacionamento forjado e bruto era comum nos rincões do Norte e Nordeste e nas localidades rurais do Sul e Sudeste do país. Eupídio primeiro permitiu que a filha mais velha, Carmem Motta, com apenas 14 anos, seguisse sozinha com um caixeiro-viajante de 34. Ela foi levada para uma fazenda em Palmas de Monte Alto, na Bahia, a 1.300 quilômetros de casa. Trabalhava sob sol escaldante em plantações de feijão, algodão, mandioca, sorgo, milho e arroz. Morreu de câncer de pele antes de completar 30 anos.

Quando viu suas irmãs sendo "distribuídas feito filhotes de cachorro", o único filho homem de Eupídio e Sebastiana, Pedro Motta, o primogênito de 16 anos, fugiu de casa. Trocou de nome num ritual religioso e apresentava-se como um feiticeiro adepto de práticas macabras. Era conhecido em Itaperuna e seus arredores como Pai Miquelino, autointitulado filho do Exu Caveira. Adulto, ele se dizia representante terreno do que acreditava ser a entidade das trevas. Em seu quintal, ora Miquelino atendia os clientes vestindo indumentária masculina (calça e bata brancas) e falando com voz grave, ora com saias brancas cheias de babados e um turbante na cabeça, conhecido como ojá, e todo enfeitado com balangandãs, emitindo voz anasalada e fina. A variação na expressão de gênero de Miquelino era, segundo ele, uma homenagem a Olocum, orixá das águas metade peixe, ora identificado com o feminino, ora com o masculino.

O autodeclarado pai de santo revelava-se ecumênico. Às quartas-feiras, cedia seu terreiro para pastores da Assembleia de Deus realizarem cultos. O espaço grande parecia uma oca indígena rústica. Sem paredes, tinha pé-direito alto, coberto com palhas sustentadas por troncos enormes. O chão reluzia com a areia branca trazida da praia de Grussaí, em São João da Barra, a 170 quilômetros de distância. Nas celebrações evangélicas, as imagens talhadas em madeira de Olocum, São Cipriano, Exu Morcego e Iemanjá eram camufladas por lençóis. O local lotava de crentes e cada fiel tinha de levar seu próprio banquinho, porque não havia cadeiras suficientes para o público. Nos cultos, trajando roupas sociais sóbrias, Miquelino proferia testemunhos de fé, superação e cura, erguendo uma Bíblia com fervor para pontuar a fala.

Doutora em Antropologia pela Universidade de São Paulo, Lidice

Meyer observa que, na década de 1960, quando as igrejas evangélicas pentecostais ainda estavam precariamente estruturadas no Brasil, era comum as instituições dividirem espaços sagrados para exercer atividades religiosas, mesmo que possuíssem doutrinas antagônicas. O compartilhamento dos templos ocorria em comunidades pequenas, onde as pessoas se conheciam. Com isso, ficavam à vontade para exercer a fé de formas diferentes. "Até hoje é possível encontrar, no interior do Brasil, igrejas dividindo o mesmo local. Há casos de igrejas evangélicas de vertentes diferentes, como luteranas e presbiterianas, fazendo cultos sob o mesmo teto, mas em horários distintos", ressalta a antropóloga. Segundo ela, o enlace entre igrejas evangélicas e religiões de matrizes africanas fora do cristianismo (candomblé e umbanda), como feito no espaço de Miquelino na década de 1960, geralmente ocorria quando o pai de santo estava em processo de troca de religião. "Nos morros do Rio de Janeiro há diversos templos evangélicos funcionando em espaços onde antes era um terreiro, porque o pai de santo se converteu", conta Lidice, que também é professora de mestrado em Ciência das Religiões na Universidade Lusófona, em Portugal.

Miquelino, de fato, estava migrando para a Assembleia de Deus. Nos cultos das quartas-feiras compareciam evangélicos e seguidores do candomblé, como sua irmã Calmozina, e o público batia palmas em pé no final de sua pregação. Além de falar como se fosse pastor, ele continuava a prestar serviços como suposto pai de santo. Cobrava caro para empreitadas nada cristãs, como amarrar e desamarrar casamentos, remover inimigos do caminho e indicar banhos de descarrego capazes de milagre da vida ou vaticínio da morte. Alguns clientes e vizinhos de Miquelino falavam à boca pequena que ele havia feito um pacto com o Diabo.

Quem chegou a testemunhar o trabalho macabro de Miquelino relatou que seus alvos se enforcavam, morriam atropelados, eram vítimas de envenenamento com arsênico ou cianeto ou assassinados por armas de fogo. Miquelino era magro, alto e negro. Tinha o hábito de deixar as unhas grandes, como se fosse o personagem Zé do Caixão. Suas mãos se destacavam ainda mais com o uso de acessórios chamativos, como anéis, pulseiras e braceletes. Chegou a se casar com Zeferina, uma garota de 15 anos entregue ao suposto pai de santo pela própria mãe. A jovem era neta de uma mulher escravizada que havia morrido durante uma tentativa de fuga da fazenda onde era explorada. Para ser aceita como mulher de Miquelino, Zeferina ficou trancada num quarto escuro por uma semana, comendo apenas vegetais, bebendo água e vestindo uma bata branca. Todas as noites, Miquelino e um assistente a estupravam. Só depois desse ritual Zeferina foi aceita como companheira do bruxo. No terreiro, ela fazia de tudo um pouco: sacrificava animais, como bodes, porcos e pombos; limpava o espaço, sempre sujo de sangue; cozinhava, lavava e passava a roupa do marido, além de ajudá-lo no atendimento aos clientes. A faxina feita por ela e voluntários era mais pesada às vésperas dos cultos evangélicos. Cabia ainda a Zeferina fazer oferendas a Exu, de madrugada, em encruzilhadas da Rodovia BR-393. À mulher, Miquelino fez um pedido crucial no momento de selar o namoro: que ela jamais engravidasse, porque um filho, disse, não seria bem-recebido pelas entidades cultuadas por ele.

A última filha negociada por Eupídio foi Calmozina – que tinha 10 anos quando passou a viver com o soldado do Exército Benedicto Marcelino de Paulo depois de ter sido abusada por ele. Sofria violência verbal e psicológica, além de ser estuprada e frequentemente espancada pelo militar.

Aos 13 anos, na semana em que se comemorava o Natal, Calmozina apanhou tanto do marido durante uma relação sexual que perdeu três dentes e teve ferimentos dolorosos na vagina e no ânus. Depois disso, juntou os trapos e voltou para a casa dos pais. Aos prantos, implorou para ficar por lá pelo menos até o ano-novo. Sebastiana estancou o sangue da boca da filha usando gelo e uma fralda. Para estancar as hemorragias vaginal e anal, a mãe encheu uma bacia com água e bastante sal grosso e pediu para Calmozina sentar-se nela por uma hora. Depois, Sebastiana deu um banho na filha, fez questão de pentear os cabelos da pré-adolescente e vesti-la com roupas limpas. Na sequência, levou-a de volta para a casa do marido agressor sob o argumento de que a brutalidade do homem fortalece a mulher. No caminho, Sebastiana buscou justificar o injustificável:

– Filha, você acha que o seu pai não me bate? – questionou a mãe.
– Nunca vi ele encostar um dedo na senhora!
– O Eupídio me bate todos os dias. De manhã, de tarde e de noite.

Levo tapas, socos, chutes e empurrões. Principalmente na cama. A sina da mulher é apanhar do marido, filha. O homem bate na esposa porque a ama. Por isso a gente é agredida durante o sexo. Ouça o meu conselho: volte para o seu marido. Faça tudo que ele mandar que você apanhará bem menos – aconselhou a mãe.

Nem deu muito tempo de Calmozina refletir sobre as palavras absurdas de Sebastiana. No caminho de casa, as duas toparam com Benedicto, o marido, por volta das 20 horas. Ele pegou a menina do chão, deu um beijo em sua boca e a colocou em cima dos ombros. Calmozina só conseguiu se livrar do abusador aos 17 anos, quando ele, com 27, interessou-se por uma criança de 12. Benedicto levou a nova vítima para dentro de casa. Não estava trocando uma pela outra: deixou claro que queria as duas. Algumas semanas depois, Calmozina pegou suas roupas, pôs em uma sacola e fugiu de vez.

Para não voltar à casa dos pais e correr o risco de ser entregue a outro homem abusador, ela se mudou para o terreiro de Miquelino, o irmão mais velho. Lá, passou a ajudar Zeferina no trabalho doméstico e nas invocações do bruxo evangelista. Uma das tarefas de Calmozina era limpar as imagens de Exu Caveira e São Cipriano, além de auxiliar no culto das quartas-feiras.

Aos 18 anos, durante a estada na casa do feiticeiro, Calmozina testemunhou uma tragédia que a marcaria para sempre. Contrariando o desejo do marido, Zeferina engravidou. A gestação de uma menina só foi descoberta no sétimo mês. Miquelino não queria a filha porque, segundo suas crenças, a bebê não era abençoada pelo Exu.

Para forçar o aborto da esposa, ele primeiro deu uma sequência de socos em seu abdome. Depois de espancada, a grávida foi forçada pelo marido a tomar chás abortíferos feitos de uma mistura de alcaçuz, cáscara-sagrada, prímula e quebra-pedra. Com tantos episódios violentos, a gestante sofreu choque anafilático no oitavo mês de gestação. O bebê, ainda prematuro, sobreviveu à morte da mãe. Miquelino, então, acendeu tochas e incendiou o terreiro com a nenê dentro. Apavorada, Calmozina escondeu a criança em uma casa vizinha. Quando perguntou pela filha, o pai foi informado de que ela não havia sobrevivido ao fogaréu. Uma semana depois, aconteceu outra desgraça no espaço de trabalho de Miquelino: um bando de jagunços invadiu o terreiro na madrugada e, com tiros, pauladas e dezenas de facadas, matou o pai de santo. Nunca se soube a real motivação do crime, apesar das suspeitas de intolerância religiosa ou vingança. Miquelino teve o corpo esquartejado em sete partes. O tronco com os braços foi pendurado em ganchos de metal e amarrado em correntes nas pernas-mancas de sustentação do telhado do terreiro. O couro cabeludo, os olhos, as orelhas e a língua foram brutalmente extirpados. As unhas dos dedos dos pés e das mãos foram arrancadas. O sangue do bruxo foi todo retirado e depositado em uma tigela de barro, utilizada para sacrificar animais. A cabeça da imagem de Exu Caveira foi enfiada no ânus da vítima.

Calmozina deparou-se na manhã seguinte com os pedaços do cadáver suspensos no terreiro de areia branca. Antes de chamar a polícia, fez um ritual de despedida e banhou-se com o sangue do irmão. Como lembrança de Miquelino, guardou consigo as imagens de São Cipriano e Exu Caveira. Nesse rito, segundo contou, Calmozina herdou a essência dos supostos poderes sobrenaturais do bruxo, mais tarde aperfeiçoados e repassados a Flordelis. A polícia nunca encontrou os assassinos de Miquelino. A lista de seus desafetos tinha tantos nomes quanto os grãos de areia que havia naquele terreiro.

Depois da morte trágica do irmão, Calmozina registrou a bebê como filha e deu a ela o nome de Laudicéia. Começou a namorar um rapaz chamado Amilton e com ele teve dois filhos: Amilton Filho e Abigail – como não gostava do nome, porém, a moça passaria a ser chamada de Eliane após um ritual religioso envolvendo sangue de bode preto. Com três filhos pequenos e um passado marcado pela violência, Calmozina saiu de casa assim que levou o primeiro tapa de Amilton. Prometeu para si mesma transformar-se numa nova mulher e jamais admitiria apanhar de homem algum. Jamais!

* * *

No fim da década de 1960, Calmozina mudou-se do norte fluminense para a favela do Jacarezinho, na zona norte do Rio. Conseguiu emprego como operária numa indústria fabricante de tintas, fita adesiva, papel-carbono e cola para blocagem. Rescaldada com o passado, adotou postura fria diante da vida – e, principalmente, com os homens. Investiu seu tempo em aprimorar rituais de bruxaria, mesclando-os com pregações evangélicas. Conheceu Chicão, e com ele teve Flordelis e Fábio. Chicão criou Laudicéia, Amilton e Abigail (Eliane) como se fossem seus filhos.

No Jacarezinho, Calmozina passou a frequentar a Assembleia de Deus por influência do tempo em que pregou com o irmão Miquelino, mas manteve a simpatia pelo candomblé. Também cultuava São Cipriano, santo polêmico que teria sido bruxo e vendido a alma ao Diabo antes de se converter ao cristianismo. Segundo o livro biográfico atribuído a ele, Cipriano nasceu em Antioquia, província romana na Síria, no século III. Tornou-se sacerdote da religião romana, estudou filosofia e magia nos grandes centros da Grécia e desenvolveu feitiçaria e magia negra com o próprio Demônio durante o período em que morou numa caverna sagrada. Calmozina guardava a imagem desse santo controverso, a quem chamava de Deus, num compartimento camuflado de seu guarda-roupa.

Na nova fase da vida, casada com Chicão, a mãe de Flordelis alterou o nome para Carmozina. Inicialmente, justificou a troca alegando um erro no cartório de Santo Antônio de Pádua, onde foi registrada. "Meus pais me chamavam de Calmozina por causa do sotaque caipira. Mas, na verdade, eles queriam dizer Carmozina, com 'r'. Lá no cartório, perguntaram: como é o nome desse bebê? Eles responderam Calmozina, com 'l', e datilografaram assim na minha certidão", explicou. Em seu documento de identidade, o nome está grafado com 'l'. Em junho de 2022, ela contou outra história para justificar a alteração do nome: a troca se deu após um ritual religioso, feito no meio de uma floresta, no qual teria aperfeiçoado o que chama de sua feitiçaria. "Eu achava o meu nome feio e o meu Deus conversava diretamente comigo, me chamando de Carmozina", contou. Foi também esse Deus, segundo observa, quem lhe deu poderes superiores à natureza para fazer curas e prever desgraças, atividades chamadas por ela de "clarividência", "profecia", "premonição" e "antevisão". Certo dia, ela caminhava numa estrada de terra batida, ainda em Santo Antônio de Pádua, quando ouviu um assobio vindo da mata. Intrigada com o som, entrou na floresta e caminhou por uma trilha fechada até perder as forças. Desmaiou. "Acordei dois dias depois, coberta de sangue, sob um forte clarão e toda cercada por insetos luminosos de asas vermelhas. Ao lado havia quatro bodes pretos decapitados pelo Pai Miquelino em minha homenagem", contou ela, em tom sério. A partir desse episódio, segundo suas crenças, passou a ter "energias sagradas". Nem todos os vizinhos, obviamente, acreditavam nos poderes da bruxa do Jacarezinho. Carmozina classificou os céticos como anjos do Satanás. "Só quem acredita em Deus sabe do que estou falando", resumiu.

Com o passar do tempo, as mandingas fizeram dela uma personalidade conhecida, principalmente na comunidade evangélica. Mas a mistura dos elementos do candomblé com os preceitos da Assembleia de Deus e a devoção a São Cipriano eram incompreensíveis aos olhos dos fiéis mais tradicionais – com isso, Carmozina passou a camuflar o canjerê. Cobriu-se com o recato típico da mulher evangélica e intensificou os atendimentos em casa, a contragosto de Chicão. Viviam em dois quartos apertados, uma sala estreita e cozinha conjugada. O banheiro era do lado externo, com uma fossa subterrânea rudimentar localizada diretamente sob o vaso sanitário. Próximo a ela havia um poço artesiano com tampa de tábuas de madeira. Em frente à casa, um pinheiro; nas laterais, quatro coqueiros, além do abacateiro destruidor de telhados da vizinha Mariazinha. A família tinha geladeira, fogão a gás e TV em preto e branco. Apesar dos poucos recursos, ninguém passava fome. No almoço, era servido o básico: arroz, feijão e carne ou ovo. As contribuições em alimentos e até em dinheiro vivo dadas pelas pessoas que se diziam beneficiadas pela feitiçaria de Carmozina ajudavam no sustento da casa. Com o tempo, a vida melhorou: o telhado deu lugar a uma laje de concreto e um segundo pavimento foi construído para conferir mais privacidade aos trabalhos da bruxa.

Enquanto Carmozina atendia seus clientes, Chicão trabalhava pela manhã numa assistência técnica de rádio e televisão e, à tarde, numa fábrica de alegorias de carnaval. Músico, seu sonho era manter-se exclusivamente da arte. Tocava acordeão no grupo da igreja, conhecido no meio evangélico por Conjunto Angelical. A banda era liderada pelo pastor Joaquim Lima, um dos mais carismáticos da congregação. Antenado com o que estava acontecendo no mundo, Joaquim introduziu a música nas igrejas do Jacarezinho como um atrativo para conquistar novos fiéis. O pastor havia sido influenciado pelo movimento carismático norte-americano, que emplacava músicas gospel nas rádios comerciais. Na década de 1970, praticamente todas as igrejas pentecostais do mundo já animavam seus cultos com apresentações musicais. No Conjunto Angelical, além de Chicão no acordeão, seu filho Fábio tocava bateria, caixa e prato. Volta e meia, Flordelis assumia o vocal. Os demais músicos eram José Gomes (tamborim), João Januário (contrabaixo), Geraldo Marçal Filho (guitarra solo) e Aléssio Barreto de Freitas (guitarra base). O grupo se apresentava de roupa social. Nas performances mais importantes, vestia o mesmo modelo de terno e gravata de cores escuras ou xadrez, inspirado no figurino usado pelos Beatles e outras bandas de sucesso desde o início dos anos 1960.

No começo da década seguinte, o uso da guitarra elétrica na música brasileira era sinônimo de modernidade e polêmica. Quando o instrumento chegou aos templos evangélicos, a cúpula da Assembleia de Deus começou a reclamar, atribuindo o som pesado à sinfonia de Lúcifer. No entanto, o ritmo envenenado e potente atraiu mais jovens, aumentando a oferta de dízimos e das contribuições espontâneas. Nos dias de shows com guitarras, a arrecadação financeira da igreja crescia. Por conveniência, os pastores desassociaram o frenesi dos novos instrumentos da obra do Tinhoso e passaram a chamar o novo estilo musical de "heavy metal do Senhor".

Sucesso absoluto, o Angelical começou a fazer turnês pelos templos da Assembleia de Deus do Jacarezinho e passou a ser chamado para apresentações em comunidades, como Cachambi, Del Castilho, Inhaúma e Manguinhos. Na esteira da fama, os rapazes recebiam cartas de fãs evangélicas e balançavam multidões de fiéis. Boa parte dos ensaios ocorria no quintal da casa de Carmozina, onde Flordelis começou a aperfeiçoar a voz poderosa em cânticos de louvor. Para facilitar o deslocamento pelo interior do Rio, os angelicais conseguiram com os pastores da igreja uma Kombi marrom com teto branco e portas com janelas de vidro corrediças. De placa ZS-9381, o modelo corujinha ano 1969 tornou-se o xodó dos músicos. Calígrafo profissional, o contrabaixista Januário, de 23 anos, desenhou no painel do veículo frases bíblicas adaptadas do Salmo 62, com temas que faziam uma reflexão sobre a esperança. Uma delas dizia: "A minha alma espera somente em Deus; Dele vem a minha salvação". A frente do carro ganhou um adesivo com o nome da banda por cima do símbolo da Volkswagen – a letra C, de conjunto, foi estilizada com o desenho de uma lua crescente.

Januário era o mais cuidadoso com a mascote do grupo. O contrabaixista costumava lavar a Kombi todos os sábados, caprichando no sabão e encerando a lataria. Nos pneus da corujinha, passava graxa preta de sapato. As calotas prateadas com contornos de borracha branca chamavam a atenção. Detalhista, Januário estilizou o interior da perua com motivos religiosos. O teto arredondado de forro branco parecia o firmamento: foi todo desenhado com nuvens, estrelas e anjinhos. As vigas sobre a janela receberam enfeites, assim como os para-lamas nos quais se lia "Estamos a serviço do Senhor". Em cima do painel branco e rústico foi afixada uma Bíblia aberta, e no retrovisor interno havia uma corrente dourada com uma medalhinha da pomba do Espírito Santo.

Apesar do sucesso do Angelical, Carmozina não via a ascensão da banda com bons olhos. Na época, a bruxa dizia existir uma nuvem escura sobre os músicos. Certa vez, eles estavam ensaiando no quintal da casa e Chicão pediu para Flordelis cantar, enquanto o vocalista titular, Odilon de Paiva Reis, não chegava. Pré-adolescente nessa época, ela subiu numa caixa de madeira e cantou feito profissional, usando uma voz típica de contralto dramático, atraindo a atenção de pedestres e vizinhos. Carmozina não gostou de ver a filha no meio dos artistas, apesar de seu irmão Fábio e seu pai, Chicão, fazerem parte da banda. A bruxa dizia para Flordelis que Deus reservara uma desgraça para os rapazes do Angelical. Ou seja, quanto mais longe deles ficasse, melhor seria. Chicão se irritou ao ouvir da esposa profecia tão funesta. "Você está levando essa palhaçada de ver o futuro muito a sério. Menos! Menos! Por favor!", reclamou. "Quem ama Jesus pode ter a certeza de que Deus está no controle e vai cuidar de sua vida agora e futuramente", devolveu Carmozina, recorrendo à Bíblia mais uma vez.

A crença nos poderes de Carmozina nunca foi unanimidade dentro de casa. Chicão e Amilton duvidavam, mas não implicavam com os supostos dons e com os atendimentos feitos na casa. Pelo contrário, as ofertas em comida e em dinheiro feitas pelos clientes como pagamento pelos serviços da bruxa foram aumentando à medida que a fama dela crescia na comunidade. Em 1976, Carmozina tinha tantos clientes que precisou de uma assistente. Flordelis, então com 15 anos, passou a ajudar a mãe nas atividades. Carmozina dizia aos mais próximos que a menina também era uma bruxa, mas precisava desenvolver seus poderes. "No momento certo, ela receberá um aviso, assim como eu recebi", dizia a mãe, de forma ambígua. Com a voz cada vez mais aperfeiçoada tecnicamente, Flor passou a cantar em cultos da Assembleia de Deus do Jacarezinho ao mesmo tempo que sonhava em ter os poderes da mãe. A família inteira se dedicava à igreja, com exceção de Amilton. Nessa época, o jovem alto, magro e charmoso mantinha o corpo com músculos definidos em sessões constantes de ginástica. Andava pelas quebradas da favela sem camisa para chamar a atenção das meninas. Galanteador, tentava escapar da sina religiosa imposta na família por Carmozina, mas era sempre arrastado para o templo pela mãe. O interesse de Amilton pelos cultos só começou depois de conhecer Rose da Silveira, uma bela missionária. Ela sonhava em se tornar pastora, posição então vedada a mulheres na Assembleia de Deus. Quando Rose falava aos líderes sobre seus desejos de ascender na igreja, ouvia deles que a ordenação de mulheres ao Santo Ministério Pastoral era antibíblica, ou seja, não tinha base nas escrituras sagradas. Desiludida, a jovem largou mão dos planos religiosos e, apesar de continuar congregando na igreja, passou a cuidar de sua vida. Na adolescência, Rose usava saias longas, como outras mulheres protestantes, mas tinha um truque para encurtá-las em determinadas ocasiões. Com a roupa no corpo, ela puxava por dentro a parte de baixo até prender a barra na cintura com alfinetes, reduzindo o comprimento da peça pela metade e deixando os joelhos à mostra. Se estivesse na rua com a versão curta da saia e avistasse algum fiel da igreja a distância, rapidamente soltava o tecido para cobrir as pernas grossas e sensuais. A manobra fazia sucesso.

Rose e Amilton perderam a virgindade juntos, aos 16 anos. Nessa época, ela vendia roupas numa feira livre e ele batia ponto numa gráfica industrial, onde perdeu o dedo indicador da mão esquerda operando uma guilhotina de cortar papel. No dia do acidente, foi Rose quem socorreu o namorado, levando-o ao hospital. "Nunca vi tanto sangue em toda a minha vida", disse ela. Depois de ser submetido a uma cirurgia complicada para estancar a hemorragia, Amilton foi levado para casa pela namorada. Ele tinha curativos enormes na mão e gritava de dor porque a anestesia estava perdendo o efeito. Quando foi chamada para socorrer o namorado, Rose usava a versão curta da saia. Nervosa e perturbada com a emergência médica, acabou se esquecendo de soltar o pano para cobrir as pernas. Foi Carmozina quem atendeu à porta quando a moça chegou com Amilton. A bruxa olhou as vestimentas da nora com reprovação e botou o filho para dentro de casa, puxando-o pelo braço. Irritadíssima, a matriarca expulsou Rose de lá de forma grosseira, sob a acusação de levar Amilton para o caminho da perdição. "Sai daqui, serpente do Satã! Deixa meu filho em paz, puta do Belzebu!", gritava a mãe da porta de casa, para todos os vizinhos ouvirem. Humilhada e assustada com a baixaria, Rose prometeu nunca mais pôr os pés na casa do namorado. Na noite seguinte, Carmozina chamou o cordeiro desgarrado para uma conversa a sós no quarto dela. Amilton sentia dores fortes no dedo que havia perdido, evento chamado pelos médicos de "dor fantasma", que acomete pelo menos 90% dos indivíduos que passam pela amputação de alguma parte do corpo. Amilton reclamava de queimação, formigamento, pontadas e até cócegas no dedo inexistente. Vestindo uma bata branca, Carmozina pediu para o filho ficar sentado na beirada da cama e olhou sua mão, coberta com gazes e esparadrapos embebidos de sangue. Em seguida apagou a luz, acendeu uma lamparina vermelha e começou uma pregação na qual todos os infortúnios do jovem eram atribuídos a uma vida longe de Deus:

– Meu filho, essas coisas terríveis só acontecem na nossa vida quando a gente se afasta Dele.

– Eu sei, mãe. Me desculpe.

– Você está cada vez mais distante do Altíssimo.

– Me desculpe – repetiu Amilton.

– Essa sua namorada saiu da igreja para dar assistência ao Diabo.

– Isso não é verdade! – rebateu Amilton.

– Vocês já dormiram juntos? – quis saber Carmozina.

Amilton ficou mudo e a bruxa interpretou o silêncio dele como uma resposta positiva. Em seguida, pegou a mão de quatro dedos do filho, ainda coberta com curativos ensanguentados, e comprimiu-a contra o próprio peito, para manchar a bata de vermelho. Amilton gemeu de dor, e sua mãe prosseguiu com o sermão:

– Filho, o Criador levou o seu dedo como punição pelo tipo de vida que você está vivendo. Você sabe disso, né? Como você não vai voltar para o caminho do bem, as suas dores vão se intensificar.

Amilton começou a chorar. Lentamente, Carmozina começou a descolar a ponta do esparadrapo da mão do rapaz e ele gritou. Da sala, Chicão ouviu o suplício do filho adotivo. Amilton implorou:

– Por favor, mãe. Não faz isso!

– Você sabe de quem a gente se aproxima quando se afasta de Deus? Não sabe?

Ele não respondeu. Impaciente, Carmozina foi até o armário e pegou uma vergasta fina e comprida usada como chibata. Amilton viu o acessório usado para castigos corporais e levantou-se imediatamente. Tentou escapar caminhando em direção à porta. A bruxa se preparava para dar a primeira cipoada quando ouviu o filho pecador, desesperado, recorrendo aos céus para não apanhar:

– Pelo amor de Deus, mãe. Não me bata!

– Agora você abre a sua boca suja para falar o nome Dele, seu transgressor!

Chicão invadiu o quarto para salvar Amilton da agressão materna e tomou a chibata das mãos de Carmozina:

– Enquanto eu for vivo, ninguém encostará um dedo nos meus filhos! – gritou.

Não era comum ocorrerem espancamentos na casa de Flordelis. Carmozina justificou a surra que daria no filho como último recurso para livrá-lo de um destino trágico traçado por Deus e profetizado por ela. Chicão chamou a esposa de louca. Na semana seguinte, mais calma, a bruxa teve nova conversa com Amilton. Dessa vez não houve violência. Tranquila, a mãe repetiu a pergunta feita anteriormente:

– Filho, não vou desistir de você. Me responda uma coisa: você sabe de quem a gente se aproxima quando se afasta de Deus?

– Sei, sim, mamãe! – respondeu ele, cabisbaixo.

– Então olhe dentro dos meus olhos e diga o nome do nosso inimigo em voz alta para você mesmo ouvir e nunca se esquecer dele! – pediu a bruxa.

Amilton encarou a mãe, desviou o olhar para o chão e não respondeu. Começou a chorar e a soluçar. O jovem se sentia afastado da mãe. Atribuía a seu fanatismo religioso o abismo existente entre os dois. Carmozina deixou o filho verter lágrimas por alguns minutos, fez um gancho com o dedo indicador e levantou a cabeça do rapaz pelo queixo, até ele encará-la. Insistiu na pergunta.

– Responda, cordeiro de Deus: de quem a gente se aproxima quando se afasta Dele?

– Do Diabo, né, mamãe? – respondeu ele, baixinho, entre soluços.

– Mais alto! – ordenou a mulher, agora com a voz rouca.

– Do Diabo, mamãe. Do Diabo! – gritou Amilton.

– Exatamente, filho. Temos de ficar longe do lado escuro da vida porque é nas trevas que vive o Demônio! É de lá que vêm todas as nossas fraquezas! – encerrou a matriarca.

Ao ouvir nomes satânicos vindos da casa de Carmozina, Mariazinha correu para lá achando que haveria outra sessão de "exorcismo". Estava enganada. A vizinha encontrou Amilton chorando e recebendo sessão extra de descarrego da mãe. Mariazinha aproveitou para dizer à amiga que cortaria os galhos do abacateiro na semana seguinte e as telhas quebradas seriam substituídas.

Na mesma conversa com o filho, Carmozina falou sobre uma provação importante à qual ele seria submetido num futuro próximo. O episódio a que a bruxa se referia mudou para sempre a vida do rapaz, aos 18 anos. Amilton sofria de epilepsia. Na infância, teve ataques esporádicos. Na adolescência, passou a ter crises mais frequentes. Em casa, a evolução da doença era atribuída à sua vida desregrada e cada vez mais distante da igreja. Certo dia, Amilton acordou cedo e passou na casa de Rose para namorar. O casal mantinha vida sexual ativa e pouco disfarçada. Carmozina, entretanto, parou de repreender o filho. Chicão estranhou a vista grossa da bruxa para a "luxúria" do rapaz e ouviu dela algo sobre a tal lição divina prestes a acontecer. No mesmo dia, entre uma transa e outra com Rose, Amilton foi soltar pipas com amigos. Uma delas caiu sobre o teto da igreja e coube a ele subir para pegá-la.

O jovem escalou o templo por uma tubulação externa até alcançar a calha do telhado, na altura de um prédio de três andares. A pipa estava sobre as telhas de barro, numa cúpula íngreme chamada por arquitetos de tesoura de mansarda. Para chegar até lá, Amilton caminhou firmemente sobre a cobertura. Rapidamente alcançou a pipa e foi até a ponta do telhado para mostrar seu êxito aos amigos. De repente perdeu os sentidos, soltou a pipa e começou a ter um ataque epiléptico. Do chão, os colegas viram o filho de Carmozina desequilibrar-se, despencar de uma altura de 12 metros, varar entre galhos de um oitizeiro enorme e se estatelar na calçada, coberto por uma chuva de folhas verdes. Às pressas, Amilton foi posto em um táxi e levado desacordado para o pronto-socorro da Santa Casa de Misericórdia. Ninguém sabia dizer se estava vivo ou morto. Esbaforida, Rose esqueceu as desavenças com a sogra e correu para avisá-la do acidente. Dessa vez, Carmozina a recebeu tranquila e serena. A bruxa estava no quintal estendendo roupas no varal quando recebeu a notícia de que seu filho havia caído do teto da igreja. "Já sei de tudo, filha. Deus me avisou faz tempo", disse. A família seguiu até o hospital e encontrou Amilton sem fraturas, apenas com alguns arranhões pelo corpo. O dito milagre na proteção ao filho aumentou o murmurinho sobre os poderes sobrenaturais da mãe. Desde então, Amilton, a ovelha desgarrada e rebelde de nove dedos, passou a se sentar todo domingo no primeiro banco da igreja cujo teto ele jamais esqueceria.

Sozinha em seu quarto de orações, Carmozina ficou meditando em silêncio por mais de três horas ininterruptas. Adormeceu. No escuro dos seus sonhos, teria encontrado seu irmão Miquelino. O feiticeiro tinha apenas 15 anos e estava sorridente, com um álbum de fotos em preto e branco nas mãos. Curiosa, Carmozina pediu para olhar as imagens, mas o danado não deixou e correu por uma vasta plantação de milho, em plena madrugada. A bruxa perseguiu o irmão, que se embrenhou no milharal. Ao perceber que Carmozina estava perdendo o fôlego, ele jogou o álbum no chão, aos pés de um espantalho horrendo, e desapareceu feito um fantasma. Carmozina pegou o livro de fotos e sentou-se para folheá-lo. Ao virar a primeira página, arregalou os olhos e levou a mão à boca: a imagem mostrava o corpo do marido morto e desmembrado sobre o asfalto. Na outra página, deparou-se com seu filho Fábio agonizando numa poça enorme de sangue. Se fosse uma mulher fraca, Carmozina teria gritado de pavor. Mas não. Ela fechou o álbum da morte bem lentamente e o jogou fora. Em seguida, caminhou pelo meio da plantação em silêncio sob a luz da lua cheia em direção ao nada.

* * *

Com o passar do tempo, as supostas profecias de Carmozina tornaram-se assunto em todo o Jacarezinho. Os moradores, principalmente os fiéis da Assembleia de Deus, falavam de seus poderes como se fossem verídicos. Um evento marcante ocorrido em outubro de 1976, no entanto, elevou a fama da bruxa a patamares inimagináveis. O Conjunto Angelical recebeu um convite para se apresentar na inauguração de um templo em Guarulhos, na região metropolitana de São Paulo. A banda faria um bate e volta: iria de Kombi na madrugada de sábado, dia 23, tocaria na noite do mesmo dia e retornaria ao Rio de Janeiro na sequência, pois não havia dinheiro para dormir na cidade. Na tarde de sexta-feira, os músicos fizeram um ensaio geral na casa de Carmozina. Dos mais de vinte integrantes da banda, que se revezavam a cada show, Chicão e Fábio eram presença certa em Guarulhos. Enquanto o grupo afinava os instrumentos sob o abacateiro de Mariazinha, Carmozina estava "conversando com Deus" no quarto. Num rompante, ela foi até o quintal toda vestida de branco, interrompeu o ensaio e puxou Chicão para um canto. O diálogo transcrito abaixo foi relatado por ela aos 89 anos de idade, em 18 de abril de 2022. Segundo conta, a conversa com o marido teria ocorrido na tarde da sexta-feira, 22 de outubro de 1976, véspera da partida:

– Chicão, Deus acabou de me contar que vai acontecer uma desgraça nessa viagem.

– Lá vem você com as suas profecias! – indignou-se o marido.

– Ele me confidenciou que vai te levar deste mundo quando você estiver na estrada. Eu enxerguei um clarão horrível como as labaredas do inferno! – relatou, enfática.

– Sério?! Então quero um show gospel no meu funeral – debochou ele.

– Por favor, me ouça! Aproveite a chance de se despedir das

pessoas que te amam. Poucos cristãos têm essa oportunidade quando morrem repentinamente!

– Se isso é verdade, por que você não pede para eu ficar?

– Jamais me poria contra um desejo de Deus!

– Quer saber? Estou de saco cheio dessa sua bruxaria! Se você realmente acredita nessa bobajada, me faz um favor: esqueça que eu existo! – encerrou a conversa.

Chicão deixou a esposa falando sozinha e voltou para o ensaio. Laudicéia percebeu o clima pesado entre os pais, e Carmozina compartilhou com a filha sua profecia nefasta. Assustada, a filha mais velha sugeriu impedir a viagem do pai e do irmão caçula por causa do suposto acidente. A bruxa foi contra. "Não se meta! Deus deixou claro que é a hora de seu pai partir. Não podemos nos opor a uma decisão suprema", insistiu. Laudicéia perguntou se aconteceria algo com Fábio, já que ele iria na mesma viagem. Carmozina não respondeu e permitiu a partida do garoto, com 14 anos na época.

A Kombi marrom e branca era tratada como se fosse um integrante da banda. Ainda na sexta-feira, após o ensaio, Januário lavou o carro com esmero, calibrou os pneus e encheu o tanque de combustível. "Nós não podemos fazer feio em São Paulo, corujinha", dialogava com a mascote. Conforme o combinado, os músicos entraram na Kombi nas primeiras horas do sábado. Januário sempre pedia para dirigir, mas o pastor Joaquim, líder da banda, não deixava. Se pegasse a direção na estrada, o contrabaixista estaria exausto na apresentação. Lourival Reis era o motorista oficial. No entanto, Januário fazia questão de seguir no banco do carona, dando palpites na direção como se fosse copiloto. Se Lourival forçasse o motor da corujinha, o contrabaixista pedia para ele pegar leve.

A viagem de ida foi mais ou menos tranquila. A Kombi estava abarrotada de instrumentos e sete pessoas seguiam espremidas entre eles. No meio do trajeto de 450 quilômetros, o veículo começou a engasgar em plena Via Dutra (BR-116). Nunca a corujinha tinha percorrido tanto chão com excesso de peso de modo ininterrupto. O motor simplesmente apagou. Como se zelasse pela vida dos angelicais, a mascote só parava de funcionar em locais seguros da estrada. Depois de meia hora desligada, esfriava, era empurrada pelos rapazes e o motor funcionava outra vez. A danada ganhava velocidade após o esforço coletivo, obrigando todos a serem ligeiros para alcançá-la e subir pela porta lateral com o carro em movimento. Isso ocorreu quatro vezes na ida. Os músicos já estavam acostumados com aquilo, que atribuíam ao temperamento instável da Kombi: às vezes, ela parecia ter vida própria e personalidade forte.

– Essa corujinha tá muito dengosa, precisando de carinho – brincou Januário numa das paradas.

Depois do afago dos rapazes, a mascote ganhou fôlego e concluiu o percurso até Guarulhos. A viagem, em geral de seis horas de duração, foi concluída em doze horas por causa das falhas no motor. Na cidade paulista, ainda fizeram um ensaio geral. O show, na visão da banda, foi um sucesso. A igreja estava decorada com balões e bandeirinhas coloridas. Mais de 5 mil cristãos compareceram e ovacionaram a pregação do pastor Joaquim e o som do Conjunto Angelical. No final, teve chuva de confete e serpentina.

Exaustos, de volta à Kombi para regressar ao Rio, os músicos dormiram apoiados nos ombros uns dos outros – exceto, claro, o motorista Lourival. Compreensiva, a corujinha não pifou nenhuma vez durante o retorno. Pelo contrário, seguiu viagem silenciosamente, sem falhas no motor. Chicão estava no banco de trás, ao lado do filho Fábio. Nessa época, o uso do cinto de segurança não era obrigatório no Brasil, nem mesmo para os passageiros do banco da frente.

Na altura do município de Piraí (RJ), a 100 quilômetros de casa, a profecia macabra de Carmozina começou a se materializar. Era uma noite luminosa, banhada por uma chuva fina e persistente. Pouco antes das 22 horas, a corujinha parecia calma na escuridão da estrada, quando, após uma curva bem fechada, Lourival se surpreendeu com um caminhão (placa AQ-0551) carregado de ferro, parado no acostamento. Parte da carroceria, entretanto, ocupava a primeira faixa da rodovia. Ao desviar do obstáculo com uma manobra brusca para a esquerda, a Kombi perdeu o controle, seguiu desgovernada em zigue-zague e esbarrou na mureta de concreto que divide as duas pistas.

Logo atrás, um ônibus da Viação Cometa (placa HX-0297) atingiu a traseira da perua. Com o impacto na corujinha e a intensidade da frenagem, quem estava atrás foi arremessado à frente do carro numa velocidade assustadora. Nesse tipo de acidente, a desaceleração inesperada causa danos aos órgãos, porque eles colidem com os ossos. O cérebro, por exemplo, é amassado pela caixa craniana, causando sangramentos internos. Com o choque, Fábio foi jogado violentamente em direção ao para-brisa e cuspido para fora da Kombi.

Januário se atracou numa das alças da corujinha, como se desse as mãos a ela diante de tanto pavor. Implacável, o ônibus sentou outra pancada forte – dessa vez na lateral. A Kombi perdeu a estabilidade e capotou dez vezes até parar no meio da estrada com as rodas viradas para o lado. Os músicos se machucaram muito porque, além das duas colisões e da ausência do cinto de segurança, os instrumentos musicais com pontas de metal cortante bateram neles enquanto o veículo rodopiava. O teto branco da perua, ornamentado com desenhos de anjinhos, ficou imundo de sangue. Com medo de uma explosão, os angelicais saíram rapidamente pelas portas da Kombi, todas voltadas para o alto. O ônibus, sem passageiros, conseguiu parar mais adiante com pequenas avarias.

Sobreviventes e seguros em terra firme, os músicos religiosos já falavam em milagre. Apressado, o pastor Joaquim Lima se ajoelhou no acostamento, ergueu os braços para cima segurando uma Bíblia e começou a orar enquanto chorava para agradecer pela vida dos músicos. Os mais machucados eram Fábio, Odilon e o motorista, Lourival. O menino bateu a cabeça, cortou a boca e o supercílio direito, teve fraturas expostas nos braços e nas pernas e uma intensa hemorragia. Chicão sobreviveu com alguns arranhões. Januário machucou o ombro e teve ferimentos no rosto.

Naquela hora de martírio surgiu o lavrador Antônio Donizete da Silva, de 23 anos, que passava a pé pelo acostamento quando viu o acidente e tratou de socorrer as vítimas. O motorista do ônibus, Maurício Ferreira da Silva, também ajudou a cuidar dos feridos, amarrando panos para estancar as hemorragias. Numa atitude perigosíssima, alguém teve a ideia de pedir a alguns passageiros da Kombi – Fábio, Aléssio, Januário, Lourival e Geraldo – que se sentassem no meio-fio da Via Dutra até as ambulâncias chegarem. Enquanto isso, Antônio Donizete e Maurício uniram forças, desviraram e empurraram a Kombi até o acostamento. Januário, mesmo machucado, também ajudou a socorrer a corujinha. Em pé, no acostamento, estavam Chicão, Joaquim, Brás Fernandes e José Gomes.

Chegaram viaturas da Polícia Rodoviária Federal. Antes que os agentes pudessem interditar o trânsito, surgiu uma carreta (placa NT-1491) da empresa de transportes Grecco, abarrotada com 12 toneladas de enormes lâminas de vidro. A jamanta corria com faróis altos clareando a escuridão, em velocidade muito acima da permitida. Ao se deparar com o caminhão atravessado na estrada, o motorista fez uma manobra precipitada e foi em direção à Kombi, que ainda estava sendo retirada da pista. Com os freios acionados subitamente, o veículo pesado começou a arrastar os pneus no asfalto, levantando uma poeira preta e produzindo um som que ensurdecia a todos.

A carreta atingiu primeiro a corujinha, arrastando a perua de encontro aos músicos que estavam em pé no acostamento. Levada por uma força descomunal, a Kombi se chocou contra o ônibus da Viação Cometa parado cerca de 100 metros adiante e ficou totalmente destruída pela compressão.

A colisão dos três veículos matou sete pessoas por esmagamento. Alguns corpos foram desmembrados em quatro partes. Para completar a tragédia, a carga de vidro despencou da carreta, distribuindo estilhaços cortantes para todos os lados.

Januário foi o primeiro a ser atingido. Seu corpo foi cortado brutalmente em três pedaços – na altura do tronco e no pescoço. Com o choque, a cabeça do contrabaixista foi catapultada ao matagal, como num filme de terror. Chicão foi o segundo a morrer. A maior parte do corpo destroçado do marido de Carmozina ficou presa entre o maquinário da carreta e a Kombi. Além de Januário e Chicão, faleceram no local quatro integrantes da banda: o pastor Joaquim Lima (57 anos), José Gomes da Silva (24), Geraldo Marçal Filho (29) e Aléssio Barreto de Freitas (27). O lavrador Antônio Donizete também morreu decapitado na tragédia.

Com 14 anos na época, Fábio sobreviveu, juntamente com o motorista da corujinha, Lourival Reis. Os músicos Odilon e Brás Fernandes saíram do duplo acidente com ferimentos leves porque perceberam o movimento insano da carreta e tiveram o reflexo de saltar rapidamente para trás. Curiosamente, Fábio foi dado como morto por dois dias. Ele estava a poucos metros de Chicão quando a carreta surgiu. Ao testemunhar de perto a morte violenta do pai, o jovem teve uma crise de pânico seguida de um ataque histérico. Começou a se debater no chão. O caçula de Carmozina estava muito ferido, e uma viatura da Polícia Rodoviária Federal o levou dali em estado de choque para o hospital de Volta Redonda, onde foi internado numa Unidade de Tratamento Intensivo. Como nenhum dos sobreviventes viu Fábio ser resgatado pelos agentes, deduziram que o rapaz estaria entre os mortos.

Quatro camburões do Instituto Médico Legal do Rio de Janeiro passaram a madrugada toda retirando os pedaços de corpos da estrada e do acostamento. Quando o sol clareou o céu azul, havia um rastro de morte na Via Dutra. Misturados a tiras de pneus e cacos de vidro, foram encontrados no asfalto pares de sapatos, um pandeiro, uma guitarra quebrada, uma bateria totalmente danificada, dois livros de cânticos e diversas bíblias. A corujinha marrom e branca, irreconhecível de tão destruída, foi descartada feito sucata no ferro-velho.

Trancada em seu quarto, concentrada em orações, Carmozina sentiu um vento gelado nas costas quando a Kombi com o marido e o filho caçula bateu no ônibus. Disse ter visto Deus agindo à sua maneira. "Eu soube que eles não morreriam no primeiro momento porque havia outras ovelhas para acertar as contas com Ele", contou, referindo-se ao lavrador Antônio Donizete. "Não tente buscar explicações para as decisões do Criador. O que eu posso te dizer é que aquela carreta não surgiu na estrada do nada", relatou Carmozina, em março de 2022. Quem levou a notícia triste à bruxa foi o pastor da Assembleia de Deus, Demóstenes Assumpção. Às 10 horas da segunda-feira, 25 de outubro de 1976, o líder religioso bateu à porta da viúva com uma Bíblia embaixo do braço. Fez um pouco de rodeio:

– Dona Carmozina, às vezes as linhas tortas da caligrafia de Deus nos fazem sofrer e chorar. Mas elas sempre nos levam para o caminho certo...

– Já sei que o meu marido morreu no acidente! – encurtou a conversa.

– A senhora ouviu na rádio Tupi? – quis saber o pastor, achando que trazia um furo de reportagem.

– Não! Na semana passada, Deus veio até mim sem intermediários e me falou dos seus planos para a minha família – respondeu.

– Amém! – completou Demóstenes, tentando consolá-la.

– Mais alguma coisa, pastor?

– Não sei se Deus lhe adiantou, mas seu filho Fábio também nos deixou, dona Carmozina.

– Quem lhe disse isso?

– Ouvimos nas ondas da rádio logo cedo.

– A rádio Tupi e o senhor estão enganados. Meu filho está vivíssimo! – contestou a matriarca.

Pedindo licença a Demóstenes, Carmozina fechou a porta lentamente na cara dele. A vizinha Mariazinha também ouviu no rádio sobre o acidente e correu para consolar a amiga pela morte do marido e do filho caçula. Emotiva, Mariazinha derramava um rio de lágrimas, enquanto a viúva não demonstrava nenhuma emoção. Fria, a bruxa pediu para a vizinha chorar apenas por Chicão e voltou a insistir na sobrevivência de Fábio. Na sequência, Carmozina começou um circuito de orações com vários fiéis na sala de sua casa até a chegada do corpo do marido, ainda na segunda-feira. Fábio chegou em casa no dia seguinte, para surpresa de todos. Quem viu o caçula naquele momento, depois de dado como morto, creditou a "ressurreição" a mais um milagre na conta da bruxa do Jacarezinho.

A morte dos rapazes do Conjunto Angelical teve ampla cobertura da mídia nacional porque, além da violência do acidente, uma outra colisão ocorrida dois meses antes na Via Dutra havia matado o ex-presidente da República Juscelino Kubitschek. O político morreu no km 165 da rodovia – a 75 quilômetros do local da tragédia com os músicos religiosos da Assembleia de Deus – no dia 22 de agosto de 1976, aos 73 anos. O Opala do político seguia de São Paulo para o Rio, foi atingido por um ônibus e ultrapassou a mureta divisória, colidindo de frente com uma carreta. Na época, a polícia chegou a considerar a hipótese de um atentado. A tese investigada sustentava que o ônibus teria batido de propósito na traseira do carro de JK, dirigido por Geraldo Ribeiro. Porém, o motorista do coletivo, Josias Nunes de Oliveira, foi inocentado por falta de provas. O local onde o ex-presidente perdeu a vida é conhecido atualmente como "Curva do JK".

O funeral dos integrantes do Conjunto Angelical ocorreu na tarde do dia 26 de outubro de 1976, uma terça-feira, e arrastou uma multidão de fãs. O acidente teve destaque no *Jornal Nacional*, na época apresentado por Cid Moreira e Sérgio Chapelin. Na televisão, o noticiário emocionou o público ao contar a história de cada um dos músicos evangélicos mortos na batida dos três veículos. O lavrador Antônio Donizete também teve obituário exibido na tevê. Segundo registros da época, os motoristas das duas carretas envolvidos nas colisões foram indiciados e o condutor da jamanta foi preso. Alguns jornalistas fizeram reportagens sobre uma maldição na Via Dutra em função dos acidentes violentos ocorridos no trajeto desde sua duplicação, em 1967.

Na semana do desastre com os angelicais, fotos da corujinha inteira e totalmente destruída, assim como imagens da jamanta assassina, apareceram com destaque nos jornais *O Dia* e *Jornal do Brasil*. Segundo os periódicos, mais de 2 mil pessoas foram ao culto do templo da Assembleia de Deus de Jacarezinho em homenagem aos músicos mortos e metade desse público seguiu até o cemitério de Inhaúma, na zona norte do Rio de Janeiro – muitos fiéis se mostravam inconsoláveis com a perda do líder do grupo, o popular pastor Joaquim Lima. Os caixões chegaram juntos, mas foram levados para sepulturas distantes umas das outras. Como os enterros ocorreram ao mesmo tempo, houve um corre-corre dentro do cemitério em razão da impossibilidade de os presentes acompanharem todos os cortejos. As vias estreitas do campo-santo ficaram pequenas para o amontoado de gente, e os fiéis começaram a caminhar por cima das sepulturas, danificando os mausoléus. A destruição das lápides foi destaque na página 12 do jornal *O Globo* de 27 de outubro de 1976. "Esses enterros foram os mais tumultuados já realizados aqui no cemitério de Inhaúma. Nunca vimos nada parecido", destacou um funcionário à reportagem.

Ladrões aproveitaram o fuzuê e fizeram um arrastão no cemitério, roubando bolsas, carteiras, relógios e cordões, fato também registrado em *O Globo*. O alvoroço aumentou ainda mais porque a família de Januário resolveu ver o rosto do rapaz poucos minutos antes do enterro. Funcionários da prefeitura tentaram impedir, porque o corpo do músico estava decapitado. Mas a mãe dele bateu o pé e fez um escândalo. Ela desconfiava que o morto lá dentro não era seu filho.

Mesmo contrariado, o coveiro abriu a urna. De fato, a pessoa deitada no esquife funerário não era Januário. Os fãs do Conjunto Angelical bateram o olho na vítima e disseram se tratar do músico José Gomes (tamborim), que tinha a mesma idade do contrabaixista. A troca foi desfeita, mas a confusão continuou porque, revoltados, os parentes de Januário concluíram o óbvio: haviam orado por mais de três horas para o defunto errado.

Ao final dos sepultamentos, os fiéis se reuniram na principal via do cemitério. Os pastores Demóstenes e Sebastião Gabriel dos Anjos, os mais populares de Jacarezinho, aproveitaram a aglomeração das ovelhas para pregar: conduziram um culto inflamado que começou às 17 horas e varou a noite, quando os roubos se intensificaram. Para completar, como era ano de eleições municipais, candidatos a prefeito e a vereador apoiados pela Assembleia de Deus no Rio de Janeiro foram até lá pedir votos. Os políticos também ofereceram ônibus para conduzir os fiéis da favela até o funeral e vice-versa. No trajeto, cabos eleitorais distribuíam santinhos dos candidatos. A Polícia Militar foi chamada porque a administração do cemitério não conseguiu expulsar as pessoas para fechá-lo às 18 horas.

Quase no final do culto improvisado, Flordelis teve seu primeiro momento de brilho como artista. Em pé sobre um mausoléu, o pastor Sebastião chamou a filha de Chicão, que estava na plateia. Flor subiu na sepultura e ficou perplexa com o mar de gente diante de seus olhos. Para a multidão, o pastor apresentou a garota de 15 anos como cantora, filha de Chicão e Carmozina e irmã de Fábio. Os fiéis aplaudiram com fervor. Apesar de ela já ter se apresentado várias vezes como vocalista do Conjunto Angelical, na Assembleia de Deus de Jacarezinho, boa parte do público evangélico não a conhecia. Percebendo o encanto dos féis pela garota feia e magricela de cabelos pretos e longos, Sebastião cochichou no ouvido da filha de Carmozina:

– Não temos banda nem microfone. Você dá conta de cantar no gogó?

– Com certeza! – assegurou Flordelis, com a postura de diva.

O pastor Sebastião pediu silêncio ao público para a adolescente esquálida cantar. Esperta, ela optou por fazer uma pregação religiosa antes de se apresentar. Falou da importância do pai e da mãe em sua vida e se solidarizou com os familiares dos mortos. Depois, referiu-se com carinho a cada um dos integrantes do Conjunto Angelical, arrancando aplausos e lágrimas. Na sequência, entoou *à capela* os principais sucessos da banda, levando a plateia ao delírio. Por último, cantou hinos da igreja, todos acompanhados pela multidão. Flor foi ovacionada pela primeira vez na vida. Sua performance ganhou até registro na edição dos jornais do dia seguinte. Encantados, os pastores convidaram Flordelis, ali mesmo, do alto de uma sepultura, para cantar em todos os cultos dominicais da igreja da Assembleia de Deus administrada pelo pastor Demóstenes, a mesma frequentada por Rose, namorada de Amilton. Quando a estrela desceu do palco improvisado, um rapaz de 23 anos, bem-apessoado, deu a mão a ela para cortejá-la. A moça correspondeu ao galanteio com um sorriso, mas um monte de fiéis tentava cumprimentá-la e o tumulto atrapalhou o flerte. Depois da algazarra, Flor procurou o moço, e nada – engolido pela multidão, o jovem sumiu como se fosse uma miragem.

Com a morte de Chicão, Carmozina intensificou em casa os serviços de cura e adivinhação oferecidos aos fiéis da Assembleia de Deus, mas não só a eles. Ela buscava novos clientes nos templos e também nas ruas da vizinhança e em pontos de aglomeração, como a feira. A maioria chegava até sua casa pela publicidade boca a boca. Em alguns dias da semana, pelo menos dez pessoas recorriam à bruxa. As doações, antes espontâneas, passaram a ser obrigatórias e preferencialmente em dinheiro. Mesmo assim, os valores pagos eram irrisórios, pois boa parte da clientela estava desempregada e mal tinha recursos para comprar comida. Com a pindaíba da família, Laudicéia e Abigail (Eliane) passaram a trabalhar como domésticas em casas de família e deixaram de ajudar Carmozina. Flordelis, então, assumiu oficialmente o papel de assistente direta da mãe: auxiliava nas sessões de "cura" puxando orações e organizando o atendimento. Em paralelo, tentava engrenar na carreira musical. Amilton continuava trabalhando na gráfica, operando máquinas de cortar e picotar papel. Quando a sala de espera estava cheia de fiéis, Flor falava das profecias da mãe. Fábio dava testemunho, relacionando sua sobrevivência aos ditos poderes sobrenaturais de Carmozina. "A minha mãe me salvou no acidente da Via Dutra. O Diabo veio em nossa direção dirigindo uma carreta e ela pediu a Deus que eu fosse poupado. Graças a esse milagre, eu estou aqui dando o meu testemunho", relatava o caçula.

 Alguns anos depois da morte de Chicão, a casa de Carmozina havia se transformado num minicentro de cura semelhante à oca de Miquelino, seu falecido irmão. Certo dia, um casal de jovens da igreja, Alexandre e Marly, ambos perto dos 30 anos, procurou a bruxa em busca de solução para um problema conjugal. Ele era alcoólatra em estado avançado e, possuído pela cachaça, enchia a esposa de murros e depois a estuprava furiosamente. Eles já tinham tentado de tudo para afastar o álcool do matrimônio – Marly também bebia, mas com moderação. Apesar das sessões de violência, desfazer o casamento estava fora de cogitação. A moça amava o marido e, na igreja, chamava seu martírio de provação. Carmozina resumiu a infelicidade do casal afirmando, entre uma oração e outra, que o capeta entrava na casa de Alexandre e Marly dentro das garrafas de pinga. No final da primeira sessão, agendou um retorno para a semana seguinte e ordenou que o casal levasse todas as bebidas da casa. No dia marcado, eles estavam lá com seis garrafas de aguardente Pitú, cinco delas cheias e lacradas – a sexta, aberta, tinha metade do conteúdo. Nessa segunda sessão de cura, Marly apresentava hematomas no rosto, disfarçados com pó compacto. Alexandre havia entornado 400 mililitros de cachaça como forma de despedida. Carmozina pegou as garrafas, percebeu o estado deplorável do "cliente", fechou os olhos e fez uma oração na qual o nome do Diabo e seus derivados foram pronunciados à exaustão – bem mais vezes do que o nome de Deus. A casa estava cheia de testemunhas, e a bruxa se dirigia a elas:

– Irmãos, o Satanás está no corpo desse rapaz!

– Amém! – gritavam os fiéis.

– Glória a Deus! – berravam outros.

– O Coisa-ruim está diluído no sangue dessa ovelha e consegue passear por todo o seu corpo, penetrar-lhe os ossos – dizia Carmozina, mostrando a garrafa de Pitú aos fiéis.

– Amém!

– Uma única reza não é capaz de expulsar o bode-preto das entranhas desse cristão, que caminha ao encontro da latrina do mundo.

– Amém!

– Mas estou aqui para virar esse jogo. Sua família não será destruída pelos poderes do mal.

– Amém!

– Minha oração poderosa vai livrá-lo do cão-miúdo!

Alexandre estava no meio da sala, ajoelhado, de costas para Carmozina. No momento mais fervoroso da oração, ele começou a chorar. A bruxa continuou:

– Repita comigo: álcool nunca mais! Álcool nunca mais! Álcool nunca mais!

Num ato cênico, Carmozina jogou a garrafa de Pitú contra a parede, estilhaçando-a. Os fiéis se assustaram, mas não arredaram pé do culto. A bruxa segurou Alexandre pelos cabelos e sacudiu sua cabeça de um lado para o outro, continuando a pregação:

– Eu sei que parar de beber não é fácil, até porque Lúcifer é elegante, sedutor, manipulador, insistente e traiçoeiro. Ele exerce um poderio enorme sobre os homens de alma fraca que vivem longe de Deus. O beiçudo de chifres plantou uma semente maldita na cabeça desse servo! Mas estou aqui para colocá-lo novamente no rebanho do bem!

Assistente da mãe, Flordelis recolheu os cacos da embalagem quebrada e guardou no armário as outras cinco garrafas de aguardente lacradas, levadas por Alexandre. No final da sessão, a bruxa marcou um retorno do "cliente" para dali a três dias. Dessa vez, porém, ele deveria ir sozinho. O casal saiu de lá sob aplausos dos fiéis. Antes de ir embora, Marly deixou na mesa de centro um quilo de açúcar e uma bandeja com 24 ovos, que serviram de jantar para todos da casa por uma semana. Carmozina olhou para os alimentos e encarou a cliente de cara feia. Envergonhada, Marly abriu a bolsa e deixou duas cédulas de 1 cruzeiro, à época ilustradas com uma efígie simbólica da República. A cara da bruxa ficou ainda mais feia, e Marly desembolsou uma nota de 5 cruzeiros, estampada com a cabeça imponente do imperador D. Pedro I.

Fato: a família de Carmozina era cheia de segredos. Um deles ficava guardado a sete chaves. Depois de se mudar para o Jacarezinho, a bruxa descobriu que, além de Miquelino, tinha outro irmão por parte de pai. Criminoso e ex-presidiário procurado pela polícia, era conhecido como Pau-Preto do Jacaré. O rapaz atuou no tráfico, foi condenado a doze anos de prisão e já estava no regime aberto quando atropelou e matou um pedestre no Jacarezinho. Ele sustentava se tratar de um acidente. No entanto, poucas pessoas acreditavam, porque a vítima era integrante de uma facção rival. Para não voltar à cadeia, Pau-Preto escolheu a vida de foragido. Às vezes, o bandido passava pela casa de Carmozina para comer, tomar banho e descansar. No dia da sessão de descarrego de Alexandre, ele estava lá e reconheceu o alcoólatra de outros carnavais. O rapaz tinha ficha suja por assalto a ônibus em Copacabana e ficou alguns meses preso. Nas horas vagas, Alexandre também roubava relógios e carteiras no Centro do Rio. Para a esposa, dizia trabalhar sob o sol com placas enormes penduradas na frente e atrás do próprio corpo anunciando compra e venda de ouro no Largo de São Francisco de Paula. Depois de ouvir do irmão bandido referências negativas sobre Alexandre, Carmozina teve uma ideia. Conforme o combinado, o "cliente" retornou sozinho à casa da bruxa já confessando ter sido possuído novamente pelo rabudo, que entrou nele pelo gargalo da garrafa de Pitú. Arrependido e choroso, o pinguço levou um outro casco da cachaça quase vazio. Prometeu não beber o resto de jeito nenhum, pois temia que, endemoniado, voltasse a espancar e violentar a esposa. Irritada com aquela conversa mole, Carmozina pegou a garrafa, derramou a bebida na pia da cozinha e atendeu Alexandre reservadamente, no quintal. Longe de testemunhas, ela foi categórica:

– Deus me contou os caminhos tortuosos percorridos por você, sua ovelha imunda!

– Tudo o que, minha senhora? – perguntou ele, acreditando tratar-se dos estupros contra Marly.

– Sei de coisas que você imagina e um pouco mais! Inclusive dos roubos no Centro, da vida na prisão, do seu passado tão sujo de merda quanto o pau do padre. É muito pecado para uma alma pequena como a sua!

– Minha Nossa Senhora! – espantou-se o penitente.

Como a maioria dos evangélicos não acredita na pureza da Virgem Maria, Carmozina aproveitou a interjeição inadequada de Alexandre e desferiu uma bofetada em seu rosto. Na sequência, ameaçou:

– Se você puser mais uma gota de álcool na boca, vou te entregar à polícia e sua esposa vai saber que tipo de cristão asqueroso você é!

Quem conhece essa história conta que Alexandre atravessou a sala da bruxa todo molhado de urina. Como de hábito, ele deixou donativos para Carmozina: um quilo de farinha de mandioca, uma lata de óleo de soja, além de uma nota de 10 cruzeiros, ilustrada pela cabeça do imperador D. Pedro II. Saiu de lá tão rápido quanto um tiro de revólver. No domingo seguinte, supostamente regenerado, subiu ao púlpito da Assembleia de Deus para dar um testemunho de como se livrou do vício em álcool. Todos os méritos foram atribuídos a Carmozina, que estava na plateia e foi reverenciada. Como agradecimento pela "cura", Alexandre fez questão de dar discretamente a Carmozina uma nota de 50 cruzeiros, à época estampada com a medalha do marechal Deodoro da Fonseca na frente e um painel de Cândido Portinari, representando a colheita de café, no verso. A bruxa pegou a nota, dobrou-a rapidamente e a escondeu no sutiã, enquanto os fiéis oravam de olhos bem fechados. Nesse mesmo culto, Flordelis, já com 18 anos, subiu ao palco para cantar com a nova formação do Conjunto Angelical. No meio da apresentação, viu o rapaz bonito e misterioso presente no enterro do pai. O jovem se aproximou do palco e Flor se desconcentrou, mas terminou de cantar a música "Multidão", escrita por Fábio em homenagem a Chicão. Um trecho da letra diz: "*Vejo uma grande multidão caminhando por um longo caminho. Vejo que as pessoas não caminham sozinhas. Com elas segue Deus pai, que fez o céu, a terra e o amor. E essa multidão vai caminhando de vestes brancas por uma estrada escura (...) cantando em coro celestial*". À medida que Flor entoava os versos, o jovem enigmático cortava caminho por entre os fiéis até chegar à ponta do palco. O rapaz encarou firmemente a cantora. No final da apresentação, ela desceu e perguntou à queima-roupa:

– Afinal, quem é você?

– Eu me chamo Paulo Rodrigues Xavier. Sou pastor na igreja do pastor Demóstenes, aqui mesmo no Jacarezinho. Estou loucamente apaixonado por você há três anos e não há nada que me impeça de viver esse amor.

Flordelis olhou o rapaz de 26 anos de cima a baixo, fixou o olhar no volume do seu sexo sob a calça de tecido fino e, num canto reservado da igreja, retribuiu a investida com um singelo beijo em seu rosto.

Os dois saíram do templo de mãos dadas e transaram até o dia seguinte na casa de uma tia dele. A química entre o casal foi tão poderosa que, três dias depois, estavam namorando sério sem mesmo se conhecerem direito. Segundo relatos de parentes, quando Paulo surgiu na igreja, Flor teria visto o vulto do pai tocando acordeão junto com os novos integrantes do Angelical. O fantasma de Chicão sorriu para a filha e balançou a cabeça sutilmente, indicando sinal positivo, ao mesmo tempo que abria e fechava o instrumento musical sanfonado. Foi só depois do aval da suposta assombração paterna que Flor fechou os olhos e deu um beijo longo na boca de Paulo. O pastor levou a namorada para cantar na igreja de Demóstenes em diversos cultos dominicais, tornando-a mais conhecida na comunidade evangélica. Quem acompanhou as apresentações musicais de Flor relatou que ela era extremamente sedutora quando subia ao palco, atraindo a atenção dos cabritos e despertando inveja das ovelhas. Paulo espumava de ciúme da namorada, mas era contido pelo pastor Demóstenes, que lhe dizia frases de autoajuda, como "o ciúme é um sentimento tão nobre que deve ficar sempre oculto".

Depois de nove meses de namoro, Flor e o pastor Paulo Xavier se casaram e tiveram supostamente três filhos: Simone dos Santos Rodrigues, nascida em 21 de janeiro de 1980; Flávio dos Santos Rodrigues, nascido em 31 de maio de 1981; e Adriano dos Santos Rodrigues, nascido em 15 de agosto de 1987. Adriano nasceu raquítico e continuou magricelo na infância, na adolescência e na vida adulta. Por causa do corpo franzino, recebeu o apelido de "Pequeno". No início, o casamento de Flor e Paulo era um mar de rosas. Os dois faziam muitos programas românticos, como passear no calçadão de Copacabana, assistir a filmes em salas de cinema e frequentar motéis. A amigos, Paulo reclamava do excesso de volúpia de Flordelis, pois ela queria transar todos os dias e até em lugares inusitados, como atrás da igreja. Quando os filhos eram pequenos, o pastor não gostava de transar em casa porque tinha receio de que uma das crianças ouvisse os gemidos da esposa. Paulo também tinha medo de ser flagrado na cama com Flor, pois as portas dos quartos não tinham fechaduras muito seguras. Com o tempo, os dois começaram a se desentender por causa da falta de interesse do pastor em sexo. Segundo relatos de Flordelis, ele também passou a espancá-la.

Paulo negou a violência doméstica e contou a amigos da igreja ter se separado dela ao descobrir supostas traições. Com o fim do casamento, Flordelis passou a cuidar dos filhos sozinha. O ex-marido fazia questão de pagar pensão alimentícia e de buscar as crianças para passear nos fins de semana. Pré-adolescente, Flávio era o mais apegado ao pai. Adriano, ainda muito pequeno, era impedido pela mãe de sair com Paulo. Simone foi "envenenada" por Flordelis e passou a rejeitar o pai por ele ter abandonado a família. Em um dos encontros de Paulo com a filha, ele teria ficado chocado com a precocidade da menina. Na verdade, ela vinha reproduzindo um padrão de comportamento familiar. Aos 10 anos de idade, disse com todas as letras que não era mais virgem. A garota tinha uma energia sexual tão forte quanto a da mãe e se oferecia compulsivamente até para homens casados, apesar de não ter o corpo desenvolvido.

Nas décadas de 1970 e 1980, a sexualidade precoce das crianças ocorria geralmente a partir dos 8 anos, principalmente nas comunidades carentes. Flordelis, por exemplo, transou pela primeira vez aos 12 anos com um homem de 31. Carmozina, que perdeu a virgindade aos 10, reprovava o comportamento deplorável da neta, principalmente quando a menina seduzia ou era seduzida por homens adultos nos cultos e até nas sessões de cura da avó. Quando Simone completou 12 anos, sua fama de piranha já corria por toda a favela. Certo dia, o traficante do Comando Vermelho Anderson Cortiano de Melo, de 25 anos, armado com um revólver, bateu à porta de Carmozina dizendo ter transado com Simone e querendo repetir a relação sexual. Perplexa, a bruxa chamou a neta para uma conversa particular no quintal. Anderson ficou na sala. A garota disse à avó estar loucamente apaixonada pelo bandido. Como de costume, a feiticeira disse ter tido uma longa conversa com Deus. E que Ele, em segredo, fez um prognóstico sinistro para a família:

– Simone, minha neta, Deus reservou para Flordelis, para você e seus irmãos as maiores desgraças do mundo. Eu olho, olho e olho para o céu e só vejo a morte no futuro de vocês. Toda a escuridão envolvendo o destino da nossa família estará relacionada diretamente a essa vida mundana que você está levando agora. É tanto sofrimento que estou toda arrepiada.

Impaciente, o traficante foi até o quintal, interrompeu a conversa e perguntou sem cerimônia:

– Simone, você vem ou não?

– Vou, sim! Só um momento – pediu.

– Minha neta, esse homem é um traficante perigoso e ainda por cima casado! – alertou Carmozina.

– Eu sei. Por isso estou com ele! – devolveu a jovem.

– Vou contar à sua mãe! – ameaçou a feiticeira.

– Não precisa. Eu mesma já contei! – retrucou a neta, cinicamente.

Mesmo mergulhada numa vida mundana, Simone era religiosa: vivia na igreja, andava sempre coladinha a uma Bíblia, acreditava piamente nas profecias da velha e repetia aos quatro cantos ser tementíssima a Deus. Antes de sair de casa com Anderson, ela perguntou à avó, na frente do bandido:

– Vó, me fale agora: quem vai trazer o Diabo para dentro da nossa família? Quem?

Anderson riu. Séria, a bruxa respirou fundo, pôs as duas mãos em forma de concha no rosto de Simone e afirmou com toda a certeza do mundo:

– O Diabo já está entre nós faz tempo!

Sem dar a mínima para a avó, Simone saiu com o seu namorado traficante. Carmozina foi até seu quarto de orações e trancou a porta. À noite, quando todo o mundo dormia, a bruxa teve um sobressalto na cama e acordou molhada de suor. Para entrar um ar fresco, resolveu abrir a janela e voltou a dormir. Mesmo sem estar ventando, o abacateiro de Mariazinha soltou um fruto, que caiu dentro do poço. Carmozina estava deitada quando ouviu o eco de uma voz familiar gritando por socorro. Acendeu uma lamparina e desceu de camisola até o quintal. Aproximou-se do poço, coberto com tábuas de madeira, retirou a tampa e levou um susto quando viu Amilton lá no fundo, debatendo-se na água e suplicando pela vida. "Mãe, pelo amor de Deus. Não me deixe morrer aqui!", exclamava o rapaz. De repente, Miquelino materializou-se vestido de branco e puxou Amilton para o fundo do poço. Carmozina olhou friamente para o céu, fechou os olhos e agradeceu a Deus. Acordou só no dia seguinte, em sua cama. Desceu para tomar café com a família, como se aquela cena agonizante nunca tivesse acontecido.

CAPÍTULO 2

VARRE, VARRE, VASSOURINHA

> "Mesmo quando eu andar pelo vale das trevas e da morte, não temerei perigo algum, pois tu estás comigo."

Aquariana, Flordelis dos Santos de Souza nasceu de parto normal na madrugada de 5 de fevereiro de 1961 em uma viela do Jacarezinho, uma das favelas cariocas mais pobres, violentas e negligenciadas do país. Carmozina tinha 28 anos quando pariu a filha. O país era governado por Jânio Quadros, o presidente com mandato mais curto da história do Brasil. Jânio havia sido eleito com 5,6 milhões de votos e o apoio de uma coligação de partidos liderados pela UDN (União Democrática Nacional) em 3 de outubro de 1960. Tomou posse em 31 de janeiro de 1961 e ficou no cargo por apenas sete meses, renunciando no dia 25 de agosto. No período em que Jânio pedia votos nas ruas, Carmozina gestava a futura pastora. Brasília havia acabado de ser inaugurada. Uma penca de denúncias de pagamento de propina envolvendo contratos do governo com empreiteiras manchava as obras de construção da nova capital. Excêntrico, Jânio elegeu uma vassoura como símbolo da campanha e usava a piaçaba nos comícios para anunciar uma faxina no país e livrá-lo da corrupção. O marketing deu certo.

Nos primeiros meses de governo, Jânio deu sinais de autoritarismo e extravagância ao tomar medidas esdrúxulas e conservadoras – como proibir o uso de biquínis em todas as praias do país e o de maiôs nos concursos de beleza. Populista, ofereceu prêmio em dinheiro para os funcionários públicos que não tivessem faltas no trabalho. As novas regras, impostas por decretos, fizeram a rejeição do presidente disparar e sua base política ruir. Renunciou por meio de um bilhete dirigido ao Congresso Nacional, com 24 palavras distribuídas em cinco linhas.

Nessa época, um dos vizinhos de Carmozina no Jacarezinho era Sandoval Gomes, de 19 anos. Cearense de Jaguaribe, popular na favela, era um jovem bonito, forte, alto e bem-sucedido aos olhos da comunidade carente. Trabalhava na campanha de Jânio distribuindo vassouras, santinhos e dirigia um carro de som, divulgando o *jingle* do político nos morros do Rio de Janeiro: "Varre, varre, vassourinha, varre, varre a bandalheira". A canção tinha ritmo de carnaval e empolgava a população. Certo dia, Sandoval apareceu no Jacarezinho com cem vassouras e repassou dez delas a Carmozina, fazendo piada: "Não vai sair voando por aí, hein..." Era uma referência à fama de bruxa, já em ascensão no bairro. Ela não gostou do gracejo, mas pegou as vassouras e repassou às vizinhas – duas ficaram com Mariazinha, a dona do abacateiro. Quando Jânio foi eleito, Sandoval conseguiu uma sinecura por indicação política no Palácio do Catete e se manteve no cargo mesmo depois de o presidente perder o poder.

Em 1973, aos 32 anos, Sandoval trabalhava como motorista no gabinete do governador do Rio de Janeiro, Raimundo Padilha (Arena), eleito indiretamente pelos votos dos deputados da Assembleia Legislativa do Estado. Com um cargo prestigiado pelas pessoas humildes, o servidor público passou a fazer sucesso entre as mulheres do Jacarezinho. Foi quando Laudicéia, de 22 anos, filha mais velha de Carmozina, interessou-se pelo rapaz. Só que ele ficou encantado por Flordelis, então com 12 anos e virgem. Chicão, marido de Carmozina, não autorizou o namoro, mas ela acobertava os encontros dos dois na esperança de a relação evoluir para o casamento. A matriarca fazia um alerta: não devia haver sexo antes da união no religioso. O casal namorava à luz do dia, no quintal, sob os galhos frondosos do abacateiro de Mariazinha, sentado em um banquinho de madeira. Os encontros eram sempre à tarde, quando Chicão estava no trabalho. A bruxa passava lá e dava instruções aos dois pombinhos: "Vocês têm de conversar bastante antes de noivarem. Podem se beijar, mas com muito respeito. Nada de mãos em lugares proibidos. Deus tá vendo tudo lá do alto! Até quando a gente está entre quatro paredes e no escuro estamos sendo observados por Ele. [...] Sexo, só depois do casamento e apenas para procriar, conforme está nos escritos sagrados. Daqui a alguns meses, a gente vai até o pastor Demóstenes Assumpção formalizar o noivado". De mãos dadas, Sandoval e Flordelis ouviam o sermão da bruxa com atenção.

No início, o casal seguia as regras impostas ao relacionamento, mas a tentação da carne gritou mais alto. Os dois compartilhavam o desejo sexual, embora Flor relutasse em desobedecer às leis divinas. O funcionário público começou uma conversa mole dizendo à namorada que o sexo proibido por Deus era o reprodutivo, ou seja, o vaginal. Por essa lógica, eles estariam liberados para a prática do sexo oral e anal. Flordelis concordou e passou a transar com Sandoval todos os dias na casa dele. Os dois chamavam a atenção porque Flor era uma menina baixinha e magricela, enquanto Sandoval era um adulto alto e forte. A discrepância física entre os dois lembrava a do casal formado por Carmozina e Benedicto, o militar com quem ela se relacionou forçada pelos pais no passado. As primeiras relações sexuais de Flordelis e Sandoval foram dolorosas para ela porque ele teria o pênis muito grande. O "noivo" insistia em penetrá-la no ânus mesmo assim. Flor dizia não e não, mas Sandoval usava força bruta e estuprava a garota diariamente. Para se livrar da dor anorretal, ela sentiu-se obrigada a fazer sexo vaginal, mas o desconforto continuou e os estupros ficaram ainda mais frequentes. Com fortes dores e sangramentos, a garota teria se queixado para Laudicéia, e a irmã, supostamente, contou para Chicão, pontuando o fato de o namoro clandestino ser acobertado pela mãe. O patriarca fez uma reunião com dez músicos do Conjunto

Angelical e falou sobre os estupros sofridos pela filha, que àquela altura já cantava acompanhada pela banda. Sandoval tocava baixo nas horas vagas e pedia de forma recorrente uma chance para se apresentar com os rapazes da igreja. Chicão marcou uma reunião com ele para realizar um teste no domingo à noite. Tratava-se, no entanto, de uma emboscada: o "noivo" de Flordelis levaria uma surra logo após o culto. De orelhada, Laudicéia ouviu dentro de casa o plano para espancar Sandoval. Ainda apaixonada por ele, resolveu alertá-lo. Agradecido pelo aviso, ele deu um longo beijo na moça, arrumou a mala às pressas, pegou o carro e desapareceu do Jacarezinho. A primeira filha de Carmozina se ofereceu para ir junto, mas ouviu uma negativa do fugitivo. "Você é muito velha pra mim. Eu gosto de menininhas", justificou – e ele era nove anos mais velho do que ela. Segundo Mariazinha, Sandoval teria voltado para o Ceará. Mas havia quem dissesse tê-lo visto pelos lados do morro da Providência, na região portuária, de mãos dadas com outra criança.

A relação com um parceiro vinte anos mais velho, marcada por estupros e violência, aflorou a sexualidade de Flordelis, exatamente como ocorreu com Carmozina. Na adolescência, a garota desenvolveu uma compulsão por sexo, estigmatizada por comportamentos impulsivos e obsessivos. De acordo com um estudo do psiquiatra Táki Cordás, professor dos programas de pós-graduação do Departamento de Psiquiatria da Universidade de São Paulo, a exposição de crianças ou pré-adolescentes ao sexo de forma extremamente precoce as torna mais propensas a desenvolver transtornos alimentares, como compulsão (comer demais ou de menos) e bulimia, depressão e até alterações nas funções cerebrais logo cedo, comprometendo a relação entre hipotálamo, hipófise e adrenal, o circuito do estresse. Cordás integra o Programa de Neurociências e Comportamento do Instituto de Psicologia da USP e coordena o ambulatório dos transtornos do impulso (AMITI) do Instituto de Psiquiatria do Hospital das Clínicas da Faculdade de Medicina da USP. "A sexualização infantil leva a mudanças de comportamento não apenas na criança, mas em toda a sociedade. [...] Quando o menor se coloca como um objeto desejado, abre-se uma prerrogativa para o assédio e abuso por parte dos adultos", avalia o médico. A psicanalista Karin Szapiro, mestre em Psicologia Clínica pela Pontifícia Universidade Católica de São Paulo (PUC-SP), associou a sexualidade precoce a uma vida adulta cuja maior característica pode ser a falta de emoções, principalmente quando o fenômeno está relacionado a eventos traumáticos, como os estupros sofridos por Flordelis e Carmozina na fase final da infância. Para Sigmund Freud, pai da psicanálise, trauma é um acontecimento definido pela intensidade e pela incapacidade de a pessoa reagir de forma adequada. É um transtorno, um atropelamento, um excesso de efeitos prejudiciais e duradouros na organização psíquica da pessoa. Sendo assim, a erotização precoce aciona impulsos sexuais de maneira inapropriada na fase adulta. "Isso atropela as fases do amadurecimento e do desenvolvimento, prejudicando diretamente o processo de aprendizagem afetiva do indivíduo", destaca Szapiro. Segundo os especialistas, a sexualidade está presente em todos os estágios do desenvolvimento humano. No entanto, deveria ser canalizada para a construção das emoções, das relações sociais, da experimentação de papéis e do desenvolvimento da afetividade. Quando a vida sexual começa cedo demais, acaba desviando a pulsão sexual exclusivamente para o erótico, o excitante, o sensual. Essas análises são fundamentais para entender como Flordelis desenvolveu a vida afetivo-sexual na adolescência e, principalmente, em sua fase adulta.

Livre de Sandoval, Flordelis se envolveu simultaneamente com um padeiro e um alfaiate, ambos conhecidos no Jacarezinho. Os dois rapazes tinham entre 25 e 30 anos, enquanto Flor tinha 14 e já soltava a voz nas igrejas da Assembleia de Deus. Para organizar a vida afetiva, ela montou uma escala de encontros e conseguia sexo praticamente todos os dias com os dois namorados em horários alternados. Mas nem sempre as coisas saíam conforme o planejado. Certa vez, Flor trocava beijos ardentes com o alfaiate na entrada de um beco da favela, quando o outro passou vendendo pão numa bicicleta cargueira. O flagrante causou um bate-boca que evoluiu para luta corporal, apartada por vizinhos. Com raiva, e ainda com as camisetas rasgadas, os dois pretendentes pediram para Flor optar por um deles. Esperta, ela os levou até um canto mais reservado e confidenciou aos prantos amá-los na mesma proporção. "Não tem como fazer uma escolha. Vocês são homens bem diferentes, um é delicado, e o outro, mais rústico.

Ou seja, vocês se completam", argumentou Flor, enquanto enxugava as lágrimas. Os jovens se entreolharam e ficaram em silêncio. Com a pancadaria, a bicicleta havia caído e espalhado dezenas de pães pelo chão da rua. Ele começou a juntá-los com a ajuda de Flordelis, que propôs namorar o alfaiate à tarde e o outro à noite. Os rapazes primeiro rejeitaram a proposta, depois ouviram argumentos sobre os desprendimentos do amor e finalizaram a discussão definindo horários para o triângulo afetivo, cuja maior característica era a transparência. Para selar a aliança, o alfaiate, solidário, também começou a juntar do chão os pães de seu rival. Como eram quase 16 horas no momento do acerto, ele então pediu ao padeiro para deixá-lo em paz com a namorada, já que estava em seu turno. O vendedor pegou a bicicleta e saiu gritando para os moradores do bairro que tinha pão quentinho saído do forno, sumindo no emaranhado de casebres.

Mesmo feliz com os dois namorados, Flor não deixava de flertar com outros homens, incluindo os integrantes do Conjunto Angelical e os amigos de Amilton, seu irmão. Segundo dizia na época, fazia isso para exercitar a sedução. Três meses depois do barraco na favela, o alfaiate conseguiu um emprego de tempo integral num ateliê em Botafogo e pediu ao padeiro para trocar o turno do namoro. Ele não aceitou. Para não ficar no prejuízo, Flor teve a ideia de namorar os dois juntos na parte da noite, sugerindo a formação de um casal de três. No início, o padeiro e o alfaiate recusaram. Mas acabaram cedendo quando ela ameaçou terminar com ambos. Num outro encontro no beco, discutiram as regras para o novo modelo de relação – como iriam dividir a cama, por exemplo. "Contanto que ele não encoste em mim, tá tudo certo", ponderou o padeiro, másculo, grosseiro e viril. "Fica tranquilo que nem de homem eu gosto. [...] Só estou aceitando essa pouca vergonha porque não consigo viver sem a minha Florzinha", pontuou o alfaiate, romântico e afetuoso.

O relacionamento triangulado logo virou fofoca no Jacarezinho porque os três sentavam lado a lado nos cultos dominicais da Assembleia de Deus e saíam de lá sempre juntos. Numa tarde, a bicicleta do padeiro passou pelas vielas do Jacarezinho com os três, aumentando os burburinhos a respeito da relação pecaminosa. À boca pequena, Flordelis passou a ser chamada na comunidade evangélica de Dona

Flor, em alusão à personagem da atriz Sônia Braga no filme *Dona Flor e seus dois maridos*, de Bruno Barreto, grande sucesso nos cinemas de todo o país, exibido a partir de 1976. Em um dos cultos, ela viu uma obreira da Assembleia de Deus comentando sobre as orgias do trisal. No púlpito da mesma igreja, Flor provocou os fiéis entoando versos da música *O que será*, de Chico Buarque. Na época, a canção era difundida nas rádios de forma maciça, na voz da cantora Simone. Um trecho da letra diz: "*O que será? Que será? O que não tem governo, nem nunca terá. O que não tem vergonha, nem nunca terá. O que não tem juízo...*" A música fazia parte da trilha sonora do filme de Bruno Barreto. Flor cantou afinadíssima, com voz sensual, fitando o alfaiate e o padeiro, sentados lado a lado na primeira fileira. A cantora estava acompanhada do Conjunto Angelical e foi aplaudida de pé pelos fiéis.

Após a performance musical, o trisal do Jacarezinho ficou mais descarado. Na nova fase do namoro, eles passaram a fazer sexo no mesmo colchão, sempre na casa do alfaiate, que morava sozinho e tinha uma cama larga. No entanto, a tríplice aliança não durou muito. Certo dia, combinaram um encontro às 20 horas. Os dois, como sempre, foram pontuais. Florzinha atrasou quase duas horas porque teve uma agenda cheia. Foi à escola pela manhã, ao culto à tarde, ajudou nos atendimentos da mãe e ainda teve ensaio com o Conjunto Angelical. Ao chegar para o compromisso, tirou os sapatos e os deixou no pátio. Abriu a porta bem devagar, com uma Bíblia na mão, e entrou na sala sem fazer barulho. Flor murchou ao flagrar os dois namorados transando romanticamente sobre um tapete felpudo, tendo ao lado um garrafão de vinho tinto suave Sangue de Boi e dois copos americanos, além de diversos tipos de pães e frios. Como ela mesma havia dito em outro momento, ambos realmente se completavam.

Estarrecida, Flor gritou, esperneou, tentou espancá-los, foi contida, teve taquicardia, quebrou os móveis do quarto e o garrafão de vinho. Descabelou-se, sentiu falta de ar e teve um princípio de desmaio, chorou de soluçar, tomou água com açúcar, desmaiou novamente e recobrou a consciência abanada pelos dois. Recuperada, a mulher traída recorreu à Bíblia para condenar a relação homoafetiva entre os namorados. "Vocês vão morrer carbonizados no inferno, seus veados pecadores. Deus condena o sexo entre homens! Pederastas!

[...] Segundo as escrituras, o casamento e o relacionamento sexual foram criados para ocorrer somente entre um homem e uma mulher. Pervertidos!", esbravejou, aos prantos. O alfaiate tentou argumentar: "O pastor disse que Deus ama a todos, independentemente dos pecados que cometemos". Flor ficou ainda mais enfurecida e tentou avançar nos rapazes outra vez. Saiu de lá decidida a contar para toda a comunidade evangélica que o padeiro e o alfaiate da favela eram mariconas. Com medo de perseguição, o casal de homens – apaixonadíssimo – mudou-se para o Morro da Babilônia, entre a Praia do Leme e a Praia Vermelha. Moraram juntos por trinta anos, numa casa linda e modesta com vista privilegiada para o mar.

Depois do luto pela morte do pai, em 1976, e sem namorados, Flor passou a flertar com tantos homens no Jacarezinho que ganhou no bairro os apelidos pejorativos de "vassourinha" e "motosserra". O *jingle* da campanha de Jânio ressuscitava fortemente no carnaval e tocava sem parar no rádio e em blocos de rua. Mas os apelidos também tinham cunho sexual. Sempre que Flor passava pelos becos onde os rapazes se reuniam, os versos "varre, varre, vassourinha" eram cantarolados enquanto eles sambavam e batiam palmas. Bem-humorada, a filha de Carmozina entrava na brincadeira e dava uns passos de dança. Segundo amigas dessa época, a especialidade de Flor era roubar os namorados alheios. Uma delas, a costureira Quitéria de Pádua Santana, a Kiki, contou em novembro de 2020: "Ela nunca foi uma mulher bonita, mas tinha uma energia sexual poderosa e invejada por todas nós. Os homens olhavam e a desejavam. Ela não precisava mover uma palha para isso. Eles ficavam loucos, e ela não deixava passar nada. 'Varria' todos, literalmente. Nesse caso, 'varrer' era uma gíria da época e significava 'levar para a cama'. Exemplo: a gente perguntava a uma amiga: 'você conhece o fulano?' Aí a amiga respondia: 'conheço, sim, já varri ele'. A Flor varreu o Jacarezinho inteiro. Parecia um cio eterno. Tiro o chapéu para ela. Sabia usar o poder sexual a seu favor, principalmente com os homens bonitos de passagem pelo bairro. Com ela não tinha esse lance de seduzir com o olhar. Ela chegava junto dos caras, dizia que estava a fim e transava com eles logo em seguida. Era uma predadora. [...] Na década de 1970, as garotas do Jacarezinho escondiam seus namorados da Flor. Se os homens vissem a 'motosserra' passando na rua, eram seduzidos por ela e derrubados imediatamente". Mas qual era a semelhança de Flor com a motosserra? Não deixava tronco algum de pé? "Era brincadeira da rapaziada. Coisa de gente de mente suja, sabe?... Não tenho nem coragem de explicar", esquivou-se Kiki aos risos.

* * *

As confusões amorosas de Flordelis na juventude ocorreram quando a favela do Jacarezinho ainda era uma comunidade pequena, de alguns poucos milhares de pessoas. Era tida como uma terra prometida, pois lá existiam grandes fábricas – como a Cisper Indústria e Comércio, produtora de copos e louças; a gigante General Electric do Brasil (GE), com maquinário produzindo todo tipo de lâmpada; a famosa Têxtil Nova América e uma infinidade de cooperativas que lidavam com derivados de leite. Boa parte dos moradores do Jacarezinho, incluindo a família de Flordelis, foi parar lá atraída por emprego. O sonho da prosperidade tinha raízes num passado não muito distante, entre o fim do período imperial e o início do republicano. No século XVII, segundo dados históricos, havia na região do Rio de Janeiro 320 engenhos importantes de cana-de-açúcar operados por cerca de 10 mil pessoas escravizadas. As novas fábricas do Jacarezinho instalaram-se justamente onde antes ficava a comarca de Engenho Novo, abrangendo ainda Engenho de Dentro e Engenho da Rainha. Nos arredores também surgiu a Igreja Nossa Senhora da Conceição do Engenho Novo, transformada depois no Santuário de Nossa Senhora da Conceição. Durante as escavações para a construção desse novo templo, em 1956, foram encontrados restos de ossos de dezenas de servos assassinados nas moendas. Segundo historiadores, era comum trabalhadores fugirem dos engenhos localizados na Serra do Matheus, na Boca do Mato, e se esconderem numa gruta conhecida como Preto Forro. No local onde estavam as ossadas, ergueu-se a Capela das Almas.

Atrás dessa igrejinha havia uma gruta estreita, comprida e escura. Uma lenda sustentava que o local era ponto de encontro de espíritos errantes de vítimas de trabalho forçado e de líderes religiosos incompreendidos, vagando num limbo entre o céu e o inferno. Carmozina, apesar de evangélica, costumava frequentar a gruta católica para renovar o que chamava de seu poder de cura. Era para lá que seguia quando queria entrar em contato com o espírito do irmão falecido, Miquelino. Na saída da caverna, costumava visitar também a capela, segundo ela, só para olhar. "Nunca fui com a cara do padre", justificou. No fim de uma tarde de sexta-feira, Carmozina entrou na gruta mal-assombrada atraída por uma sinfonia produzida por diversos instrumentos, como tambores, atabaque de cunha, djembê, caxixi, chocalho, kisanji, reco-reco, agogô e berimbau. "Tive a impressão de que somente eu ouvia aquela orquestra", contou, em junho de 2021. Dentro da caverna, na escuridão, Carmozina sentou-se numa pedra para "conversar com Deus" por duas horas. O som dos instrumentos aumentava à medida que uma procissão de fantasmas se aproximava. De acordo com seu relato, Miquelino apareceu à sua frente todo sujo de sangue. O bruxo estava sem os dentes e sem as unhas dos pés e das mãos. O espectro vestia uma bata branca com manchas vermelhas e segurava uma imagem de Exu Morcego num braço e uma cabeça de bode decepada no outro. Liderava um exército de cinquenta pessoas escravizadas nos antigos engenhos de açúcar da região, todas envoltas numa névoa acinzentada. Dez deles tocavam os instrumentos afro-brasileiros. Esses espíritos eram de negros – na maioria homens, cobertos por trapos. Tinham cicatrizes de escarificação, queimaduras de ferro quente e pedaços de correntes enferrujadas presas nas pernas. Uma mulher com a boca permanentemente aberta e muda segurava um bebê de orelhas pontiagudas e com olhos totalmente brancos. Dois rapazes se materializaram diante de Carmozina imobilizados com vira-mundos de ferro, instrumentos utilizados em tempos sombrios para prender os punhos aos tornozelos das pessoas escravizadas como forma de castigo.

Carmozina levantou-se emocionada para falar com o irmão morto há 25 anos. Miquelino pediu para a orquestra parar de tocar e evocou uma voz grave e arrastada, porém firme:

– Minha irmã, o nosso Deus mandou te avisar que o Diabo vai entrar na sua vida por várias janelas – anunciou.

– Como faço para fechar essas janelas?

– Impossível. São muitos demônios! Eles vão chegar pela terra, pela água e pelo ar – alertou o bruxo.

— Flordelis está dormindo com vários homens. É ela quem vai trazer Satanás para dentro de casa, né? – perguntou Carmozina.

— Não. Os demônios estão chegando há anos. O primeiro deles foi minha filha. Ela foi gerada no útero de Zeferina, minha finada esposa. Eu mandei você se livrar dela, mas vi que você não me obedeceu.

— Não podia deixar um bebê morrer, seja lá quem fosse o pai – argumentou Carmozina.

— Então aguente as consequências. O Tinhoso está no seio da sua família e isso me parece irreversível. Ele já levou o seu marido e, em breve, vai levar o seu filho Amilton... Ele vai destruir a vida da sua filha Flor e de todo o mundo à sua volta, inclusive a sua. Vai te deixar na merda. E não há nada que você possa fazer.

Irritado, Miquelino aproveitou para falar das imagens de São Cipriano e do Exu Morcego levadas por Carmozina do terreiro dele logo após sua morte:

— Quem te autorizou a roubar minhas imagens? Você acha que ganhou algum tipo de poder mantendo-as dentro de sua casa? Ladra! – esbravejou o espírito.

Aborrecida com aquelas palavras ácidas, Carmozina saiu da caverna sem se despedir do espírito de Miquelino e da sua comitiva. Antes disso, pediu para ele nunca mais procurá-la. Em casa, ela abraçou Laudicéia para reforçar seu amor pela filha adotiva e orou para São Cipriano, cuja imagem ficava escondida sob lençóis no fundo do guarda-roupa.

Querida e amada por Carmozina, Laudicéia foi acolhida como filha também por Chicão, que morreu sem saber das histórias envolvendo satanismo ligadas às origens da moça. Abigail (Eliane), Amilton, Flordelis e Fábio nem sonhavam que a irmã mais velha era adotada. Confidente de Carmozina, Mariazinha sabia de todos os segredos, conchavos e intrigas da família Motta, por quem sentia um misto de curiosidade e medo. Às vezes, chamava a mãe de Flordelis no quintal e perguntava pelas novidades. Carmozina abria o coração e contava tudo. Não foi diferente quando ela discutiu com Miquelino na gruta. Mariazinha achou a história pesada e não conseguiu guardar segredo. O primeiro a saber foi Severino, o verdureiro que montava uma barraca na feira da esquina. Reforçando a fama de bruxa de Carmozina, o vendedor compartilhou a fofoca com todas as freguesas.

Católica e com medo do Diabo, Mariazinha procurou o padre Assis, da Paróquia Nossa Senhora do Bonsucesso, que a visitou e encharcou toda a casa com água benta. Na saída, ele olhou para o alto e se deparou com o abacateiro frondoso, com galhos que se estendiam cheios de frutos pelo telhado de Carmozina. Enfático, o padre disse que o Demônio se locomove pelo mundo à noite, atravessando paredes, e escapa da luz do sol escondendo-se dentro do caule das plantas de grande porte, como os abacateiros. No dia seguinte, um sábado, Mariazinha foi até uma loja de ferragens, comprou três machados e a família inteira pôs o abacateiro no chão. Amilton tinha 24 anos e ajudou a levar os galhos até um terreno baldio do bairro. Para justificar a derrubada, Mariazinha disse a Carmozina ter se livrado da árvore para proteger o telhado da amiga. No caminho de volta para casa, Amilton pisou num caco de vidro e cortou o pé. A mãe cuidou do ferimento e viu no excesso de sangue um presságio.

No domingo, a profecia de Miquelino se concretizaria. Em dias ensolarados, os moradores do Jacarezinho frequentavam o Clube da Marinha do Rio de Janeiro. Na época, as piscinas tinham entrada liberada para a comunidade. As únicas exigências eram apresentar um atestado médico comprovando ausência de doenças de pele e usar roupas de banho de padrão familiar: maiô para as mulheres, bermuda para os homens. Amilton, Rose e oito amigos da igreja prepararam uma caixa de isopor com frango assado, arroz colorido e farofa de ovos e seguiram para o clube. O filho de Carmozina fez um curativo reforçado no pé e andava mancando por causa do ferimento. Quando os músicos do Conjunto Angelical passaram cedo, numa nova Kombi, para pegar Amilton e Rose, Carmozina fez um apelo:

– Filho, não vai. Pelo amor de... Não vai. Fica em casa só hoje. Seu pé está machucado. Acho que precisa até de pontos. Vamos ao hospital. Não estou pedindo. Estou suplicando. Não vai!

– Por que a senhora está dizendo isso, mãe?

– Seu tio Miquelino apareceu numa gruta e contou que você vai morrer. Esse sangue em seu pé é um sinal. Já perdi seu pai naquele acidente horrível, quase perdi seu irmão Fábio, você quase morreu quando caiu do teto da igreja... Não suportaria perder você. Fica em casa, filho. Só hoje. Por favor!

Assim como o finado Chicão, Amilton nunca acreditou nos supostos poderes sobrenaturais da mãe. Quando ouviam palavras proféticas de Carmozina, os dois geralmente debochavam. Depois da fama de feiticeira se espalhar pelo Jacarezinho, Amilton passou a defendê-la, chamando-a carinhosamente de "bruxinha do meu coração", mas sempre rindo. No dia dos apelos maternos, ele não riu, mas também não se comoveu – e seguiu no passeio com Rose e os amigos. Quando viu a Kombi desaparecer com seu filho dentro, Carmozina pôs as mãos na boca e começou a chorar. Mariazinha acompanhou o drama da vizinha pela janela de casa e a consolou.

No clube, os jovens colocaram esteiras de palha no chão e deitaram-se para se bronzear. O domingo estava ensolarado, e as três piscinas, apinhadas de banhistas. Apesar de cético, Amilton deitou-se, fechou os olhos e ficou refletindo sobre as convicções da mãe ao fazer previsões funestas. Carmozina era meio teatral nessas horas. Sob o sol, o jovem pensou no pai e chorou de saudade, segundo contou Rose. "Todo o mundo estava se divertindo no clube, menos o Amilton. Ele dormiu na esteira e acordou com insolação duas horas depois, com o pé sangrando. Disse ter se encontrado com o pai num sonho lindo", relatou Rose, em maio de 2020. Na farofada, Amilton e seus amigos haviam bebido aguardente com suco de laranja. A bebida alcoólica foi levada pelos músicos do Conjunto Angelical camuflada dentro de diversas garrafas térmicas para café. Amilton tomou quase um litro sozinho e, bêbado, começou a chorar sem dar muita explicação. Foi consolado pela namorada. Em seguida, saiu para dar um mergulho. Com o pé machucado, caminhou lentamente, trançando as pernas pela borda da piscina destinada aos adultos, deixando um rastro de sangue. Minutos depois, usou uma escada de alumínio para descer à parte mais funda, de 2,5 metros, onde ficavam poucos banhistas. Essa foi a última vez que o irmão de Flordelis, que tinha 1,85 metro de altura, foi visto com vida.

Submerso, ele teve um ataque epiléptico longe de qualquer testemunha. A convulsão se iniciou com uma descarga elétrica de baixa voltagem produzida dentro do cérebro, causando um desequilíbrio estrutural. A tremedeira generalizada, associada à pressão atmosférica, provocou uma contração dos músculos, seguida da redução das funções pulmonares. Apesar de bom nadador, Amilton não conseguiu sair dali nos primeiros momentos da crise epiléptica por causa do efeito do álcool. Na água, o ferimento no pé sangrou ainda mais.

Como acontece na maioria dos afogamentos, a água aspirada pelo organismo provoca o fechamento da laringe, órgão situado entre a traqueia e a base da língua. Trata-se de um mecanismo de defesa do corpo para evitar a inundação dos pulmões. Depois de alguns minutos, a laringe relaxa e a pessoa suga uma grande quantidade de água pelo nariz e pela boca – a maior parte vai para o estômago e o restante segue o mesmo caminho do ar, percorrendo a traqueia até alcançar os pulmões, passando por brônquios e alvéolos. Com o pulmão encharcado, a entrada de oxigênio e a saída de gás carbônico, conhecida como troca gasosa, para de funcionar. A redução da taxa de oxigênio causa danos em todos os tecidos, principalmente nos que precisam de mais ar, como as células nervosas, e o cérebro fica gravemente lesionado, levando à inconsciência. Depois de chegar aos alvéolos, a água entra no sangue e destrói os glóbulos vermelhos. Na sequência, o coração para de bater.

A grande quantidade de água engolida deixou o cadáver inchado e pesado, na parte mais baixa da piscina. No piso azulejado, o corpo ficou deitado com a barriga para cima. Do lado de fora, Rose sentiu falta do namorado e seguiu o rastro de sangue até a borda da piscina. Ficou desesperada quando viu a imagem de Amilton nas profundezas, refratada pelos raios solares sobre a água transparente e espelhada, levemente avermelhada de sangue. Morto, ele estava de olhos bem abertos e com os braços erguidos. A garota gritou com toda a força por socorro. Um aglomerado de curiosos se espremeu em volta da piscina para espiar. Homens do Corpo de Bombeiros chegaram rapidamente e esvaziaram o tanque. Rose ficou totalmente descontrolada quando o corpo de Amilton ficou nítido lá embaixo. Três horas depois, um camburão do Instituto Médico Legal (IML) chegou para recolher o cadáver. Carmozina apareceu e pediu para ver o filho antes da remoção. Ela desceu na piscina esvaziada e ajoelhou-se perto do jovem sem derramar uma lágrima. Fechou os olhos do morto e pregou em voz alta, erguendo com fervor uma Bíblia para o céu: "O salário do pecado é a morte, mas o dom gratuito de Deus é a vida eterna em Cristo Jesus, nosso Senhor". "Glória a Deus!", gritaram os banhistas, encarando a despedida como um culto dominical. A bruxa olhou para o público e proclamou com mais ênfase: "Mesmo quando eu andar pelo vale das trevas e da morte, não temerei perigo algum, pois tu estás comigo; a tua vara e teu cajado me protegem". Fora de si e amparada pelos amigos, Rose esbravejou para Carmozina no meio da multidão:

– Bruxa das trevas! Demônia! Velha maldita!

Lânguida, a mãe do morto se levantou, subiu as escadas para sair da piscina, encarou Rose e falou baixinho, para ninguém ouvir:

– O que é seu está guardado, sua puta!

* * *

Em 2022, o Jacarezinho tinha cerca de 100 mil habitantes e encontrava-se totalmente dominado pelos traficantes do Comando Vermelho (CV) havia pelo menos trinta anos. Segundo o mapa cartográfico da prefeitura da cidade do Rio de Janeiro, a região tinha quase 100 hectares, o equivalente a 140 campos de futebol. De acordo com a associação de moradores do bairro, 25% da população era formada por jovens. A favela tinha apenas uma escola estadual e quinze municipais. A miséria no Jacarezinho foi escancarada pelo Instituto Brasileiro de Geografia e Estatística (IBGE) no ano 2000. Uma pesquisa feita em 126 bairros do Rio de Janeiro atribuiu ao berço de Flordelis um índice de desenvolvimento humano (IDH) de 0,731, o que pôs a localidade na 121ª posição do *ranking*, acima apenas de Manguinhos, Maré, Acari/Parque Colúmbia, Costa Barros e do famoso Complexo do Alemão. O cálculo do IDH leva em conta os índices de expectativa de vida, educação e renda da população. A penúria no Jacarezinho se perpetua até os tempos atuais. Em 2010, o IBGE voltou e descobriu que os moradores economicamente ativos tinham rendimento mensal médio de R$ 411,25. Dez anos depois, em 2020, uma pesquisa divulgada pelo Instituto Pereira Passos (IPP) revelou que 15% dos moradores viviam abaixo da linha da pobreza e

85% moravam em condições degradantes. Os trabalhadores tinham renda *per capita* de míseros R$ 177,98. Ou seja, em uma década, o trabalhador do Jacarezinho viu seu parco salário encolher 56,72%, mergulhando a vida um pouco mais na indigência.

Basta andar pelas vielas do Jacarezinho para atestar a carência e o pavor dos moradores do bairro. As ruas, estreitas e compridas, nunca seguem em linha reta, e as ladeiras não são tão íngremes, como em muitos morros do Rio. Os postes de luz têm um emaranhado de fios e boa parte da comunidade usa o tradicional "gato" para obter energia elétrica e internet de forma clandestina. A maioria das casas foi construída em etapas – cada cômodo é uma espécie de puxadinho erguido para o alto ou para os lados, dependendo do terreno –, com paredes de alvenaria e tijolos aparentes, portas de madeira precária e telhado de cimento. Na parte mais pobre, as casas são de madeira e cobertas com lona. No miolo da favela, local que os traficantes chamam de "coração do Jacaré", algo impressiona: com medo tanto dos policiais quanto dos bandidos, os moradores mantêm as portas e as janelas fechadas mesmo em dias ensolarados.

Em 2022, a polícia do Rio apontava Adriano Souza de Freitas, conhecido como Chico Bento ou Mãozinha, como chefe do tráfico do Jacarezinho. Seus assistentes diretos eram Felipe Ferreira Manoel, o Fred, e Sandra Helena Ferrari Gabriel, a Sandra Sapatão, presa por policiais da Delegacia de Combate às Drogas em Saquarema, na região dos Lagos, no dia 21 de maio de 2021. Em 2022, Chico Bento e Fred eram procurados feito agulhas no palheiro pela polícia fluminense, que já havia montado duas operações especiais para tentar capturá-los no Jacarezinho e na Vila Cruzeiro, no Complexo do Alemão, também na zona norte. Somadas, as duas investidas policiais resultaram em 36 mortes e nenhum traficante importante foi preso – Chico Bento e Fred continuavam soltos até setembro de 2022. A primeira operação de busca ocorreu em maio de 2021, deixou um saldo de 28 mortes e entrou para a história do Rio de Janeiro como a operação policial mais letal de todos os tempos. Desse cerco, segundo um relatório da inteligência da Polícia Militar, Fred teria escapado vestido de mulher e Chico Bento com um uniforme camuflado do Exército. A segunda operação, deflagrada em fevereiro de 2022, matou oito pessoas e gerou polêmica pela participação da Polícia Rodoviária Federal (PRF). Dessa vez, Chico Bento teria se livrado feito vítima de bala perdida, usando uma ambulância do Samu. Nas operações para capturá-los, a polícia recolheu 26 granadas, 20 pistolas e 13 fuzis de agentes do tráfico das duas favelas. Depois da operação que matou 28 pessoas em 2021, o Ministério Público do Rio de Janeiro abriu treze investigações para apurar a ação policial. Em setembro de 2022, dez haviam sido arquivadas principalmente por não encontrar testemunhas oculares dos confrontos dispostas a depor contra traficantes numa delegacia. Duas denúncias foram aceitas pela Justiça e apenas um caso ainda era investigado em agosto de 2022.

Chico Bento era um dos principais chefes do Comando Vermelho, com quatro mandados de prisão em aberto e 27 anotações criminais. Foi acusado de tráfico, homicídio e tortura. Em janeiro de 2022, forças de segurança do programa Cidade Integrada localizaram sua residência: uma mansão de luxo com quatro andares, piscina, sala de jogos e banheira de hidromassagem construída no seio do Jacarezinho. De novo, ele conseguiu escapar do cerco, usando um mototáxi. O chefão chegou a ser preso em abril de 2016. Dois anos depois, migrou para o regime semiaberto, obteve permissão para uma saída temporária e nunca mais voltou para o Instituto Penal Edgard Costa, em Niterói, onde cumpria pena por associação ao tráfico e corrupção ativa. Fred, seu braço direito, estava no mesmo presídio, condenado pelos mesmos crimes, e também escapou depois de dois anos usando a porta da frente graças ao benefício de um indulto natalino concedido pelo ex-presidente Michel Temer (MDB). A última notícia sobre Chico Bento parece extraída do enredo de filmes sobre a máfia italiana. Seu "pai de consideração", Elci Carvalho Fonseca, de 68 anos, foi contratado pelo governo do Rio de Janeiro para trabalhar na coordenação de um programa de segurança pública dentro do Jacarezinho, comunidade controlada pelo próprio filho traficante. Na época em que Chico Bento estava preso no Instituto Penal Edgard Costa, Elci constava da lista de visitantes como "pai" do criminoso. Para o Ministério Público, ele trabalhava como agente duplo, prestando serviço tanto para o Estado quanto para o tráfico, onde desempenhava a função de "olheiro".

O tráfico de drogas no Jacarezinho começou em 1979, ano de fundação do Comando Vermelho (CV). Flordelis e o pastor Paulo Rodrigues Xavier também se casaram naquele ano e foram morar num barraco perto da casa de Carmozina, na área onde se concentrava a venda de cocaína e maconha. A organização criminosa expandiu-se na década de 1980, quando eclodiu no Brasil uma das maiores crises econômicas da história e uma retração sem precedentes na produção industrial do país. O Produto Interno Bruto (PIB), por exemplo, era de 7% nos anos 1970 e despencou para 2% na década seguinte. Na esteira dessa crise, as maiores fábricas implantadas no Jacarezinho acabaram fechando as portas, causando desemprego em massa na favela. Na mesma época, o CV esticava seus tentáculos do pátio do presídio Cândido Mendes, na Ilha Grande (RJ), para as favelas mais empobrecidas pela crise. Segundo historiadores, a facção foi criada a partir do convívio entre presos comuns e militantes dos grupos armados combatentes do regime militar. O CV chegou ao Jacarezinho em 1980, ano de nascimento de Simone dos Santos Rodrigues, a filha mais velha de Flordelis. Nos primórdios, o grupo de criminosos não tinha comando único – aliás, nunca teve. Em cada comunidade fluminense havia um líder, e a facção funcionava sob o comando de terceiros, como se fosse uma franquia. Cada franqueado atuava de forma independente e repassava parte do lucro aos superiores.

Na década de 1990, quem dava as cartas no Jacarezinho eram três traficantes perigosíssimos: Vagano Ferreira Cardoso, o Foguinho, Carlos Costa Damasceno, o Parazinho, e Marcus Vinicius da Silva, o Lambari. Nessa época, a organização criminosa ainda estava se estruturando como empresa informal. Os três líderes disputavam poder e batiam cabeça quando se reuniam para definir e priorizar as ações na favela. Parazinho era mais centrado: não permitia assaltos na comunidade, muito menos confrontos com policiais, e abominava homens que batiam em mulheres. Discreto, não ostentava poder e focava suas energias na produção e na venda de drogas. Foguinho, inconsequente e galanteador, andava armado com pistolas na cintura e fazia questão de mostrá-las às mulheres que se negavam a transar com ele. Carregava granadas numa pochete e chegou a constituir um poder paralelo dentro do CV em uma ramificação que promovia roubos de cargas. Nesse negócio, Anderson Cortiano de Melo, de 25 anos, atuava como seu braço direito. Apelidado de "Apêndice", ele era casado com a irmã de Foguinho, Márcia Ferreira Cardoso, de 12 anos, conhecida nas redondezas como Marcinha-inha-inha. O namoro dos dois começou quando ela tinha 10 anos, e ele, 23. "Era muito comum as meninas namorarem bem cedo com homens mais velhos, inclusive com consentimento dos pais. [...] E os caras mais disputados eram envolvidos com tráfico", ressaltou Marcinha, em abril de 2021. Segundo ela, a relação com Anderson era carregada de adrenalina. As reuniões do irmão com o namorado para definir as ações do CV no Jacarezinho, por exemplo, eram na cozinha de sua casa. Os traficantes e seus comparsas entravam armados com fuzis e metralhadoras e sentavam-se à mesa para tomar café com bolachas recheadas. Para conseguir renda extra, à revelia dos superiores Parazinho e Lambari, Foguinho e Anderson começaram a promover assaltos aos caminhões de carga que passavam pelas rodovias próximas ao Jacarezinho.

Para um desses assaltos, a via escolhida foi a Avenida Carlos Lacerda, conhecida como Linha Amarela. Foguinho seguiu num Fiat Uno e Anderson usou uma moto para fechar um caminhão-baú pertencente a uma transportadora do Rio Grande do Sul. Na década de 1990, as cargas mais cobiçadas eram as eletrônicas (TV, videolaser e aparelho de som), mas essas carretas geralmente eram acompanhadas de batedores. Então os bandidos passaram a dar preferência a cargas de gêneros alimentícios e bebidas alcoólicas. Era isso que Foguinho e Anderson almejavam naquele dia. Foguinho fechou o veículo com seu Fiat Uno. Nesse momento, Anderson e mais dois bandidos invadiram a boleia do caminhão armados com metralhadoras. Forçaram o motorista a levar a carga para um descampado no Jacarezinho e lá descobriram ter roubado latas de leite, farinha láctea, achocolatado, amido de milho, trigo e aveia. A quadrilha saqueou pelo menos a metade e permitiu que populares levassem a outra parte dos alimentos. Com os produtos roubados, ao longo de um mês, Foguinho e Anderson montaram juntos um mercadinho no bairro. O comércio dos traficantes prosperou, com estoque sempre abastecido por mercadorias roubadas na Linha Amarela. Como Anderson tinha o segundo grau completo e Foguinho mal sabia ler e escrever, o assistente ficou encarregado de administrar as vendas e tratou de colocar seus parentes para fazer atendimentos no balcão.

A carreira criminosa de Anderson havia começado cedo. Em meados da década de 1980, aos 14 anos, ele trabalhava como ambulante na Central do Brasil e ganhava meio salário mínimo por mês. Com disposição para a bandidagem, o adolescente batia carteira, puxava cordões de ouro e relógios dos passageiros distraídos na estação. A atividade ilícita fazia seus rendimentos dobrarem, mas ele achava pouco. Queria dinheiro suficiente para comprar "honestamente" os artigos que roubava. Sonhava em ter roupas de grife, óculos escuros caros e joias reluzentes. Seduzido pelo dinheiro fácil, entrou para o tráfico no Jacarezinho na função de "aviãozinho", com a tarefa de atender telefone, levar recados e comprar marmitas para os líderes da "boca". Como o tráfico no Rio de Janeiro tem plano de carreira eficaz, aos 16 anos Anderson foi promovido a "olheiro", ou "observador". Nesse cargo, cabia a ele e aos demais colegas ficar na entrada da favela soltando pipas coloridas no ar. Se uma viatura da polícia chegasse, eles desciam as rabiolas rapidamente. O sumiço das pipas era sinal de perigo iminente. Na década de 1990, esse código passou a ser transmitido com fogos de artifício e, mais tarde, por mensagem de celular. De "olheiro", Anderson foi alçado ao posto de "vapor", passando a traficar drogas na favela para os rapazes brancos e privilegiados da zona sul do Rio de Janeiro que se atreviam a entrar no Jacarezinho. Em um ano, já maior de idade, subiu ao posto de "soldado" e fazia parte da equipe de segurança armada do "cafofo", onde era feita a endolação da cocaína – ou seja, no centro da linha de montagem do tráfico. Ali, a maconha era embalada em pacotinho de plástico chamado "dólar", e trouxinhas de papel laminado de tamanhos variados revestiam a cocaína.

Aos 21 anos, Anderson assumiu o cargo de "gerente" e passou a ter um pouco mais de poder no Comando Vermelho, mas sempre sob a tutela do temido Foguinho, o dono da boca. Em 1991, um grupo vizinho, também mantido pelo CV, liderado pelo bandido Pauletta, passou a vender drogas para os fregueses de Foguinho, deflagrando uma guerra interna. Além dos clientes, os criminosos disputavam o poder no Jacarezinho. Sem consultar os superiores, Foguinho alvejou Pauletta dentro de um ônibus, matando um inocente por tabela, e isso atraiu o interesse da imprensa. A mídia negativa ao CV custou a cabeça de Foguinho, que fugiu para a casa de um parente no município de Anutiba, interior do Espírito Santo. Descoberto pelos pistoleiros do comando, o traficante foi assassinado com mais de quinhentos tiros disparados simultaneamente por quatro metralhadoras. O corpo acabou queimado junto com pneus, e as cinzas foram entregues à família dentro de um saco de lixo. Com a morte de Foguinho, Anderson assumiu seu lugar e passou a comandar a boca mais próxima da casa de Flordelis. Tinha 27 anos. Também herdou a parte do colega no mercadinho de cargas roubadas e ainda construiu, ao lado, uma padaria para os pais, Beto e Marilene, ambos com 42 anos na época.

Marcinha seguia firme e forte ao seu lado. Ela vivia coberta de joias e andava bem vestida graças aos mimos do marido. Anderson era um homem branco, de cabelos e olhos claros, magro, alto e bem bonito. A capa do seu dente incisivo lateral direito era de ouro maciço. Usava relógios prateados de grife e correntes nobres no pescoço. Adorava frequentar salões de beleza, casas de massagem e estúdios de depilação. Para impor respeito, o traficante vestia camisas sociais e calças de cetim sempre acompanhadas de sapatos de bico fino bem engraxados. Dois anos antes, quando ele tinha 25 e ela, 12, tanta elegância e poder atraíram a atenção de Simone, filha de Flordelis. Nessa época, Simone namorava outro Anderson, o "do Carmo", um adolescente de 14 anos, menor aprendiz do Banco do Brasil. Simone definiu esse namoro como "coisa de criança" e continuava buscando relacionamentos com homens mais velhos e poder aquisitivo suficiente para bancá-la.

Na adolescência, Simone era uma garota bonita de corpo e de rosto. Negra, tinha os lábios carnudos. Os olhos escuros mudavam constantemente de cor com lentes de contato. Fazia escova à base de ferro quente para alisar os cabelos crespos, usava roupas curtas para valorizar o corpo e abusava dos decotes. Anderson, o traficante, passou de carro por uma rua e viu a garota sensualizando num ponto de ônibus. Ofereceu-lhe carona e ela primeiro recusou, pois estava a caminho da escola. Com mais um pouco de insistência, a moça finalmente entrou no veículo do traficante e os dois foram parar num motel. Na cama redonda, Anderson mostrou a aliança grossa no dedo anelar da mão esquerda e revelou ser casado. Sensualmente, Simone colocou o dedo do bandido em sua boca, como se fosse um pirulito, chupou por alguns segundos e arrancou o anel com a boca:

– Você era casado, meu amor! Agora não é mais... – disse ela em tom de brincadeira, mantendo a aliança na ponta da língua.

– Me devolve isso, menina! – esbravejou Anderson, segurando o pescoço dela com as duas mãos.

– Para! Você está me sufocando! – implorou Simone, que acabou engolindo o anel sem querer.

– Puta que pariu! – exclamou o traficante.

Os dois saíram do motel depois de um acordo. Até Simone expelir o anel, Anderson prometeu pagar a ela 100 reais diariamente. Enquanto isso, eles transariam todos os dias, desde que o caso extraconjugal fosse mantido sob o mais absoluto sigilo. Simone não só sabia do casamento de Anderson, como havia se posicionado propositadamente no ponto de ônibus com uma saia curtíssima, para chamar a atenção do traficante. E mais: ela conhecia Marcinha dos cultos da Assembleia de Deus. As duas não eram amigas, mas esbarravam-se na igreja. Anderson chegou em casa e contou à esposa-mirim ter tirado a aliança para puxar ferro numa academia de rua. Perdera o anel, mas já encomendara outro igualzinho. Marcinha não engoliu a história e chamou o marido de mentiroso. Irritado por ter a sua credibilidade posta em xeque, o traficante deu um soco no rosto da garota e a atingiu com uma sequência de chutes. Levantou-a pelos cabelos, puxou uma arma da cintura e apontou para o rosto da companheira. "Nunca mais duvide do que falo. Ouviu bem?" Marcinha não parava de chorar e tremer. Foi jogada na cama e estuprada de forma violenta. Do outro lado da favela, Simone evacuou a aliança uma semana depois, e por todo esse tempo encontrou o traficante diariamente, no mesmo motel, conforme o combinado. Apaixonado pela filha de Flordelis, Anderson elogiava a performance sexual da garota, frisando ser bem superior à de Marcinha. "Você transa feito adulta. Esse é o seu diferencial", comparou. Com o passar do tempo, o traficante deixou de fazer amor com a esposa para dar exclusividade a Simone. Enfeitiçado, passou a procurá-la insistentemente todos os dias. Num dos encontros no motel, a garota resolveu terminar após uma transa corriqueira. Houve uma discussão:

– Como assim? Você não quer mais por qual motivo? – ele quis saber.

– Tenho namorado. Ele também se chama Anderson. É gerente do Banco do Brasil – mentiu Simone, enquanto se vestia.

– Você vai me trocar por um bancário?!

A garota confirmou e saiu do motel a pé, sozinha. Seguiu para casa, onde teria se confessado com a mãe. Disse ter conhecido o homem da sua vida: um traficante rico e bonito, mas casado. Nessa época, Flordelis tinha 31 anos. Seu marido e pai de Simone, o pastor Paulo Xavier, era ausente dentro de casa e dedicava-se integralmente aos trabalhos na Assembleia de Deus do pastor Demóstenes. A família morava num casebre bem perto de Carmozina. "Seu pai não pode saber desse seu relacionamento de jeito nenhum! [...] Me fale mais sobre esse rapaz", pediu Flordelis. Simone teria descrito com detalhes a aparência de Anderson e comentado sobre o beijo e até sobre o pênis dele. Falou longamente das atividades criminosas do amado e se referiu a ele como uma pessoa de coração bom, pois havia dado de presente para os pais uma padaria grande no ponto mais movimentado do Jacarezinho. Flordelis ficou com os olhos brilhando com os relatos de Simone. No final da conversa, teria dado dicas à filha de como segurar o namorado "pelas pernas", supostamente orientou-a a fazer sexo todos os dias sem qualquer tipo de restrição e não demonstrar ciúme em relação a Marcinha. Finalizou com um conselho *sui generis*: "Filha, preste bem atenção ao que eu vou lhe dizer: às vezes, ser a outra é muito melhor do que ser a titular, entendeu? Deixe os problemas do matrimônio com a esposa e fique apenas com os prazeres da cama. Guarde esse conselho dentro do seu coração, ouviu bem?".

Atenta, Simone balançou a cabeça em sinal de confirmação e, por estratégia, deixou de procurar Anderson. Pouco depois, o traficante foi atrás da menina na casa de Flordelis. Soube que a namorada estava ajudando a avó e partiu ao seu encontro. Com o cano da pistola exposto para fora do cós da calça jeans, bateu à porta de Carmozina dizendo ter transado com Simone e querendo repetir a relação. Perplexa, a bruxa largou seus clientes na sala e arrastou a neta para uma conversa no quintal. A garota disse à avó estar loucamente apaixonada pelo bandido. Como de costume, a feiticeira afirmou ter tido uma longa conversa com Deus e ouvido os piores prognósticos para a família. Simone fez pouco caso mesmo quando ouviu a lenga-lenga do Demônio chegando para engolir a todos. Deixou Carmozina falando sozinha e saiu com o namorado traficante para tomar um café na padaria dos pais dele. Flordelis soube disso e, encantada com o que havia ouvido da filha, apareceu no local com uma amiga. Os quatro sentaram-se à mesma mesa e foram servidos por Marilene, mãe do rapaz e também frequentadora da Assembleia de Deus do Jacarezinho. Flordelis elogiou a beleza da padaria e prometeu comprar pão e leite somente naquele local. Marilene falou da ampliação do comércio e a mãe de Simone se ofereceu para trabalhar no estabelecimento do genro. Duas semanas depois, estava dando expediente do lado de dentro do balcão, vendendo todo tipo de pão em troca de um salário mínimo. Tornou-se amiga e confidente de Marilene e passou a dar em cima do marido dela.

Paralelamente, Anderson mantinha sua amante, e Marcinha estava ocupada com as provas finais e na iminência de ficar em recuperação na escola. "Na verdade, eu já sabia do caso do meu marido com a Simone desde a época em que a Flor foi trabalhar na padaria. Mas fiz vista grossa, porque não queria perder os presentes que o Anderson me dava", disse Marcinha, em junho de 2022. Para não ficar sem o marido traficante, a garota passou a procurá-lo na cama e acabou engravidando quando tinha 15 anos. A chegada do filho fez Anderson chamar Simone para uma conversa séria, deixando claro que jamais abandonaria a esposa. A filha mais velha de Flordelis não se importou e continuou no papel de amante, seguindo os conselhos da mãe. Quando entrou no sétimo mês de gestação, Marcinha não quis mais fazer sexo com Anderson e ele se aproximou ainda mais de Simone, que também passou a ganhar presentes caros do namorado. Quando o filho de Marcinha completou um ano, a família organizou uma festona numa quadra de esportes para duzentos convidados do bairro, entre amigos, clientes, "vapores", "soldados", "aviõezinhos", "fogueteiros", prostitutas e traficantes de todos os níveis. Havia bolo, brigadeiro, monteiro lopes, casadinho, olho de sogra, pipoca, cachorro-quente e muito refrigerante, tudo preparado pelos confeiteiros e cozinheiros da padaria da família do bandido. Flordelis, Marilene e Beto compareceram. Líderes do tráfico local, Parazinho e Lambari ganharam uma mesa especial com guarda-sol, seguranças e garçons exclusivos. Simone foi convidada pessoalmente por Marcinha e também estava lá.

No dia da festa, porém, já bêbada, Marcinha resolveu discutir com Anderson por causa da falta de atenção dele com o filho. O traficante argumentou não ter sido econômico com o aniversário, mas a mãe reivindicou carinho. No meio da festa, Lambari reclamou que a cerveja havia acabado. Alterado pelo álcool, Anderson se prontificou a resolver o problema na hora. No meio da quadra, agarrou Simone e deu-lhe um beijo de novela. Marcinha estava com o filho no colo e viu a cena sem esboçar qualquer reação. Em seguida, o traficante saiu de mãos dadas com a amante, mais oito comparsas, e seguiu rumo à Linha Amarela. Na via, a quadrilha interceptou um caminhão carregado de cerveja e tirou o motorista à força da boleia. Anderson assumiu o volante da carreta com Simone ao seu lado e levou a carga até a quadra onde se comemorava o aniversário do filho. A chegada foi apoteótica, seguida de uma salva de palmas e disparos de metralhadora para o céu. Os convidados passaram a pegar cerveja diretamente das caixas, na carreta. Sob o sol escaldante, teve até quem usasse a bebida para tomar banho. Moradores de passagem pelas proximidades também aproveitaram a farra e levaram cerveja quente para casa. Lambari e Parazinho se entreolharam em sinal de reprovação, mas acharam melhor não repreender Anderson durante a festa familiar. No dia seguinte, o assalto à carreta de cervejas estava em todos os jornais. A imprensa atribuía o roubo às atividades do Comando Vermelho no Jacarezinho, deixando Parazinho e Lambari revoltadíssimos. Helicópteros da TV Globo e da TV Record captaram imagens do caminhão na quadra de esportes e o motorista fez o retrato falado de Anderson. Com o desenho de sua cara estampado em todos os programas policiais da TV, o traficante fugiu para o Espírito Santo. Na ausência dele, Parazinho e Lambari fizeram uma auditoria na boca e descobriram um caixa dois desviado para negócios da família, como a construção da padaria. Lambari designou Sandra Sapatão, em ascensão no Comando Vermelho, para passar um pente-fino nas atividades de Anderson. O primeiro lugar visitado foi a padaria.

Procurado pela polícia e pelos comandantes do CV, Anderson passou a viver entocado. Mas não ficou muito tempo no interior do estado vizinho: conseguiu se abrigar em um barraco no Jacarezinho cedido por um pastor da Assembleia de Deus. Para se deslocar de forma imperceptível pelo bairro, entrava em caixas de pães, era coberto por lonas e seguia conduzido pelos padeiros em bicicletas cargueiras. Com esse artifício, conseguia visitar os pais, passava na casa de Marcinha para ver o filho e dava um jeito de se encontrar com Simone. Os dois geralmente escolhiam motéis clandestinos do Centro do Rio de Janeiro para transar. Numa noitada com o bandido, Simone pediu dinheiro e teve como resposta um forte murro no abdome. Ainda se contorcendo de dor, a garota foi imobilizada com tiras de tecido e estuprada por toda a madrugada. Depois dessa sessão de violência, a filha de Flordelis acabou no pronto-socorro. Em casa, disse que foi vítima de assalto. Para a mãe, confessou ter sido espancada pelo namorado foragido. Para se vingar, Flordelis teria dado um jeito de entregar um bilhete anônimo para a Sandra Sapatão, afirmando que Anderson visitava o negócio dos pais uma vez por semana. Com a dica preciosa, a traficante e sua quadrilha passaram a monitorar o comércio de Beto e Marilene. No fim da tarde de uma quinta-feira, os pistoleiros do CV finalmente encontraram Anderson na padaria cheia de clientes. Ele conseguiu escapar pulando muros, saltando por telhados e alcançando uma lotação.

Quando soube da fuga, Lambari ordenou que seu grupo metralhasse a loja, mas poupasse gente inocente para não chamar a atenção da imprensa. Em pleno expediente, Sandra Sapatão foi até o balcão e pediu um pingado com pão na chapa. Em seguida, um grupo de vinte milicianos comandados por ela apontou metralhadoras para a padaria e atirou por meia hora sem parar. Fregueses e funcionários, incluindo Flordelis, sobreviveram porque se jogaram no chão e rastejaram feito cobras até o quintal. As rajadas foram tão violentas que as paredes de alvenaria ficaram destruídas, por causa do reboco vagabundo, e o telhado desabou sobre o balcão de vidro, que exibia dezenas de tortas doces, bolos e salgados. Após a investida do CV, o local ficou em ruínas e populares saquearam o mercadinho anexo. Em casa, Marilene entrou em depressão por perder seu negócio e ter o filho sob risco iminente de morte. Deitou-se numa cama e não saiu de lá para nada. Flordelis, sua melhor amiga, prontificou-se a ajudá-la a sair da fossa. Fazia visitas diárias e preparava sopa para a mãe de Anderson. No entanto, a depressão só aumentava e Marilene teve de ser internada num hospital público. Foi sedada no estágio mais profundo da doença. Acordava uma vez por dia e deparava-se com Flordelis e o marido. Conversava por duas horas e dormia novamente até o dia seguinte. Flor levou Carmozina para fazer sessões de cura no hospital. Um mês depois de orações diárias da bruxa, a mãe de Anderson apresentou melhora, mas ainda teve de ficar duas semanas internada para recuperar a imunidade. Flor, então, aproveitava para cortejar Beto. "Estou aqui para lhe servir", dizia ao marido de Marilene – que, a princípio, fazia ouvidos de mercador.

Durante todo o tempo em que esteve com Anderson, o traficante, Simone manteve namoro com o outro Anderson, aprendiz de bancário. A garota aprendeu a administrar esses arranjos amorosos com a mãe, especialista no tema. Enquanto Marilene estava internada, Flordelis passou a dormir dia sim, dia não no hospital, alternando com Beto o papel de acompanhante da paciente. Dizia estar lá para dar conforto espiritual à família e, nos momentos de silêncio, orava e cantava para acalmar a alma de Marilene. A cada quatro horas, também dava à enferma o chá de erva-cidreira que levava ao hospital numa garrafa térmica para, segundo justificou, garantir a qualidade do sono da amiga. Quando a doente estava adormecida, Flor se insinuava ainda mais para Beto. Segurava a mão do marido de Marilene e dizia coisas do tipo: "Se ela morrer, você não ficará sozinho. Estarei ao seu lado para sempre".

Certa noite, Beto chegou ao hospital e Flor não quis deixar o quarto. Pediu para dividir a cama de acompanhante com o amigo. Beto agradeceu a oferta, mas recusou o convite. Flor atribuía a rejeição ao fato de ser casada com Paulo Xavier, um servo de Deus. No entanto, Beto se referia à cantora como uma mulher prestativa, mas "feia e vulgar", principalmente quando comparada à esposa – "branca, loira, elegante, cheirosa e de olhos claros", nas palavras dele. Beto também reclamava das investidas agressivas em pleno hospital. Mesmo depois de um amigo dar excelentes referências sobre a performance de Flordelis na cama, ele não a quis naquele momento, pois toda sua atenção estava voltada para a recuperação de Marilene. Em uma visita de Paulo Xavier ao hospital, Beto chegou a pedir desculpas por ter "roubado" sua esposa e classificou a dedicação de Flor à sua família como um ato de compaixão. O pastor concordou e recorreu à Bíblia para dimensionar a atitude amorosa da mãe dos seus filhos: "Amai-vos uns aos outros, assim como eu vos amei. [...] Ninguém tem amor maior do que aquele que dá sua vida pelos amigos". Cortês, Beto ofereceu chá de erva-cidreira a Paulo. Quinze minutos depois de dar o primeiro gole na bebida, o pastor sentou-se numa cadeira e dormiu um sono tão pesado que roncou feito um porco. Acordou só no dia seguinte, dezoito horas depois de beber o tal chá.

Na última semana de internação de Marilene, Beto recebeu um bilhete anônimo anunciando uma visita surpresa do filho para se despedir da mãe. Marcinha foi avisada, e Flordelis, que também soube da ousadia do bandido, chamou Simone. Na noite marcada, as duas namoradas de Anderson esperavam pelo fugitivo à beira do leito de Marilene. Beto estava nervosíssimo e Flordelis segurou sua mão para tentar acalmá-lo. Por volta das 3 horas da madrugada de um sábado, Anderson entrou no hospital usando um uniforme de servente e empurrando um carrinho de roupas. Simone e Marcinha o abraçaram ao mesmo tempo. Na sequência, Anderson beijou a mãe, que estava acordada na cama, ainda muito fraca, sem forças até para chorar. A visita durou cinco minutos. Ele se despediu dos pais falando de uma fuga para o Paraguai por período indeterminado. Simone e Marcinha choraram. O traficante saiu do quarto de mãos dadas com as duas garotas. No meio do corredor, ele as beijou e se despediu. Houve mais choradeira. O traficante saiu pela porta dos fundos e entrou no carro de uma mulher. Sentou-se no banco do carona, mas o veículo nem chegou a dar partida: um homem encapuzado surgiu de repente, sentado na garupa de uma motocicleta, e metralhou a cabeça do traficante, que teve o crânio perfurado com dezenas de tiros. A mulher ao seu lado se chamava Cíntia e tinha 26 anos. Ela se abaixou para escapar do atentado, mas ficou toda suja de sangue e massa encefálica. A rajada de balas foi ouvida no sexto andar do hospital, onde ficava o quarto de Marilene – ela entrou novamente em coma quando soube da morte violenta do filho. Simone e Marcinha choraram abraçadas. Flordelis aproveitou a piora da amiga e consolou Beto com afeto de esposa. No dia seguinte, soube-se que o traficante não fora assassinado pelo Comando Vermelho. Anderson tinha uma dívida de 20 mil reais com um policial militar conhecido como Jorginho PM, integrante de um grupo de matadores de aluguel. O traficante teria acertado com o miliciano a morte de um rival por 50 mil reais. Pagou 30 mil como adiantamento e deu calote no restante. O matador, então, resolveu executar o cliente para mostrar ao tráfico o que acontece com quem não honra dívidas com a milícia. Lambari, Parazinho e Sandra Sapatão comemoraram a morte do ex-companheiro com uma festa. No dia do enterro de Anderson, no cemitério do Irajá, houve mais choradeira. Marcinha e Simone foram surpreendidas com a presença de Cíntia ao lado do caixão do namorado, vestindo preto e derramando mais lágrimas do que as duas viúvas juntas. Antes mesmo da urna funerária seguir cova abaixo, Cíntia falou para Simone e Marcinha ter sido casada com o bandido bem antes de ele se envolver com as duas adolescentes, que estavam com 16 anos. O casal tinha três filhos.

Após o enterro de Anderson, Márcia e Simone estreitaram os laços de amizade. Marilene teve alta e foi levada para casa pelo marido. Flordelis continuou cercando o casal e se comprometeu a cuidar da amiga feito irmã. Paulo Xavier passou a ficar incomodado com tamanha dedicação da esposa pela família alheia. Marilene estava se recuperando aos poucos, mas continuava com excesso de sono, principalmente depois de beber o chá de erva-cidreira levado por Flordelis. Certa noite, a cantora chegou à casa da amiga com a garrafa térmica. Marilene e Beto estavam na sala vendo novela e Flor sentou-se numa poltrona. Beto vestia um short folgado e não usava cueca. Para chamar a atenção da visita, ele levantou uma das pernas e pôs o pé sobre o sofá, deixando seus testículos à mostra pela abertura da roupa. Marilene não percebeu o descaramento. Depois de meia hora, Flor foi até a cozinha e serviu chá somente para a amiga, que recusou a gentileza:

– Flor, não traga a porra desse chá. Não aguento erva-cidreira. Além do mais, eu tomo essa porcaria e sinto um sono pesado...

– Beba o chá, amor. Ele tem feito tão bem a você – sugeriu Beto.

– Não quero essa merda! – revidou a esposa, brava.

– Diga o que você quer beber que eu pego lá na cozinha – disse Flor, prestativa.

– Quero uma cerveja bem gelada – pediu Marilene.

Beto também quis a bebida. Flordelis foi até a geladeira, pegou uma garrafa de 600 mililitros de Antarctica Munchen Extra e dividiu a cerveja em três copos. Num deles, colocou dez gotas de flunitrazepam, um remédio sedativo, ansiolítico e relaxante muscular, da classe dos benzodiazepínicos, indicado para induzir o sono. A droga, também usada no golpe conhecido como "boa noite, Cinderela", estava sendo usada por Flor no chá de erva-cidreira. O copo de cerveja batizado foi dado a Marilene, que bebeu dois goles grandes. Em dez minutos, ela apagou no sofá. Beto e Flor se agarraram selvagemente ainda na sala, tiraram toda a roupa sobre o tapete e seguiram para o quarto do casal. Transaram fazendo muito barulho, enquanto Marilene, de tão drogada, babava de boca aberta. Às 21 horas, o pastor Paulo Xavier tocou a campainha e, como ninguém atendeu, baixou a maçaneta e entrou. Viu Marilene chapada no sofá, três copos de cerveja e roupas espalhadas pelo chão, incluindo a calcinha de sua mulher. Atraído pelos gemidos vindos do quarto, o servo de Deus seguiu até lá segurando uma Bíblia. Abriu a porta lentamente e acendeu a luz. Teria flagrado a esposa sendo penetrada por trás por Beto. Os três ficaram mudos por longos segundos. Chocado, Paulo abriu a boca e congelou, com os olhos bem arregalados. Soltou a Bíblia no chão. Flordelis nem se deu ao trabalho de se cobrir. Nua em pelo, ela se levantou da cama e quebrou o silêncio:

– Amor, é realmente tudo isso que você está pensando. Estamos transando. Quer se juntar a nós?

CAPÍTULO 3
CALADA
NOITE PRETA

"O Diabo ajuda a fazer, mas não ajuda a esconder."

A favela do Jacarezinho faz limite com o Complexo de Manguinhos, na zona norte do Rio de Janeiro. Também dominada pelo Comando Vermelho (CV) e mergulhada na pobreza, a comunidade vizinha está localizada no entroncamento das avenidas Brasil, Leopoldo Bulhões e Dom Hélder Câmara, via divisora dos dois bairros. Entre a segunda metade da década de 1980 e a primeira de 1990, Manguinhos foi marcado por grandes tragédias, como chacinas, inundações e incêndios. Nativa do bairro, Dulcivânia de Colares tinha 16 anos no final da década de 1980. Era uma das melhores amigas de Simone e vivia com os pais e dois irmãos num barraco de lona erguido em um assentamento da prefeitura do Rio, depois transformado no Conjunto Habitacional Nelson Mandela. Simone conheceu Dulcivânia numa festa promovida por traficantes no Complexo da Maré. Com o tempo, a amizade entre as duas se fortaleceu e a jovem passou a frequentar a casa de Carmozina, para onde Flordelis voltou depois de se separar do pastor Paulo Xavier. A bruxa simpatizou com a garota tão logo ela começou a falar da vida difícil em Maguinhos. Em maio de 1988, uma chuva torrencial fez os rios Faria Timbó e Jacaré subirem 3 metros, destruindo os barracos dos moradores, inclusive o da família de Dulcivânia. A água se misturou ao esgoto do Canal do Cunha e, quando os dois rios baixaram, sobrou na favela uma mistura de lama fétida contendo fezes e restos mortais de bichos. O lixo asqueroso invadiu todo o assentamento. Os desabrigados só conseguiram reerguer suas moradias dois meses depois de a lama contaminada secar.

Os moradores ainda se recuperavam da enchente quando foram surpreendidos por um incêndio de grandes proporções, no final de 1989. O fogaréu começou no Parque João Goulart e destruiu todos os barracos erguidos no terreno da Associação dos Caminhoneiros do Rio de Janeiro (Ascarj), onde morava a família de Dulcivânia. Esse segundo infortúnio ocorreu enquanto os moradores esperavam pelo título definitivo da terra. Depois da segunda calamidade, a prefeitura resolveu transferir os sem-teto para o Parque das Missões, no município de Duque de Caxias, a 10 quilômetros de Manguinhos. Dulcivânia resistiu a fazer a mudança porque não queria ficar longe do Jacarezinho, onde a sua vida acontecia. Na favela vizinha, ela frequentava os cultos da Assembleia de Deus, esbaldava-se nos bailes funk com Simone e namorava o diácono e líder comunitário Elton Júnior, de 27 anos. Carmozina percebeu a tristeza de Dulcivânia e a convidou para morar em sua casa. As duas amigas comemoraram, mas a velha fez questão de conversar com a mãe da menina. "Vou adotar você como se minha filha fosse", anunciou a bruxa. A nova integrante da família Motta teve vontade de soltar fogos de artifício diante de tanta alegria, pois estava trocando uma vida miserável em Manguinhos por uma casa de alvenaria no Jacarezinho. Nessa época, Carmozina já havia construído um segundo pavimento para atender seus clientes e tinha mais espaço. A garota dividiu um quarto com Abigail (Eliane) e Laudicéia, a outra adotada.

No novo lar, Dulcivânia chamava Carmozina de mãe. Brincando, dizia para Simone respeitá-la, pois agora era sua tia. As duas caíam na gargalhada com a piada. A vida das amigas era estudar pela manhã, trabalhar ajudando Carmozina no período da tarde e frequentar os cultos da Assembleia de Deus à noite. Após o assassinato de Anderson, o traficante, Simone levou o namoro com o outro Anderson, o "do Carmo", mais a sério. Ele era menor aprendiz do Banco do Brasil e frequentava a mesma igreja. Precoce como a maioria dos jovens da favela, o casal tinha vida sexual ativa. Anderson do Carmo era amigo de Elton, o diácono da Assembleia de Deus e namorado de Dulcivânia. Os dois casais faziam programas juntos com frequência, como sair para dançar e pegar sol na praia do Leme. Apesar de não ser virgem, Dulcivânia não tinha uma vida sexual tão movimentada quanto a de Simone. Com desejo à flor da pele, ela até tentava transar com Elton, mas ele se recusava por uma condição, segundo dizia, imposta por Deus. "Só transo depois de me casar. É o que a igreja determina", justificava ao receber as investidas de Dulcivânia. A namorada tentava convencê-lo com uma falácia comum entre protestantes progressistas: havia outras formas de fazer amor, sem penetração vaginal. "Nem pensar!", sentenciava o diácono. Jovem, bonito e comunicativo, ele não caía na tentação da carne porque tinha certeza de que o caminho seria sem volta.

Num domingo de sol, os quatro amigos foram acampar numa praia deserta no Recreio dos Bandeirantes, zona oeste do Rio de Janeiro. Levaram duas barracas e bebidas. À noite, Simone e Anderson transaram por mais de quatro horas, fazendo muito barulho. Na barraca ao lado, Dulcivânia tentou despertar o interesse de Elton tirando toda a roupa, alegando excesso de calor. Ele vestia bermuda e virou para o lado. Embriagado, dormiu um sono profundo. Dulcivânia acordou antes do amanhecer e percebeu que o namorado estava com a bermuda meio aberta e o pênis ereto. Aproveitou para fazer sexo oral até ele ejacular. O rapaz acordou logo em seguida e deu uma bronca na namorada. Envergonhado e sentindo-se desrespeitado, terminou o namoro naquele mesmo instante, dentro da barraca. Anderson e Simone tentaram contornar a situação, dizendo que sexo é algo natural e divino. "Todo mundo faz. Até os monges, os padres e os pastores da igreja. Façamos amor. Vamos amar", cantarolou Simone. Não teve jeito. Elton foi embora sozinho e ficou sem falar com Dulcivânia por meses.

Naquela época, o jovem vislumbrava uma carreira de líder religioso na Assembleia de Deus. Dedicado, frequentava o culto desde a adolescência, quando largou as drogas. Fazia trabalhos voluntários, assumiu a função de obreiro e tentava alcançar o posto de presbítero para mais tarde, quem sabe, ser promovido. Seu mentor na Assembleia de Deus do Jacarezinho era o pastor e líder comunitário Demóstenes Assumpção, de 50 anos. Certa vez, Elton pediu ao chefe para dar um testemunho contando como a religião foi fundamental para ele largar as drogas de forma definitiva. Quando tinha 16 anos, estava totalmente dependente de cocaína e, sem dinheiro para bancar o vício, passou a trabalhar como "vapor" numa das bocas do Comando Vermelho. Ele foi expulso, porque a facção não aceitava viciados atuando perto da linha de frente. Num bairro dominado pelo tráfico, Demóstenes não aceitou a proposta do pupilo. A igreja e o Comando Vermelho sempre mantiveram uma relação cordial, embora tensa. Na década de 1980, por exemplo, nenhum templo era erguido na favela, perto das bocas, sem o aval da bandidagem. Na década seguinte, os traficantes passaram a lavar dinheiro no caixa das igrejas, como será mostrado mais adiante. Demóstenes orientava os sacerdotes protestantes egressos do tráfico a esconder dos fiéis seu passado criminoso. "Esse tipo de testemunho polui moralmente os verdadeiros evangélicos. O importante é que você encontrou Deus aqui na nossa igreja e foi salvo das garras do Diabo. [...] Você está renovado, Elton, pois deixou de carregar o estigma de malfeitor e se tornou uma pessoa do bem. É isso que importa", argumentou.

Flordelis e Rose, a ex-namorada de Amilton, também congregavam na Assembleia de Deus comandada por Demóstenes. As duas sonhavam em se tornar pastoras, embora pesasse contra ambas o passado "pecaminoso", de conhecimento público. Flor ainda carregava o apelido de "vassourinha". Rose era lembrada, inclusive pelos líderes, de quando namorava Amilton e encurtava a saia para mostrar as coxas grossas. No entanto, era comum que as igrejas evangélicas acolhessem em seus rebanhos as ovelhas desgarradas – desde que os fiéis demonstrassem, no discurso e na prática, um estilo de vida totalmente dedicado a Deus, como vinham fazendo Flor e Rose. Se o crente levasse uma vida dupla, ou seja, com um pé na igreja e outro na devassidão, os pastores até faziam vista grossa, desde que os pecados da carne fossem mantidos em segredo. Caso contrário, o fiel teria de dar um testemunho de arrependimento e regeneração no altar. Rose, por exemplo, já havia dado vários depoimentos lembrando a época em que vivia de mãos dadas com o Diabo, transando todos os dias, mergulhada nas águas quentes do inferno. "Encontrei Jesus, purifiquei a alma e me tornei novamente uma serva de Deus, com uma vida totalmente dedicada à igreja", disse ela num culto dominical abarrotado de ovelhas do rebanho de Demóstenes. O religioso lhe deu esperanças de, "um dia, quem sabe", promovê-la a pastora, apesar de a Assembleia de Deus ainda não ordenar mulheres. Os chefes iludiam as moças para não perdê-las para congregações concorrentes, como a igreja apostólica Renascer em Cristo, fundada na década de 1980, aberta a mulheres em cargos de liderança. Outra instituição, a igreja apostólica Fonte da Vida, inaugurada nos anos 1990, também adotava o ministério feminino e até fazia o seu marketing em cima disso. Nos templos da Assembleia de Deus, os sacerdotes tentavam convencer as mulheres que sonhavam com o cargo a se casarem com um ministro e assumirem o posto de "auxiliadora", uma espécie de primeira-dama religiosa. Outros líderes engambelavam as mulheres com o título de "pastora de consideração", uma perfumaria tão sem importância que nem sequer era remunerada. Foi esse o cargo prometido a Flordelis na Assembleia de Deus, caso conseguisse sepultar definitivamente a fama de "predadora sexual" disseminada na favela.

Para limpar sua imagem, a cantora envolveu-se em atividades filantrópicas no Jacarezinho. Mas uma fofoca sobre seu mais recente escândalo eclodiu e trouxe perdas e danos a ela: seu marido, Paulo, pastor na igreja de Demóstenes, flagrara Flor na cama com Beto, o comerciante, e ainda fora convidado a participar da orgia. Com o forte tapa no rosto que levou do marido, Flor caiu da cama. Com medo de também apanhar, Beto correu nu, pegou uma arma carregada no móvel de cabeceira e apontou-a para a cabeça do rival. Paulo não se intimidou e seguiu em direção a Beto. Para assustá-lo, o comerciante deu um tiro para o alto e o barulho do disparo acordou Marilene, dopada com um remédio colocado por Flor em seu copo de cerveja. Nua, Flor enrolou-se num lençol enquanto Beto estava pronto para dar mais um tiro, e Marilene, com a saúde mental debilitada, quebrava objetos no quarto. Fora de si, a mulher traída pegou a arma do marido e mirou Flordelis, mas acabou desmaiando. Internada às pressas, definhou até morrer, três meses depois, de depressão.

Mesmo envergonhado, Paulo fez questão de contar o ocorrido a Demóstenes. O líder pediu que o casal mantivesse a história sob o mais absoluto sigilo, porque traição era um pecado imperdoável, segundo a Bíblia. "Deus perdoa filho que mata a mãe, mãe que mata o filho, mas Ele não passa pano para chifre, principalmente quando o corno é o homem", comentou Demóstenes. Àquela altura, porém, era impossível manter segredo sobre a traição de Flor. Os comentários maldosos sobre o flagrante na casa de Beto circulavam até nas comunidades vizinhas. Irritado, o pastor mandou chamar Paulo e Flordelis. Naquela época, era comum o religioso promover terapia de casais. Bravo, ele intimou a cantora adúltera: "Mantenha essa vida de puta no calabouço, sua vaca. Caso contrário, você será expulsa da comunidade a pedradas, feito Maria Madalena!". Chorando, Flor prometeu nunca mais escandalizar o reino de Deus. Derramando uma cachoeira de lágrimas, ela encarou o marido e pediu perdão de joelhos. Paulo sentiu vontade de esmurrá-la, mas se conteve:

– Sabe qual é o apelido dessa vadia na comunidade, pastor? – gritou o marido, enfurecido.

– Não, mas posso imaginar... – devolveu Demóstenes.

– Vassourinha!

– Valha-me Deus! Que horror! – espantou-se o religioso.

– Já nem sei se esses filhos são meus! – desconfiou o pastor.

– Pai é quem cria, meu filho!

– Agora me fale, pastor: que moral tem um homem casado com uma mulher chamada na rua de vassourinha? – perguntou Paulo.

– Acho que isso é relativo... Você pode estar exagerando – ponderou Demóstenes.

– Estou exagerando?! Essa mulher tem outro apelido que até Satanás tem vergonha de falar!

– É mesmo? Que apelido é esse?

– Motosserra! – exclamou o marido, aos prantos.

Contendo o riso, Demóstenes tentou apaziguar. Contrariando o que havia dito antes, referiu-se às escrituras sagradas (Mateus 18:21-22) para tentar reconciliar o casal: "Pedro aproximou-se de Jesus e perguntou: 'Senhor, quantas vezes deverei perdoar a meu irmão quando ele pecar contra mim? Até sete vezes?' Jesus respondeu: 'Eu digo a você: não até sete, mas até setenta vezes sete'". Paulo não se comoveu com a citação bíblica. Disse, na frente de Demóstenes, preferir dormir abraçado ao Diabo do que se deitar na mesma cama com Flordelis. Arrumou suas coisas e seguiu para uma Assembleia de Deus no município de São Benedito, no Ceará, onde continuou a carreira religiosa e desapareceu. Após a descoberta dos casos extraconjugais da esposa, Paulo pôs em xeque se Flávio, Simone e Adriano realmente seriam seus filhos, apesar de tê-los registrado no cartório. A desconfiança da paternidade pairava mais em Simone e Adriano, pois somente Flávio era parecido com o pastor. Mais tarde, já separada, Flor descobriu que Paulo não passava de um hipócrita, assim como a maioria dos líderes religiosos da igreja de Demóstenes. Seu ex-marido pastorava uma coleção de amantes protestantes. Com uma delas, inclusive, ele teve um filho.

Na década de 1990, escândalos sexuais no seio da Assembleia de Deus do Jacarezinho, a propósito, eram mais comuns do que se imaginava. A cúpula da igreja ficava irritada e punia somente quando as notícias negativas vazavam para a imprensa. Demóstenes, portanto, resolveu dar mais uma chance a Flor porque tinha sido muito amigo de seu pai, Chicão, e por ver futuro promissor em sua carreira de cantora gospel. Havia, ainda, um segredo inconfessável: Demóstenes queria levar a "vassourinha" para a cama e comprovar se ela era mesmo isso tudo que falavam. Solteira novamente, Flordelis deu um tempo na vida libertina e investiu nas atividades religiosas juntamente com Rose. Nos cultos, as duas se empenhavam como obreiras bíblicas para tentar alcançar melhores posições no organograma local o mais rápido possível. Na liturgia da Assembleia de Deus, cabia aos obreiros auxiliar o pastor durante os cultos e nas atividades fora da igreja. Eles recebiam meio salário mínimo da época e eram vistos como autoridades espirituais por serem responsáveis também pelas orações e intercessões. Flordelis e Rose entraram brilhando na função.

A vida das duas começou a mudar quando Demóstenes chamou Elton para discutir planos de carreira para o diácono. O líder anunciou a construção de uma nova igreja na Rua do Canal, bem próximo do Rio Jacaré. O jovem era o candidato ideal para assumir o cargo de pastor no local, pois tinha talento e se relacionava bem com os bandidos do Comando Vermelho, com quem tivera laços no passado. Nenhum empreendimento, nem mesmo os religiosos, prosperava no Jacarezinho sem o aval dos traficantes. Além dessas habilidades, ele pregava com excelente oratória, tinha seguidores e realizava trabalhos voluntários nas redondezas. Também distribuía sopa para os sem-teto e encaminhava crianças de rua para abrigos, facilitando a adoção. A Assembleia de Deus tinha pressa de inaugurar uma nova filial na Rua do Canal porque a concorrência avançava na favela: tanto a Igreja Universal do Reino de Deus quanto a Igreja Pentecostal Deus é Amor, conhecidas no Jacarezinho pela agressividade em roubar fiéis de outras instituições religiosas, tinham obras nas proximidades, provocando uma disputa por ovelhas. Elton ficou empolgado com os planos de seu mentor. Na reunião, Demóstenes pediu ao pupilo para levar Flordelis e Rose nessa nova empreitada. Em seguida, iniciou uma entrevista peculiar para saber se ele tinha, de fato, as credenciais para se tornar sacerdote de uma instituição respeitada como a Assembleia de Deus:

– Você é virgem?
– Sou sim, senhor!
– Você bate punheta?
– [silêncio]
– Responde, servo de Deus!
– Todos os dias, senhor.
– Você nunca fez sexo com mulheres?
– Nunca!
– Nem quando você vivia no inferno, consumindo e vendendo drogas?
– Nem nessa época, senhor!
– Você é homossexual?
– [Silêncio]
– Eu perguntei se você é veado!
– [Silêncio]
– Você já transou com homens, porra?!

– Já! Mas me livrei desse pecado quando encontrei Jesus na igreja, senhor.

– Cadê aquela sua namorada?

– A Dulcivânia? Terminamos, senhor.

– Então volte para ela ou arrume outra vadia, porque a minha igreja não ordena pastor solteiro. Muito menos mariconas assumidas!

Depois da entrevista, Elton foi bater na casa de Carmozina atrás de Dulcivânia. Para reatar o namoro, ela impôs como condição transar todos os dias e começar a prática sexual imediatamente. Ao ouvir um pedido para esperar pelo menos até o casamento, a jovem não aceitou. Ele, então, falou de seus planos religiosos e deu aval para a garota fazer sexo com outros rapazes, desde que fosse às escondidas. Dulcivânia era apaixonadíssima por Elton desde a primeira vez que o viu. Tanto que nem teve vontade de se relacionar com outros homens, pelo menos naquele momento. Seis meses depois de reatar o namoro, o rapaz subiu ainda mais na carreira e foi ordenado presbítero da Assembleia de Deus. Em pouco tempo ele já era evangelista, o último estágio antes de se tornar pastor. Ganhava um salário mínimo por mês. Com a trajetória de líder religioso evoluindo e dinheiro no bolso, Elton selou noivado com Dulcivânia e a data do casamento foi marcada para dali a nove meses, após uma cerimônia de troca de alianças. O casal tinha muita afinidade. Quanto mais próximo do cargo cobiçado, mais o crente se alinhava à conduta exigida pela igreja. Não saía mais à noite, não ia à praia e pouquíssimas vezes falava em transar, ou seja, apenas para procriar, deixando Dulcivânia apavorada. "Veja o exemplo da Flordelis, 'sua irmã'. A fama de pecadora dela percorre o bairro de cima a baixo, chegando lá no Meier. [...] Sexo é algo sujo. Faremos só uma vez por ano e com muita responsabilidade, porque Deus vê tudo, até o que acontece debaixo dos panos", comentou Elton. Dulcivânia não aguentou esperar a agenda divina do namorado e começou a transar com um colega da escola, apesar de garantir ainda estar loucamente apaixonada pelo jovem religioso.

Quando faltavam três meses para o casamento, Elton falou para Demóstenes que sabotou sua homossexualidade com a prática do celibato graças à dedicação à igreja. "Espero que você esteja falando a verdade, pois o Diabo ajuda a fazer, mas não ajuda a esconder", avisou o chefe. O novo templo estava em fase final de construção. Para o acabamento da obra, etapa mais cara, líderes da Assembleia de Deus fizeram uma vaquinha pelas bocas do Comando Vermelho. Os traficantes colaboraram generosamente. "No Rio de Janeiro, os contraventores sempre financiaram as obras das igrejas evangélicas e até cultos ao ar livre. O tráfico bancava artistas de projeção nacional para fazer shows gospel na favela e sempre pagou dízimo. O engajamento com as agremiações religiosas locais ocorria porque havia a expectativa de um dia eles saírem da vida do crime e precisarem da ajuda espiritual dos evangélicos", destaca Christina Vital da Cunha, autora do livro *Oração de traficante* e pesquisadora do Departamento de Sociologia da Universidade Federal Fluminense (UFF). Nos arredores da futura igreja, Elton intensificou as atividades filantrópicas. Com o auxílio de Flordelis, Rose e outras voluntárias, começou a recolher crianças pequenas das vias próximas. A atividade se estendeu por todo o Jacarezinho. Eles abordavam moradores de rua com bebês de colo e pediam para levá-los. O argumento era simples: o menor teria mais chance de sobreviver se fosse adotado por uma família estruturada. Assim, Elton intermediava adoções clandestinas em nome de Deus e – supostamente – com a anuência da igreja. As famílias beneficiadas registravam como legítimos, em cartório, bebês e crianças de rua de até 12 anos.

Conhecida como "adoção à brasileira", essa prática não caracteriza adoção legítima, pois não segue as exigências da lei. Comum no passado, a irregularidade, muitas vezes, era praticada com boas intenções, como fazia o aspirante a pastor. No entanto, a conduta é tipificada como crime contra o estado de filiação. O artigo 242 do Código Penal descreve o delito de dar como próprio o parto alheio e considera crime o ato de registrar como sendo seu o filho de outra pessoa, bem como o ato de esconder ou trocar recém-nascido por meio de remoção ou modificação de seu estado civil. A pena prevista é de dois a seis anos de reclusão. Contudo, se o crime é praticado por motivo nobre, a pena é diminuída para detenção de um a dois anos, e o juiz pode até deixar de aplicá-la, como já ocorreu em diversos casos país afora. A "adoção à brasileira" era mais comum nas décadas de 1980 e 1990, porque os pais podiam registrar as crianças quando bem entendessem. Atualmente, as maternidades são obrigadas por lei a só liberar a saída do bebê depois de os pais sacramentarem o registro.

Faltando seis meses para a inauguração da nova igreja, o trabalho voluntário de Elton, Flordelis e Rose começou a enfrentar problemas. O trio tornou-se referência em acolhimento de crianças – não precisava mais perder tempo procurando por elas nas quebradas do Jacarezinho, pois famílias pobres, dependentes químicos e moradores de rua faziam questão de entregar seus filhos a eles voluntariamente. Sem abrigo suficiente para tantos menores, a atividade foi suspensa temporariamente. Solteira, Flordelis estava morando com a mãe e os filhos – Simone, Flávio e Adriano. A missionária tentou levar para lá um bebê de seis meses e um adolescente de 14 anos, chamado Ítalo, mas Carmozina não aceitou. Para que não voltassem às ruas, Elton os levou para casa. O futuro pastor morava no Jacarezinho com a mãe, Valdinéia, de 60 anos, o pai, Beviláqua, de 75, e o irmão, Pedrinho, de 12. A grande diferença de idade do caçula com os pais fez com que o filho mais velho assumisse o papel paterno na criação do mais novo desde os primeiros meses de vida. Com um problema sério na coluna decorrente de uma queda, Valdinéia não podia carregar peso e, por isso, não segurava o menino no colo. Sem dinheiro para contratar babá, coube ao primogênito fazer a mamadeira, trocar fralda, dar banho e passear com Pedrinho empurrando o carrinho de bebê. Antes mesmo de entrar na escola, a criança foi alfabetizada em casa pelo irmão. Nas aulas domésticas, aprendeu até a fazer contas. Quando o garoto começou a estudar, Elton o levava à escola e participava das reuniões com os professores. Nos fins de semana, iam juntos à praia. Essa aproximação entre os dois fazia Pedrinho chamar o irmão equivocadamente de pai e, volta e meia, se referia aos pais verdadeiros como avós. No entanto, o menino era corrigido imediatamente quando cometia esse lapso.

Muito contrariado, o casal de idosos deixou que o bebê e Ítalo, ambos criados na rua, ficassem na casa por três dias, acomodados respectivamente em um berço improvisado na sala e no quarto do mais velho. Pedrinho dormiu com os pais idosos. À noite, Elton foi ao quintal dar um banho no pequeno. Curioso, Ítalo levantou o colchão de sua cama e encontrou diversas revistas com fotos de homens nus.

Quando todos estavam dormindo, o adolescente foi até seu anfitrião e deu um beijo em sua boca. O futuro pastor pôs o jovem para fora no meio da madrugada. No dia seguinte, Ítalo encontrou Dulcivânia no ponto de ônibus e contou a ela que seu futuro esposo era gay. Ela não acreditou. Ítalo foi mais além: "Quando eu dormi na casa dele, a gente se beijou. Foi delicioso", debochou. Dulcivânia tentou agredir o garoto. "A verdade dói, né?", provocou. "Vai lá e olha o que tem debaixo do colchão dele", desafiou. À noite, ela seguiu o conselho de Ítalo e fez uma visita surpresa ao noivo. Valdinéia assistia à novela, e Beviláqua preparava o jantar. Elton fazia o dever da escola com o irmão ao mesmo tempo em que cuidava do bebê de rua. Enciumada, Dulcivânia alertou os sogros sobre o perigo de ter um estranho dentro de casa. "A gente não tem a menor noção quem são os pais dele, que tipo de doença contagiosa ele tem. Pode contaminar todos vocês, inclusive o Pedrinho", envenenou. Valdinéia mandou o filho se livrar do hóspede imediatamente. Dulcivânia se encarregou de pegar o bebê e o levou até um hospital público, deixando-o no jardim, dentro de uma caixa de papelão.

Na tarde do dia seguinte, a atitude desumana da noiva gerou uma discussão acalorada entre o casal, no quarto dele. No auge da fúria, Dulcivânia tirou a aliança aos prantos, jogou o anel no chão e terminou o noivado. Com medo de perder o posto de pastor, ele pediu "pelo amor de Deus" para ela esperar um ano. Pegou a aliança, pôs de volta no dedo da noiva, trancou a porta e os dois foram para a cama. Mesmo com preliminares promissoras, não transaram porque ele não teve ereção suficiente para penetrá-la. Dulcivânia saiu da cama e vestiu-se bem devagarinho. Em seguida, levantou o colchão e pegou a coleção de revistas eróticas de Elton. Folheou algumas delas. Ele ficou desconcertadíssimo. Sucinta, Dulcivânia quis saber:

– Você gosta de homens?

Ele fez um longo silêncio e admitiu, balançando a cabeça. Dulcivânia fez mais uma pergunta ao noivo:

– Foi por isso que você não conseguiu transar comigo?

– Sim.

Desolada, Dulcivânia foi embora da casa do noivo e procurou Demóstenes. A sós, ela acusou o jovem de "pederastia". Logo, ele não podia ser ordenado pastor. O líder religioso perguntou se ela considerava manter o noivado e ouviu um "não" como resposta. Elton foi expulso da Assembleia de Deus no mesmo dia. Não por gostar de homens, mas por não saber manter seus segredos longe da luz do sol. Desolado, foi consolado por Rose e Flordelis. Os três pegaram um ônibus e foram espairecer na praia do Leme. Mas os estragos promovidos por Dulcivânia ainda nem tinham começado. Enquanto o ex-noivo chorava na zona sul, ela fez uma visita aos pais dele, na zona norte. Na sala com Beviláqua, Valdinéia e Pedrinho, Dulcivânia anunciou ter rompido o noivado ao descobrir a homossexualidade do rapaz.

Nessa hora, o menino foi retirado da sala pela mãe e levado para a casa de uma vizinha. Depois, a conversa continuou. O casal não frequentava igrejas, o que reduziu bastante o impacto da notícia. "Eu até já desconfiava", amenizou Beviláqua. Valdinéia permanecia inerte. Dulcivânia falou que Elton e Ítalo, o adolescente de rua, haviam se beijado, talvez até transado sob aquele teto. Os pais se entreolharam meio estarrecidos. A moça, então, deu a cartada final, selando para sempre o destino do ex-noivo: "Eu li numa revista que todo gay é pedófilo. Eles molestam crianças, sabiam? Aí fiquei pensando... É por isso que o Elton é muito apegado ao irmãozinho. Gosta de dar banho nele trancado no banheiro. Dorme no mesmo quarto só de cueca. Se eu fosse vocês, perguntaria para o menino se ele já foi tocado pelo irmão", aconselhou. O pai mandou Dulcivânia sair, mas a mãe, com dor na coluna, deu razão a ela. Valdinéia não tinha estudo e nunca trabalhou. Seu passatempo predileto era assistir a novelas. Com essas características, segundo Elton, ficou fácil para ela acreditar nas bobagens proferidas por Dulcivânia. Beviláqua tinha ensino médio (antigo segundo grau), trabalhou por décadas como vendedor numa loja de ferragens e lia jornais. Seria mais difícil convencê-lo de que todo gay é pedófilo. Preocupada, Valdinéia foi até a casa da vizinha perguntar ao filho se Elton já havia tocado em seu sexo. O menino, de 12 anos, assustou-se e negou de forma categórica. Para evitar um novo confronto com o ex-noivo, Dulcivânia foi embora do Jacarezinho. Pegou suas mudas de roupa, despediu-se da "mãe" Carmozina, de Simone e Anderson, e foi morar com os pais no Complexo da Maré.

Quando Elton chegou em casa, os pais contaram sobre a visita inconveniente de sua ex-namorada. Ele ainda estava processando o desligamento da igreja, quando foi expulso pela mãe sob a acusação de pedofilia, por ter supostamente abusado sexualmente do irmão que ele tanto amava. Elton não suportou outro baque emocional. Sentou-se no chão e desabou no choro. A mãe pediu para ele sair de casa quanto antes, do contrário chamaria a polícia. Beviláqua alertou a esposa sobre a possível injustiça. "Posso estar enganada? Posso! Mas posso estar certa? Também posso! Na dúvida, prefiro não arriscar. Quero essa bicha longe do meu filho", ponderou Valdinéia. O rapaz arrumou a mala de roupas e pediu para se despedir do irmão, que ainda estava na vizinha. O pai permitiu, mas a mãe não deixou. Com pouco dinheiro no bolso, o jovem pegou um ônibus e foi para São Bernardo do Campo, no ABC Paulista, onde morava uma tia idosa, irmã de Beviláqua. Longe da família e dos amigos, ficou mais fácil assumir sua orientação sexual. Fez curso técnico de montador de veículos no Serviço Nacional de Aprendizagem Industrial (Senai) e conseguiu emprego na linha de montagem automotiva da Ford. Beviláqua nunca – em tempo algum – acreditou na possibilidade de Pedrinho ter sido molestado sexualmente por quem quer que fosse.

O garoto amargou um período triste, com saudade do irmão. Por cinco anos seguidos, uma vez por mês, mesmo idoso, Beviláqua pegava um ônibus na rodoviária do Rio de Janeiro e levava Pedrinho para encontrar Elton em São Paulo. Os três passeavam no Parque Ibirapuera e visitavam o zoológico e parques aquáticos. Nos feriados prolongados, o mais velho viajava até o Rio para levar Pedrinho à praia. Esses encontros aconteciam às escondidas da mãe, que nunca aceitou a sexualidade do filho mais velho. "Você não sente saudade do nosso Elton?", perguntava Beviláqua. "Quem é Elton?", devolvia Valdinéia. Certa vez, o recenseador do Instituto Brasileiro de Geografia e Estatística (IBGE) bateu à porta deles e perguntou quantos filhos ela teve. A idosa respondeu: "Tinha dois, mas um morreu". Valdinéia faleceu aos 65 anos em decorrência de um acidente vascular cerebral (AVC). Depois de sepultar a esposa, Beviláqua se mudou com o caçula, de 17 anos, para a casa de Elton, já casado com um engenheiro civil. Os quatro moraram juntos por quinze anos em São Bernardo. Beviláqua morreu de causas naturais aos 95, cercado de amor e carinho. Pedrinho se formou em engenharia mecatrônica na Universidade de São Paulo (USP), casou-se com uma colega de classe e teve dois filhos. A vida de Dulcivânia também teve reviravoltas: sem muitas oportunidades na vida, virou prostituta na zona portuária do Rio de Janeiro. Em 1995, seu programa custava 5 reais.

* * *

Com a saída de Elton da Assembleia de Deus, os trabalhos de assistência social comandados por ele no Jacarezinho foram suspensos temporariamente pelo pastor Demóstenes. Duas referências em filantropia no bairro, Flordelis e Rose continuavam sendo procuradas por moradores de rua com crianças pequenas. Algumas famílias sem-teto simplesmente pediam ajuda. Outras perguntavam como poderiam deixar os filhos num abrigo público, pois não tinham condições de alimentá-los. A maioria dos pais inalava cola e líquidos solventes, como tíner e acetona. No cérebro, essas drogas provocam efeitos psíquicos agudos, causando euforia seguida por depressão. Nos casos mais graves, o dependente químico era tomado por alucinações. Geralmente o morador de rua tentava se livrar dos filhos na fase de alegria intensa e se mostrava arrependido quando mergulhava na ressaca da tristeza profunda.

Em 1991, Flordelis caminhava pelo entorno da Central do Brasil ao lado de Rose quando encontrou uma mulher conhecida na área pelo apelido Queixo de Tamanco. Suja e fedida, a mendiga carregava uma garrafa plástica contendo cola de sapateiro numa das mãos e puxava um menino de 3 anos na outra. Flor abordou a moradora de rua:

– Para onde você vai com esse menino lindo?

– Estou procurando pelo Elton. Quero entregar o garoto – anunciou.

– Esse menino é seu filho? – perguntou Flordelis.

– Sim, mas não tem registro!

– O Elton não trabalha mais na igreja. Se quiser, posso ficar com a criança – se dispôs a missionária.

Quando assumiu o lugar de Elton nos trabalhos voluntários de acolhimento de meninos de rua, Flor se intitulava obreira da igreja Assembleia de Deus do Jacarezinho. Queixo de Tamanco entregou o rebento por volta das 18 horas de uma quinta-feira e escafedeu-se. Rose alertou Flordelis para um fato: não havia vagas nos abrigos públicos infantis, nem no bairro, nem nas redondezas. Nessa época, a Secretaria Municipal de Assistência Social do Rio de Janeiro mantinha apenas duas casas de acolhimento nas proximidades e ambas ficavam permanentemente lotadas, porque recebiam muitos menores encaminhados pelos Conselhos Tutelares até de bairros vizinhos. Mais uma vez, Flor tentou hospedar o menino com Carmozina, mas a bruxa disse não, não e não. Flor acusava a mãe de falta de apoio e compaixão. Para o pequeno não pernoitar ao relento, Rose e Flor deixaram-no numa creche mantida pela prefeitura em Del Castilho. Uma semana depois, Rose voltou para buscá-lo, mas ele havia sido encaminhado "por engano" a uma entidade mantida pela Pastoral da Criança da igreja católica, em Belford Roxo, e nunca mais tiveram notícias do menino.

Simone ainda namorava Anderson quando foi com ele, a mãe e Rose comer cachorro-quente numa carrocinha de rua após um culto evangélico. Sentaram-se lado a lado, em cadeiras de plástico encardidas. Flor comentou sobre o trabalho filantrópico, falando de como esse tipo de atividade poderia cacifar a sua ascensão na Assembleia de Deus e torná-la famosa no Jacarezinho. Segundo ela, até a igreja católica investia em trabalhos de resgate de crianças de rua para se promover. Anderson, assíduo nos cultos de Demóstenes, concordou com a cantora. No momento dessa conversa, Flor estava sentada na primeira cadeira, e Anderson, na outra extremidade – ou seja, com as outras duas mulheres, que se mantinham caladas, comendo entre eles. Para ficar mais próximo de Flor, Anderson levantou-se, puxou a cadeira e foi terminar seu lanche ao lado da missionária. Com a desculpa de ter dever de casa, Simone terminou a refeição rapidamente, despediu-se do namorado com um beijo na boca e foi embora. Rose continuou fazendo companhia aos dois, mas ficou sobrando quando os amigos engataram uma conversa. Flordelis nunca havia reparado no namorado adolescente da filha como um homem. Naquela noite, os dois falaram sobre religião, adoções, música e amor. Ele também se queixou de Simone, que não levava mais o namoro a sério como outrora. Segundo ele, a filha de Flordelis vinha abandonando as atividades da igreja. "Ela não carrega mais nem a Bíblia, acredita?", reclamou Anderson. Flor ouviu as queixas do "genro" com atenção e aproveitou para falar da sua falta de sorte com os homens de sua idade, fazendo uma resenha negativa do ex-marido. Os dois se empolgaram e a conversa varou a noite. Por volta das 2 da madrugada, Anderson levou primeiro Rose em casa e depois acompanhou a "sogra", despedindo-se dela na porta com um beijo de carinho em seu rosto, porém bem pertinho da boca.

Uma semana depois, decidida a investir no trabalho filantrópico, Flor recolheu com Rose um bebê de cerca de seis meses das mãos de uma mulher conhecida como Joana Cara de Cadáver. O apelido inusitado era decorrente de sua aparência lívida e dos olhos bem profundos. A moradora de rua fumava crack, cheirava cola de sapateiro e bebia cachaça todos os dias. Havia meses não tomava banho. Eram 10 horas quando Flor avistou a sem-teto sentada sobre um papelão na calçada da Praça da República, perto do monumento de Benjamin Constant, no Centro do Rio de Janeiro. A criança estava deitada entre as pernas da genitora, que tinha uma faca com a lâmina enferrujada presa na cintura. Aparentemente desnutrido e desidratado, o bebê vestia uma fralda improvisada com trapos, toda suja de xixi e cocô, e chorava agitando as pernas e os braços. A mulher parecia não se importar com o estado deplorável do filho. Flor se aproximou lentamente e identificou-se como missionária da Assembleia de Deus, como sempre fazia. Em seguida, em silêncio, ajoelhou-se e pegou a criança bem devagarinho pelas axilas. Levantou-se com delicadeza e começou a embalar a criança, tentando fazê-la parar de chorar. Instintivamente, o bebê procurou o peito de Flor para mamar. A moradora de rua não fez nenhuma objeção. Alguns mendigos com cara de poucos amigos e sinais claros de embriaguez se aproximaram. Rose ficou com medo, mas Flor tentou obter informações usando uma voz aveludada:

– Tadinha! Quantos meses tem essa criança?

– [silêncio]

– Ele é tão bonitinho. É menino ou menina? – insistiu a missionária.

– [silêncio]

– A senhora está disposta a entregar o seu filho para adoção?
– [silêncio]
– Leva logo esse bebê embora, caralho! A Cara de Cadáver nem é a mãe dele. Essa criança não come faz dois dias! – gritou um sem-teto de longe.

Joana Cara de Cadáver levantou-se do chão e encarou a missionária, mas ficou calada. Em pé, a faca enferrujada amarrada na cintura da moradora de rua ficou ainda mais evidente. "Deixa esse bebê e vamos embora daqui", pediu Rose, aflita. Joana Cara de Cadáver se afastou e as duas amigas saíram apressadas em direção ao ponto de ônibus, levando a criança. Dentro do coletivo, Flor percebeu se tratar de uma menina. Era meio-dia quando as duas chegaram em casa. Carmozina estava com um grupo de "clientes" quando viu a nenê nos braços da filha. Primeiro, expulsou Rose. "Some da minha frente, sua vagabunda dos infernos!", gritou. Em seguida, a bruxa se voltou contra Flor:

– Eu já disse que não quero moradores de rua aqui em casa!
– Mas, mãe, é temporário. Vou arrumar um lar para essa pequena órfã.
– Quem é a mãe dessa criança?
– Não sabemos! – mentiu Flor.

Um dos motivos para Carmozina implicar com a filha e seu projeto de recolher meninos da rua era justamente a companhia constante de Rose. As duas não se falavam desde o dia do afogamento de Amilton na piscina do Clube da Marinha. Contrariada, a bruxa deu um prazo de três dias para a criança ser levada embora, senão chamaria o Conselho Tutelar. Enquanto as duas discutiam na sala, Rose deu um banho na bebê usando a torneira do tanque de lavar roupa e sabão em barra. Depois a acomodou na cama de Flor. Carmozina também reclamava dos novos hóspedes porque sua casa de 70 metros quadrados na Rua João Pinto, 51, estava com lotação esgotada. No início da década de 1990, moravam ali nove pessoas: Carmozina, Laudicéia, Abigail, Flordelis, Fábio e sua esposa, Ieda, Simone, Flávio e Adriano. Às vezes, Anderson também dormia por lá. O imóvel tinha dois pavimentos, mas parecia menor porque um dos quartos era reservado exclusivamente para as bruxarias da matriarca, onde ninguém entrava sem sua autorização. Dentro do guarda-roupa, ficavam escondidas as imagens de São Cipriano e Exu Caveira.

Apegada à criança resgatada da rua, Rose passou a frequentar a casa de Carmozina quando ela estava na igreja. Seu acesso era facilitado pelos filhos da bruxa, que gostavam dela desde a época do namoro com Amilton. Numa dessas visitas, Rose preparou na cozinha uma mamadeira para a nenê e levou-a até o quarto de Flor. Ao chegar lá, a cama estava vazia. Rose desceu nervosa, alertando sobre o sumiço da menina. As duas procuraram em cada canto pela pequena – que ainda não tinha idade para engatinhar, muito menos para sair andando. Rose e Flor já haviam procurado em todos os cômodos – exceto no quarto secreto, trancado à chave. Usando um grampo de cabelo, elas abriram a porta. Flor nunca tinha entrado ali. A bebê não se encontrava lá, mas as duas missionárias ficaram tão impressionadas com a energia do espaço onde a bruxa fazia atendimentos secretos que até se esqueceram do desaparecimento da menina. Havia um pequeno altar com uma imagem coberta por um lençol branco e duas cadeiras de plástico, viradas de frente uma para a outra. Uma prateleira continha cerca de vinte volumes, entre eles *A Bíblia Satânica*, de Anton Szandor Lavey, ocultista fundador e sacerdote da Igreja de Satanás, e a edição de capa preta do livro *São Cipriano, o bruxo*.

Rose estava chocada com os segredos de Carmozina, e Flor agia como se estivesse descobrindo um novo mundo. Ela puxou o lençol branco e deu de cara com a imagem de Exu Caveira. O mesmo grampo usado para destrancar a porta abriu a fechadura do guarda-roupa, onde ficava a imagem de São Cipriano, feita de gesso e totalmente oca. Havia também um pôster de Baphomet [pronuncia-se Bafomé], figura mística cultuada por adeptos de rituais da alta magia. No cartaz, a entidade aparecia representada pela clássica figura com tronco de homem, asas longas e escuras, pernas e cabeça chifruda de bode. No livro de São Cipriano, o personagem é descrito assim: "Figura estranha que impõe respeito a seus admiradores e pavor aos neófitos da bruxaria negra. Ele é o maioral, o famoso bode satânico que preside há séculos as sessões de *sabbats* (sábado das bruxas)". Na história das religiões, o nome Baphomet está relacionado diretamente aos cavaleiros templários, que no século XII chegaram a confessar sob tortura a prática homossexual, sodomia, enriquecimento ilícito e adoração ao Diabo.

Para antropólogos especializados em religiões, Baphomet nada tem a ver com o ocultismo e teria sido simplesmente uma derivação do nome Muhammad [pronuncia-se Maomé], o profeta fundador do Islã. No entanto, ao longo dos séculos, o mistério e a especulação envolvendo os templários e Satanás aumentaram, popularizando nessa esteira a imagem enigmática de Baphomet. Atualmente, a criatura é figurinha fácil em rituais satânicos e filmes de terror.

Enquanto vasculhavam os segredos de Carmozina no segundo andar, Flordelis e Rose se assustaram com o barulho da porta da sala batendo, no piso inferior. As duas se apressaram. Flor pegou uma sacola e guardou as imagens de São Cipriano e Exu Caveira, o livro de São Cipriano, *A Bíblia Satânica* e o cartaz de Baphomet. Saiu do quarto às pressas e escondeu a sacola embaixo de sua cama. Em seguida, desceu para entreter quem havia chegado em casa. Enquanto isso, habilidosa com grampos, Rose conseguiu trancar o guarda-roupa e a porta do quarto. Lá embaixo, Flor se deparou com Mariazinha segurando o bebê. "Eu a ouvi chorando de fome, não vi ninguém e a levei para dar uma mamadeira. Está tão desnutrida, tadinha", justificou a vizinha intrometida. Antes que mais alguém chegasse, Flor pegou a sacola com os apetrechos de Carmozina e pediu para Rose guardá-la por 24 horas. A amiga se negou, mas, diante da insistência, acabou aceitando.

Quando Carmozina chegou, Flor anunciou uma novidade: iria ficar com a nenê, já batizada por ela de Rayane. Rabugenta, Carmozina disse que, sendo assim, teria de deixar a casa dela no dia seguinte. Flor concordou, avisando que procuraria um imóvel para alugar nas proximidades. "Mãe, vou adotar essas crianças de pais drogados", anunciou. "Adota, mas longe da minha vista", reiterou a bruxa. Em seguida, Carmozina preparou o almoço para toda a família: arroz, feijão, bife, farofa e Coca-Cola. Estavam comendo à mesa quando a bruxa se levantou, subiu até o quarto secreto e soltou um grito de pavor tão estridente que até Mariazinha apareceu para xeretar o ocorrido. Todos, incluindo Flordelis, correram até o quarto para ver o que tinha acontecido. Irritada com a invasão, Carmozina falou com a voz mais calma do mundo: "Achei que tivesse visto o vulto de meu irmão Miquelino aqui no quarto. Mas foi um engano". Acreditando que *A Bíblia Satânica*, o livro e a imagem de São Cipriano, o cartaz de Baphomet e a peça de Exu Caveira tivessem sido resgatados pelo fantasma do irmão, Carmozina passou a visitar a gruta perto da Capela das Almas diariamente, para tentar encontrar Miquelino. Em vão. O espírito dele e sua comitiva de escravizados nunca mais apareceram para a velha e ela suspendeu temporariamente os atendimentos em casa.

Sentindo-se leve sem as imagens de Exu Caveira e Baphomet, como confessaria mais tarde, Carmozina amoleceu. Logo ela se afeiçoou a Rayane e nem reclamou quando Flor chegou em casa com mais uma menina, Suzy, de 12 anos, a mesma idade de Flávio, segundo filho biológico da missionária. A ideia inicial era resgatar somente crianças de pessoas drogadas e encaminhá-las para adoção. O trabalho seria coordenado pela Assembleia de Deus comandada pelo pastor Demóstenes. Flávio começou a sentir ciúme de Suzy, principalmente quando ela recebia carinho de Flor ou pegava seus brinquedos. "Mãe, não traga novos irmãos aqui para dentro. Essa garota está mexendo nas minhas coisas", reclamava. Prevendo a chegada de mais crianças de rua em sua casa, Carmozina voltou a reclamar. Para se livrar da pressão familiar, Flor conseguiu um emprego numa padaria e, batalhadora, formou-se em magistério. Começou a dar aulas em duas escolas públicas do Jacarezinho e aumentou a renda. Suas atividades profissionais eram conciliadas com a performance de cantora em cultos nas igrejas, onde era remunerada e bastante aplaudida. Com dinheiro no bolso, alugou um imóvel de dois quartos na Rua Guarani, 29, bem próximo da residência da mãe.

A missionária mudou-se para o novo endereço com os três filhos biológicos e os dois adotivos. Nessa fase, Simone, a mais velha, se recusava a cuidar das novas irmãs. Como Suzy tinha 12 anos, cabia a ela a tarefa de ficar com Rayane, de seis meses, enquanto Flor trabalhava. Com isso, era comum encontrar na casa uma criança com a outra no colo. Numa noite de domingo, todos assistiam à televisão na sala quando Anderson chegou para namorar Simone. Com os quartos sempre ocupados e a sala cheia de gente, o banheiro passou a ser o único lugar com privacidade. O casal entrou lá e transou fazendo muito barulho por mais de uma hora. Para abafar os gemidos, Flor aumentou o volume da TV. Quando saíram do banheiro, Simone e Anderson foram repreendidos. A missionária sugeriu que os dois fizessem amor em silêncio para não despertar a curiosidade dos menores.

Para distrair a prole, Flor comprava brinquedos de uso coletivo, como velocípede, futebol de botão, bola, baralho, videogame e jogos de tabuleiro. Quem continuava não gostando de compartilhar as coisas, incluindo o afeto da mãe, era Flávio. O garoto era muito apegado ao pai, o pastor Paulo Xavier, e sempre perguntava quando ele voltaria. Incomodado com as novas irmãs, implorou mais uma vez a Flor para não levar mais crianças de rua para casa. Ela pegou o filho biológico pelo braço e foi até o quintal conversar. A sós, Flor perguntou se Flávio já havia reparado na beleza de sua irmã Suzy. "Os peitinhos dela estão nascendo. Viu isso, filho?". Tímido, o menino ficou corado. A mãe não costumava falar sobre sexo com ele. Nessa mesma noite, Flor estendeu um colchão no chão da sala e pôs Flávio e Suzy para dormirem juntos. Deu a eles apenas um cobertor. Na manhã seguinte, os dois adolescentes andavam de mãos dadas e se beijavam de língua na frente da família. Simone e Anderson faziam chacota do novo casal, dizendo que Flávio era "devagar", pois permanecia virgem mesmo depois de dormir com a namorada. Uma semana depois, uma senhora bateu na porta de Flor acusando-a de ter pegado sua filha sem autorização. Ameaçando chamar a polícia, a moradora de rua levou Suzy embora, e Flávio ficou inconsolável, chorando pelos cantos com saudade da menina. "Não fica assim, filho. A mamãe vai arrumar outra namoradinha para você", prometeu. Ingênuo, Flávio pediu uma garota idêntica à sua "irmãzinha".

As transas de Simone e Anderson no banheiro ficaram mais frequentes e barulhentas. Mesmo depois de gozar, o casal costumava ficar trocando carícias e tomando banhos demorados, o que fazia os demais moradores baterem na porta constantemente. Para não ocupar o banheiro por muito tempo, passaram a transar no quarto da mãe, com o consentimento dela. Só havia um porém: a porta não trancava à chave. Certa vez, Flordelis entrou no quarto de forma abrupta, viu os dois nus, pediu desculpas e saiu rapidamente. No mesmo dia, Simone quis saber a opinião da mãe sobre o corpo do namorado. Flor elogiou a beleza de Anderson, pontuando o tamanho do seu pênis, considerado por ela "muito grande". Simone se vangloriou da excelente performance sexual do rapaz, mas confessou à mãe que, a cada dia, seu interesse pelo namorado diminuía. "Quando deixa de ser novidade, eu enjoo de tudo no homem: da voz, da aparência, do cheiro, da companhia e principalmente do sexo", comentou. Mesmo assim, não demorou muito para Anderson seguir de mala e cuia para a casa de Flor, tornando-se seu terceiro "filho" adotivo. No novo lar, ele passou a chamar a missionária carinhosamente de "mãe". Flor devolvia o carinho chamando-o de "filho". Com o passar dos dias, Anderson contraiu o hábito inconveniente de vestir apenas cueca, principalmente em dias de calor. Volta e meia, saía completamente nu do banheiro e corria para o quarto. No início, Flor o repreendia, mas todos os moradores acabaram se acostumando com esse hábito inadequado.

Com o tempo, Anderson passou a frequentar assiduamente com a "mãe" e com a namorada a igreja administrada por Demóstenes e a envolver-se com as atividades da instituição. Numa reunião, o sacerdote falou a Flor sobre um bochicho dando conta de que Carmozina abriria uma outra Assembleia de Deus nas proximidades, o que ele considerava uma afronta – principalmente porque a igreja estava na pindaíba e vinha perdendo ovelhas para a concorrência. "A quem interessa dividir o nosso rebanho?", questionou. Para disputar com Carmozina, Demóstenes pediu que Flordelis e Rose intensificassem os trabalhos de filantropia iniciados por Elton. Ele andava em busca de um terreno no Jacarezinho para construir uma casa para crianças de rua.

Com esse abrigo apinhado de menores abandonados, seria mais fácil conseguir um convênio com a prefeitura. Na reunião, Demóstenes falava do projeto com entusiasmo e deixou claro que, com o sucesso da empreitada, Flordelis e Rose seriam ordenadas pastoras da igreja. A ideia de Demóstenes era juntar o maior número possível de crianças e chamar a reportagem local da TV Globo para obter visibilidade. Depois, o líder tentaria convencer empresários a ajudá-lo financeiramente na causa. "Tem igreja que arrecada milhões com filantropia", destacou. Anderson estava nessa conversa e anotava tudo num caderno. Nesse mesmo encontro, Flordelis e Rose tiveram a ideia de criar um movimento batizado de "evangelização da madrugada". Enroladas em cobertores brancos para se protegerem do frio e agarradas a bíblias, as duas perambulavam pelos bailes funk promovidos por traficantes do Jacarezinho abordando crianças e adolescentes em situação de vulnerabilidade. Nessa nova fase, usavam a lábia para convencer os garotos a deixarem o tráfico. Como as amigas entravam em áreas completamente dominadas pelo Comando Vermelho, Anderson passou a acompanhá-las para dar proteção. Cabia a Simone ficar em casa cuidando dos menores. Na busca por novos "filhos" pelos becos do Jacarezinho, Flor pediu para Rose avisá-la caso encontrasse uma menina "bem bonitinha", com idade entre 10 e 14 anos, para "dar de presente" a Flávio. Rose levou um susto quando ouviu o pedido esdrúxulo.

A partir daí, a relação entre as duas azedou. Rose devolveu para Flor a sacola com os objetos roubados de Carmozina e começou a desconfiar das boas intenções da amiga. Sem interesse, a missionária guardou os apetrechos satânicos dentro de uma caixa de papelão e a colocou sobre o guarda-roupa de seu quarto. Aos poucos, as amigas foram se afastando. Quando Flordelis tentava combinar com Rose saídas na madrugada para resgatar crianças do tráfico, a ex-cunhada inventava desculpas para não ir. Algumas semanas depois, ela desistiu definitivamente da missão, afastando-se de todos e até dos cultos. "Quando a Flor pegou a Rayane na praça, eu acreditava no seu gesto humanitário. Parecia que ela estava mesmo preocupada com a vida daquele bebê. Mas quando ela me pediu para 'catar' na rua uma menina para o Flávio namorar, caiu a ficha. Nunca houve bondade naquelas adoções", disse Rose em fevereiro de 2022. Sobre os apetrechos usados por Carmozina, ela fez o seguinte comentário: "Só descobri o que significavam aquelas coisas alguns anos depois".

Um dos resgates mais dramáticos feitos por Flordelis durante a evangelização da madrugada foi o de um jovem chamado Alan, de 17 anos. Usuário de cocaína, o moço havia desaparecido, e sua namorada pediu ajuda à missionária por acreditar que ele estivesse no corredor da morte. Flor e Anderson saíram à procura do moço de madrugada, pelos becos do Jacarezinho. Por volta das 3 horas, o encontraram amarrado a um poste, com um capuz na cabeça, prestes a ser executado por um grupo de oito integrantes do Comando Vermelho. Flor intercedeu.

"Deus me mandou aqui para salvar esse rapaz!", falou aos bandidos, que riram cinicamente. "Vocês têm de dar mais uma chance a ele. A mãe e a namorada, coitadas, estão desesperadas", argumentou. Os traficantes não se comoveram nem demonstraram disposição para negociar. Deram mais risadas de escárnio. Alan tinha dois fuzis apontados para sua cabeça porque, galanteador, havia xavecado a ex-namorada de um dos donos da boca num baile funk e ainda acumulava dívidas com os criminosos. Em sua defesa, Flor garantiu que ele pagaria a dívida e nunca mais olharia para a tal moça. Impacientes, os traficantes deram uma série de socos no abdome de Alan e colocaram o cano forjado a frio da arma próximo ao nariz da vítima. Nesse momento, Flordelis pediu para fazer uma oração de despedida.

Mesmo irritados, os marginais permitiram. Feito pastora, a missionária pediu para eles se darem as mãos e iniciou a pregação em voz alta no meio da rua: "Entregamos este pobre rapaz aos seus cuidados, Senhor. Seu corpo será levado das trevas da noite. Ele está sendo libertado de toda escuridão e de toda dor. [...] Vai partir para além deste mundo. Sua alma será eterna. [...] Das cinzas às cinzas. Do pó ao pó". Irritados, os bandidos pediram para ela encurtar a pregação. "Deus, responda a esses jovens. Se acreditarem na Sua existência, eles ouvirão a Sua voz como eu ouço agora. Por que punir seus pares com crueldade? Por que o sacrifício? Por que a dor? Ele vai partir agora e nunca saberá do tamanho da aflição daqueles deixados para trás, como sua mãe. Entregamos-lhe esse corpo, Senhor. Peço que tenhas piedade desses rapazes que o executarão. Eles não sabem o que fazem. [...] Espero que o Senhor tenha deles a piedade que não estão tendo agora quando também estiverem com um fuzil apontado para a cabeça, pois a hora deles também chegará". Os traficantes se entreolharam e refletiram sobre as palavras da missionária. Um deles tomou a iniciativa de tirar o capuz da cabeça do jovem. O outro desamarrou a corda e o soltou. Flor se comprometeu a levá-lo para casa e incentivá-lo a honrar a dívida com os traficantes. Com esse tipo de atitude, a missionária ganhava respeito na favela.

Todas as crianças e adolescentes resgatados chegavam a Flordelis imundos e exalando um mau cheiro insuportável. Tinham sujeiras escuras acumuladas atrás da orelha, nas dobras do pescoço, debaixo das unhas e nas axilas, além de lêndeas, piolhos e carrapatos. Alguns exibiam sarnas na pele e parasitas nos pelos pubianos e muitos nem sequer usavam papel higiênico depois de defecar. Como se fosse um ritual, Flordelis dava pessoalmente um banho pesado nos novos hóspedes, numa espécie de batismo. Eles ficavam inteiramente nus debaixo do chuveiro e ela os esfregava com uma bucha e muito sabão de coco. Ela também tirava a roupa nesse banho de boas-vindas e acabava – supostamente – transando com os "filhos" que achava interessantes. Os escolhidos tinham pequenos privilégios, como escolher o canal da TV sintonizada na sala e dormir em sua cama de casal. Quando chegou, Alan também foi banhado pela missionária. Conforme contou, ele teria sido masturbado por ela já no primeiro dia. Outros rapazes que passaram pela primeira casa de Flordelis confirmaram a prática sexual, classificada anos depois pelo Ministério Público como abusiva.

Na madrugada de 23 de julho de 1993, oito meninos que dormiam em frente à Igreja da Candelária, no Centro do Rio de Janeiro, foram executados a tiros disparados por policiais militares à paisana. O crime chocou o país e o mundo pela brutalidade. O grupo de extermínio se aproximou dos garotos disfarçado de voluntários. Os assassinos chegaram a distribuir comida a setenta moradores de rua que dormiam enrolados em sacos na escada da catedral e sob as marquises dos prédios. Sem piedade, os policiais usaram fuzis para exterminar oito menores com idade entre 10 e 17 anos, ferindo mais de uma dezena de garotos. Como revelado depois, o crime foi motivado por vingança contra o apedrejamento de uma viatura pelos jovens, ocorrido no dia anterior. O guardador de carros Wagner dos Santos, de 23 anos, tomou quatro tiros e sobreviveu porque se fingiu de morto. Ele se tornou a única testemunha da tragédia, conhecida mundialmente como "chacina da Candelária".

Na semana seguinte, a maioria dos moradores de rua de toda a cidade do Rio de Janeiro praticamente desapareceu, com medo de ser executada por policiais. Pedro e Victor, ambos de 15 anos, e Marcelo, 13, estavam no grupo de meninos amedrontados. No Centro, eles ouviram falar de uma missionária da Assembleia de Deus acolhedora de adolescentes sem-teto e correram para lá. Pedro era o mais apavorado.

Branco e magricela, fora abandonado pelos pais posseiros no município de Santa Rosa, no Rio Grande do Sul, quando cruzaram a fronteira com o Paraguai até chegar à cidade de Oberá, onde plantariam ervas. "Eles me deixaram num abrigo quando eu tinha 10 anos e disseram que viriam me buscar depois. Mas nunca vieram", contou Pedro em dezembro de 2021, aos 42 anos. Filho de pescadores, Victor era baiano de Camaçari e ficou órfão aos 7 anos, depois da morte dos pais num naufrágio. Negro e alto, ensinava capoeira aos meninos de rua no Centro e para turistas no calçadão de Copacabana. Os dois amigos chegaram ao Rio de Janeiro pedindo carona pela estrada. Marcelo era carioca, tinha pais desabrigados e mostrava-se tão desnutrido que era possível contar suas costelas a olho nu. Por volta das 23 horas de um domingo, os três bateram à porta de Flordelis em busca de abrigo e comida. Quem os atendeu foi Simone. Ela avisou que a casa estava lotada e o trio deu meia-volta para ir embora. Caminhavam pelo Jacarezinho quando encontraram Flordelis e seus discípulos fazendo o tal evangelismo da madrugada. Abordaram a missionária e pediram para dormir na casa dela pelo menos por uma semana, pois tinham medo de morrer. Flor resgatou os três para tomarem banho, mas avisou que só teria uma vaga na casa.

O primeiro a entrar no chuveiro foi Pedro, o gaúcho. Em seguida veio Marcelo, o magricela. Por último, ela deu um banho bem demorado em Victor, o baiano capoeirista. Como já era madrugada, serviu a eles um mingau de amido de milho e os acomodou num único colchão. No dia seguinte, durante o café da manhã, Flor anunciou com muito pesar que somente Victor ficaria. Os três garotos acabaram a refeição, agradeceram o acolhimento e foram embora juntos, pois eram inseparáveis. De volta à rua, Victor perguntou como havia sido o banho dado pela missionária. Eles contaram que ela exagerou ao esfregar a bucha em seus corpos; Victor revelou, então, que foi tocado e acabou transando com ela sob o chuveiro.

Os dois garotos acabaram escapando das garras de Flor. Pedro pegou carona numa carreta e foi mendigar no Centro-Oeste. Marcelo desapareceu no mundo. Sem os amigos, Victor procurou a casa de Flor três meses depois de ter pisado lá pela primeira vez. Estava em busca de comida, banho e sexo. Flor adotou o capoeirista, a quem chamava de "filho", e os dois dividiram a mesma cama por duas semanas.

Em maio de 2022, aos 43 anos, Victor morava em Miami, onde mantém uma academia de lutas há 15 anos. Bastante emocionado, ele deu o seguinte depoimento: "Fui apaixonado pela mãe Flor por três meses. Depois da gente transar várias vezes no banheiro da casa da Rua Guarani, ela acabou se tornando minha única referência sexual. Ela me dava carinho e prazer. Para quem mora na rua sem pai nem mãe, nem ninguém, receber afeto é uma dádiva, mesmo que seja de uma mulher de alma deplorável como ela. Apesar de ter 30 anos na época, Flor parecia mais jovem. Era magra, sedutora e muito boa na cama. Eu já tinha transado com meninas de rua, mas nunca rolava sentimento. Com a Flor era diferente. Aprendi muita coisa com ela. Sou formado em Educação Física e pai de três crianças. Hoje, tenho plena convicção de que fui abusado sexualmente de forma sistemática pela Flor, pois eu vivia em condição de extrema vulnerabilidade.

A violência começava nos banhos e terminava na cama dela. Ficava implícito que, se eu não quisesse mais, teria de sair da casa. Ela nunca verbalizou isso, mas sempre falava que era preciso ter rotatividade para dar chance a outros meninos de rua. Um dia, estava jogando videogame com os meus 'irmãos' e ela me chamou para dormir. Eu estava sem a menor vontade de transar. A gente até tentou, mas não tive ereção. Flor falou 'tudo bem, acontece, faremos outro dia'. Em seguida, ela me deu um colchão, me pediu para sair do quarto e chamou outro 'filho' para dormir na cama com ela. Não fui mandado embora, mas recebi uma punição severa no dia seguinte. Flor deu o meu colchão para outro rapaz recém-chegado. Tive de dormir algumas noites sentado numa cadeira da mesa de jantar, com a cabeça apoiada nos braços. Minha coluna ficou dolorida por vários dias. Para voltar a me deitar num lugar confortável, pedi para fazer sexo e ela topou. Depois da transa, ganhei novamente um colchão. [...] O que tem de mais podre nessa história é que eu era abusado e gostava, porque sentia prazer com aquilo. [...] O sonho de todo garoto de rua era descansar numa cama macia com uma mulher limpa e cheirosa. Hoje, tenho nojo retroativo da época em que eu vivia naquele inferno. Morando atualmente bem longe do Brasil, pensava que havia me livrado definitivamente dessa predadora sexual. A verdade é que nunca consegui esquecer Flordelis, embora tenha feito muito esforço. Até hoje, quando fecho os olhos para dormir, tenho pesadelos abomináveis com os banhos que esse Demônio me dava".

De vez em quando, Demóstenes mandava entregar alimentos para Flor e perguntava sobre o trabalho de recolhimento de crianças de rua. Ela contava sobre a quantidade que tinha sido acolhida e o pastor a orientava a não pegar ninguém "muito grande", porque as pessoas só faziam doações para crianças. No entanto, na calada da noite preta, Flor e seus guarda-costas – os dois "filhos" maiores e mais fortes, que a protegiam dos perigos – só encontravam adolescentes. Anderson e Alan, que chamavam a missionária de mãe, eram os seguranças preferidos. Flávio e Adriano, filhos de sangue, eram poupados da exposição à violência e ficavam sempre em casa.

Numa das andanças pelos becos do Jacarezinho, Flor encontrou André Luiz de Oliveira, de 15 anos. Sob o pretexto de livrá-lo do inferno da cocaína, convidou-o para morar com ela. Flor segurou a mão do rapaz e perguntou se ele tinha namorada. Diante da resposta negativa, ela fez uma pregação emocionante para evangelizá-lo, no meio da rua, em plena madrugada. Explicou que Satanás se disfarçava de traficante, cuja missão era levar os viciados para o lugar onde se encontravam as almas dos mortos. André era um jovem magro, de rosto bonito – ele estava sentado num beco com mais cinco amigos. Ninguém ali parecia ser sem-teto – pelo contrário, um deles estava até bem vestido. Fervorosa, a missionária subiu numa caixa de madeira e iniciou uma pregação, falando de salvação e esperança. À medida que Flor discursava, mais gente chegava para ouvi-la. Mas seu olhar estava fixo no rosto de André. A obreira com sonho de ser pastora fez uma introdução, abriu a Bíblia e leu o salmo 46: "Receba a bênção de Deus na sua vida! Ele é abençoador [...] Deus é o nosso refúgio e fortaleza, socorro bem presente na angústia. Portanto, não temeremos, ainda que a Terra se mude. Ainda que os montes se transportem para o meio dos mares. Ainda que as águas rujam e se perturbem, ainda que os montes se abalem pela sua braveza. Há um rio cujas correntes alegram a cidade de Deus, o santuário das moradas do Altíssimo. Deus está no meio dela; não se abalará. Deus a ajudará, já ao romper da manhã..." Depois de pregar por meia hora, a missionária desceu da caixa, caminhou em direção a André, pegou sua mão suavemente e o levou para morar com ela. Em casa, Flor falou da ducha de boas-vindas e pediu para ele esperá-la nu no banheiro. Simone olhou para André tão logo ele chegou e ficou interessada nele. O novo morador correspondeu com uma piscadela. Flor foi até o quintal pegar uma barra de sabão, mas Simone interpelou a mãe no caminho, tomou dela os itens de higiene e avisou que faria o batismo de André no chuveiro. Percebendo o flerte entre os dois, a mãe deu seu aval: "Vai em frente, filha". Na mesma noite, Simone e André dormiram juntos. No dia seguinte, apaixonada pelo "irmão adotivo", ela terminou com Anderson e selou namoro com o novo hóspede. Como Flordelis incentivava o relacionamento entre os "filhos", fez um culto na sala para abençoar o novo casal. "Que Deus ilumine o caminho de vocês", sentenciou. Com o fora de Simone, Anderson saiu de casa magoado, abandonou a "evangelização da madrugada" e prometeu nunca mais pisar naquela casa, classificada por ele como prostíbulo.

Três dias depois de hospedado na Rua Guarani, André recebeu a visita do irmão Nelson, um adolescente parrudo de 16 anos. Flor se apaixonou perdidamente pelo garoto e o convidou para morar ali como mais um "filho". Depois do sexo de boas-vindas no banheiro, os dois começaram a namorar. Nelson passou a fazer chacota do irmão, dizendo que, a partir daquele momento, ele era seu padrasto. Flor convidou o novo namorado para integrar a "evangelização da madrugada" juntamente com Alan, e o trio passou a resgatar novos hóspedes nas quebradas do Jacarezinho. Certa vez, desorientados, eles entraram numa boca e se depararam com um "cafofo" do Comando Vermelho, onde um grupo de operários do tráfico embalava cocaína em papelotes. Com medo de morrer, Alan e Nelson desapareceram em fuga, largando a "mãe" sozinha. Um dos bandidos apontou um fuzil para o peito de Flordelis, mas foi interpelado por um companheiro. "Não faz merda. Essa mulher é da igreja. Deve ter errado o caminho", ressaltou. Flor foi expulsa da boca depois de prometer nunca mais passar perto dali. Após o susto e de perceber como os dois "filhos" eram frouxos, a missionária procurou por Anderson e implorou para ele voltar a ajudá-la na missão de resgate das crianças de rua. O jovem mostrou-se irredutível. Numa discussão, culpou a "mãe" pelo rompimento de seu namoro com Simone, já que foi ela quem recolheu André. Demorou um mês para Anderson mudar de ideia. Segundo contava aos amigos, ele só retornou depois de sentir uma forte conexão sexual entre ele e "mãe Flor". Sentados lado a lado numa calçada, os dois conversaram sobre os novos termos de seu retorno a casa e ao projeto da igreja. Anderson impôs três condições para voltar. A primeira: ele passaria a coordenar a evangelização da madrugada, pois Flor se mostrava inábil e dispersa nessa tarefa. Segunda: "as adoções" seriam feitas com planejamento e seguindo critérios técnicos e não passionais. Anderson sugeriu ainda descolar esse trabalho "filantrópico" dos interesses de Demóstenes.

– Mas a igreja ajuda na alimentação dos meninos – ponderou a missionária.

– Mãe Flor, você viu o pastor falando em doações de milhões?

– Vi, sim. Esse dinheiro é para ajudar a igreja.

– Você acha justo ele ficar com esse dinheiro só para ele?

– Isso eu já não sei. Não entendo dessa parte. Estou nesse trabalho porque sonho em ser pastora.

– Você sonha muito pequeno. Olha, eu vou voltar, mas vou coordenar esse projeto.

– Obrigada, filho. [...] E qual é a terceira condição? – quis saber Flor.

– Que você me dê um beijo!

Anderson e Flordelis se beijaram longamente. Apaixonada pelo adolescente, ela terminou com Nelson, que acabou sendo expulso pelo novo "filho" da missionária. O casal começou a traçar planos concretos para ampliar a evangelização da madrugada. Anderson sugeriu que os resgates fossem feitos também durante o dia no Centro da cidade, usando o mesmo *modus operandi* utilizado na "adoção" de Rayane. Depois de horas de conversas e carinhos, os dois voltaram para casa. Flor seguiu com o ex-namorado de Simone para o banheiro e deu um longo banho no rapaz. Depois de transarem, ele passou a chamar a "mãe" carinhosamente de "amor", mas ela continuou chamando-o de "filho". No início, Simone estranhou a relação do ex-namorado com a mãe, mas acabou aceitando com o passar do tempo, haja vista a promiscuidade entre os integrantes da casa. Anderson obtinha autoridade à medida que ia crescendo. Conquistou respeito e passou a ser chamado de pai pelos meninos. Aparentemente submissa, Flor delegava poderes de marido ao namorado dezesseis anos mais novo. Na favela, os dois andavam de mãos dadas e chocavam a comunidade, principalmente por Anderson ter se envolvido com a filha de sua nova namorada – ou seja, com sua enteada. O pastor Demóstenes ficou estupefato com o novo casal, acusou Flor de pedofilia e expulsou os dois da igreja, avisando inclusive que iria parar de mandar alimentos para a casa da Rua Guarani. Mas como Flordelis cantava nos cultos de domingo e fazia um sucesso relativo, os fiéis começaram a sentir falta dela e pressionaram o sacerdote. Sem saída, Demóstenes pediu para a missionária voltar a congregar em seu templo. Ela impôs uma condição: só retornaria se o religioso abençoasse seu relacionamento com Anderson. Disfarçando a contrariedade, Demóstenes bendisse o namoro dos pombinhos, mas frisou que estava fazendo aquilo em nome da amizade que teve com Chicão. Cínico, ele recordou o funeral dos músicos do Conjunto Angelical, quando Flor subiu numa sepultura e cantou *à capela*. Depois desse elogio, o pastor passou a maldizer, nas rodas de fofoca, a balzaquiana e seu namorado adolescente.

Para selar o compromisso publicamente, Flor e Anderson deram uma festa para cem pessoas no quintal da casa da Rua Guarani. Todo o mundo compareceu: Carmozina, Laudicéia, Abigail e Fábio. Até Rose e a vizinha Mariazinha deram as caras por lá. "Essa reunião é para sacramentar a minha doação e entrega à minha namorada. Sentimos que estamos prontos para assumir futuramente um casamento, né, amor?", perguntou Anderson, chocando os presentes. Envergonhada, Flor balançou a cabeça timidamente. Como toda festa em família que se preze, teve barraco. Indignada com o "sequestro" do adolescente, a mãe de Anderson, Maria Edna do Carmo Oliveira, foi até lá para resgatá-lo. "O meu filho não é sem-teto para você trazer ele pra cá, sua ordinária! Ele é só um menino! Você tem idade para ser mãe dele, sua vagabunda de igreja!", esbravejou a mulher, de 40 anos. Anderson revelou à mãe estar noivando com Flordelis. "Como pode? Isso é pedofilia, ela me viu grávida de você! Vamos embora desse inferno agora, senão eu chamo a polícia!", ameaçou. Baiana e evangélica da Igreja Batista Central do Jacarezinho, Maria Edna tinha sido vizinha de Carmozina. Por causa da fama de bruxa da mãe de Flordelis, porém, as duas não eram muito próximas. Maria Edna ficou sabendo pelo pastor Demóstenes que Flor havia hospedado Anderson em sua casa feito morador de rua e que os dois acabaram se envolvendo sexualmente. "Ouvi dizer que eles dormem na mesma cama como se casados fossem. Deus nunca vai aprovar essa pouca-vergonha!", cochichou o líder religioso. Firme, Anderson manteve-se irredutível.

Não havia nada que a mãe pudesse fazer para impedir sua felicidade. Carmozina acompanhava a confusão de longe, comentando com as filhas sobre a ascensão e a queda de Flordelis por causa da vida pecaminosa ao lado do Diabo. No meio da balbúrdia familiar, uma visita ainda mais indecorosa chegou à festa sem ser convidada. Era uma mulher raquítica, bêbada e drogada. Ela segurava uma faca enferrujada. Aos berros, assustou os convidados com a sua presença. Ao avistar Flordelis, a intrusa correu feito louca em sua direção e aplicou-lhe um mata-leão. Rose reconheceu a intrusa e saiu às pressas do local com medo de morrer. Imobilizando Flordelis com seus braços finos, a mulher esfregou a lâmina da faca no rosto da missionária.

– Devolve a minha filha senão te mato, puta do inferno!

A visitante indesejada era Joana Cara de Cadáver, a sem-teto esquálida abordada por Flordelis e por Rose na calçada da Praça da República. Descompensada, a mulher estava decidida a fazer qualquer coisa para reaver sua criança, roubada de seus braços e já batizada por Flor com o nome de Rayane.

CAPÍTULO 4
FORMAÇÃO DE QUADRILHA

"O segredo é uma demonstração incontestável de fé."

Na primeira metade da década de 1990, três lideranças evangélicas dominavam um quadrilátero generoso do Jacarezinho formado pelas ruas do Rio, Miguel Ângelo, Álvares de Azevedo e pela Avenida Dom Hélder Câmara. Nesse pedaço importante da favela estava instalada a Assembleia de Deus administrada pelo pastor Demóstenes, que Flordelis frequentava com Anderson, seus filhos biológicos e os recolhidos da rua. Nos cultos de domingo, para deleite dos fiéis, a missionária soltava a voz potente em cantos de louvor. No mesmo perímetro ficava o centro de orações e atendimentos espirituais erguido por Carmozina. O espaço de dois pavimentos foi montado pela bruxa, com a ajuda dos filhos, na Rua Santa Laura, 36, onde antes funcionava um salão de beleza. Nesse endereço, havia uma placa da Assembleia de Deus exibida indevidamente na fachada, pois ela não tinha autorização da cúpula da instituição religiosa para usar a marca da igreja. Lá, Carmozina previa o futuro, fazia orações de cura e dava aconselhamentos espirituais. Recebia em dinheiro, mas a cobrança era discreta, e o pagamento, voluntário. "Doe quanto o seu coração puder", dizia aos clientes. Três vezes por semana, mesmo sem ter por trás de si um CNPJ ou qualquer igreja constituída, Carmozina realizava cultos evangélicos lendo e interpretando a Bíblia de forma teatral. Sem as imagens de Exu Caveira e São Cipriano, ainda em poder de Flordelis, a velha raramente fazia sessões análogas ao exorcismo. Mas o Diabo, no conceito dela, aparecia incorporado em seus clientes por meio da bebida alcoólica ou pelo uso constante de cocaína, crack ou maconha.

Nessa época, um adolescente de 16 anos chamado Vinícius era levado com frequência ao "consultório" de Carmozina porque sua mãe, Jacira Alves Maciel, 36, "tinha certeza" de que Satã possuía o corpo do jovem pelo menos três vezes no mês e ficava dentro dele por até sete dias. Evangélica da Igreja Deus é Amor, Jacira morria de medo das forças do mal, pois havia testemunhado cerca de trinta sessões perturbadoras de descarrego no palco de sua congregação, conhecida pela atuação fervorosa e agressiva dos pastores. Sem sucesso, o adolescente era submetido a todo tipo de ritual. "Em um dos cultos, meu filho foi mergulhado num tanque cheio de água por longos dois minutos.

Segundo o pastor, uma experiência de quase morte o salvaria da maldição do Demônio. Por pouco ele não se afogou, e a gente foi para casa acreditando em sua cura. Na semana seguinte, ele acordou novamente possuído, atacou e espancou a irmã de 12 anos", relatou a mãe. Em outra sessão, os religiosos da Deus é Amor estiveram em sua casa. Eles fizeram uma corrente de orações e cobraram pelo serviço. Como Jacira não tinha dinheiro para pagar, os sacerdotes levaram uma TV colorida de 29 polegadas, um aparelho de som – na época conhecido como 3 em 1, por conter no mesmo equipamento rádio, toca-discos e toca-fitas – e todos os discos de vinil. "Pegaram a minha coleção inteira do Roberto Carlos alegando que o Diabo estava chegando em casa pelas músicas indecentes do Rei e pelos programas da Xuxa na televisão", contou. Em outra visita à casa de Jacira, os emissários da Deus é Amor suspeitaram que o Demônio estaria se materializando em um gás clorado e fluorado derivado do metano. A substância altamente inflamável era usada em geladeiras e circulava por todo o circuito do eletrodoméstico, incluindo compressores, válvulas de expansão, evaporadores e condensadores. Quando abria a porta do refrigerador para tomar água, portanto, Vinícius inalava o gás tóxico e seu corpo era tomado pelo espírito do mal. "Queriam levar a minha geladeira Consul de duas portas, novinha em folha, mas achei um pouco demais. Pedi para os pastores irem embora e nunca mais fui à igreja deles", recorda-se a mãe.

Como o adolescente continuava "conversando com o Diabo", Jacira resolveu levá-lo para Carmozina dar um jeito. Na primeira consulta, a bruxa sentenciou de forma profética: "Satanás vai deixá-lo em paz de forma definitiva depois de trinta sessões contendo banhos de ervas e muitas orações. No final, creia, ele estará livre de espíritos ou entidades sobrenaturais maléficas, além das energias deletérias". As atividades seriam presenciais, pois o problema era considerado grave. Às vezes, quando a demanda do "cliente" era pequena, bastava ele deixar uma foto e a súplica religiosa era feita de forma remota. No caso do filho, Jacira deveria pagar 5 reais para cada sessão de oração. Ela achou até barato, pois gastaria bem menos do que o valor da sua geladeira Consul de duas portas.

Um ano depois de ter alta do "tratamento" de Carmozina, porém, Vinícius continuava "dialogando" com espíritos inferiores. Jacira já não sabia mais o que fazer. Na escola, depois de um surto violento, ele agrediu uma professora com um pedaço de ferro sem motivo aparente. Em seguida, começou a quebrar os armários enquanto falava usando uma voz grave e incompreensível, às vezes misturada a um som semelhante ao ronco de porco. Os colegas de classe imobilizaram Vinícius e a diretora acionou a polícia, mas a professora, mesmo machucada, ficou com pena e preferiu chamar uma ambulância, pois o jovem ainda parecia doente. O menino foi levado a um pronto-atendimento e transferido para o Instituto Municipal Nise da Silveira, no Engenho de Dentro. Lá, os psiquiatras descobriram o óbvio: o Diabo, ou qualquer um dos seus representantes, nunca havia se apossado daquele corpo. Vinícius foi diagnosticado com esquizofrenia e tratado com medicamentos e terapia. Quando Jacira conversou com os médicos, quase morreu de vergonha com tanta ignorância. Confrontada, Carmozina defendeu-se dizendo que o Diabo também se manifesta por meio de "doenças da cabeça". Enganada por pastores e pela feiticeira, Jacira passou a duvidar da existência de Satanás como descrito em cultos de igreja.

A história das religiões mostra que o Diabo é uma invenção dos homens. Biblicamente falando, é um anjo caído do céu na Terra. Ezequiel, um dos livros proféticos do Antigo Testamento, conta que, antes de Lúcifer despencar do firmamento, ele havia sido colocado por Deus numa posição de querubim da guarda, um cargo de destaque em relação às demais criaturas celestiais. Sábio e formoso, era perfeito para a função. Ou seja, o Diabo era alguém que gozava de autoridade, privilégios e regalias. No entanto, segundo outra passagem do livro sagrado (Isaías 14:13-14), Lúcifer se rebelou e passou a alimentar o desejo obsessivo de ser tal qual seu Criador. Queria para si o comando do universo e autoridades exclusivas de Deus, como operar milagres. Assim, o anjo caído passaria a ser tão adorado e elogiado pelos súditos quanto Nosso Senhor. Lúcifer acabou perdendo a disputa, pois seria impossível vencer a soberania divina apenas com poderes malignos; e Ele jamais dividiria sua autoridade e glória com quem quer que fosse.

Bem longe das páginas da Bíblia, Satanás, o antagonista de Deus, evoluiu como entidade histórica, mudando seu perfil físico e psicológico com o único propósito de reforçar a imagem de seu oponente. Esse recurso é muito utilizado na dramaturgia. O super-herói Batman, por exemplo, não seria tão grandioso sem a presença do seu maior rival, Joker, vilão conhecido no Brasil como o diabólico Coringa. Até meados do século VII, porém, Satanás era um personagem menor, quase um coadjuvante. Naquela época, a humanidade vivia a expectativa de que o mundo acabaria até a virada do século X para o XI. Nessa toada, Jesus Cristo voltaria para buscar suas ovelhas antes do apocalipse. O prazo venceu e nada de o Juízo Final chegar. A partir da reestruturação da igreja, conhecida como Reforma Gregoriana, no ano de 1073, o Diabo começou a se destacar no cristianismo de forma pitoresca. Para desassociá-lo da imagem de anjo, teólogos colaram a figura de Satã a animais considerados grotescos e ridículos, como porcos e macacos. Existia uma gravura do Demônio com essas características na Catedral de Santa Maria de Regla de Leão, na Espanha. A obra de arte mostrava um macaco gargalhando cinicamente ao mesmo tempo que tocava seu sexo. Essa retratação debochada e risível ficou exposta por séculos no claustro da catedral, onde somente monges e padres podiam vê-la. Por volta do século XIII, Lúcifer deixou de ser retratado com escárnio e ganhou contornos bem assustadores. Também na Espanha, o Mosteiro de Santo Domingo de Silos mostrava o Coisa-ruim retratado com asas de dragão, garras afiadas e chifres pontiagudos, segurando a cabeça decapitada de um homem com expressão de horror e passando a mensagem subliminar do medo eterno que os fiéis deveriam sentir dele.

Para se ter uma ideia de como o perfil medonho do Diabo foi difundido a partir do século XV pela religião e pelas artes plásticas, as gravuras do juízo final feitas depois desse período passaram a ser desenhadas tendo o inferno como cenário e apresentando Lúcifer no papel de protagonista. Antes, o último julgamento de Deus sobre todos os seres da Terra mostrava Jesus Cristo em primeiro plano diante dos cristãos e seu oponente era retratado de forma diminuta. A partir do Renascimento, marcado pela transição da Idade Média para a Moderna, Satanás ganhou a forma de um homem majestoso, pintado e esculpido com uma personalidade sedutora, manipuladora e narcisista.

No livro *O Diabo no imaginário cristão*, Carlos Roberto Figueiredo Nogueira, professor de História da Universidade de São Paulo (USP), diz que a ideia de Satã como um ser astuto e maligno tem como principal objetivo provocar a perdição eterna do ser humano, reforçando a batalha infinda entre as forças da bondade e os poderes do mal. Hoje, padres católicos e pastores protestantes pregam sistematicamente nos púlpitos e nos palcos dos templos que o inimigo de Deus é quase tão poderoso quanto Ele. Essa falácia tem como único objetivo exercer o poder por meio do medo, exatamente como fizeram os pastores da Igreja Deus é Amor quando "atenderam" o filho de Jacira. Ou quando Carmozina tentou convencer Amilton de que ele caiu do teto da igreja e perdeu o dedo numa máquina de cortar papel por ter se afastado de Deus e, consequentemente, chegado mais perto do Diabo.

Mesmo decepcionada com líderes religiosos picaretas, Jacira não arredou o pé do protestantismo. A cerca de 300 metros do centro de cura de Carmozina, Rose, a ex-namorada de Amilton, realizava um sonho antigo: atuava como pastora numa unidade bem simples da Igreja Evangélica de Confissão Luterana no Brasil (IECLB), a terceira liderança pentecostal do entorno. O centro tinha trinta cadeiras de plástico simples e um sistema de som com microfones e caixas acústicas doados por fiéis. Rose conseguia lotar o espaço nas noites de sábado e domingo. No início, suas ovelhas eram egressas da Assembleia de Deus. Jacira já conhecia a moça da vizinhança e passou a frequentar seus cultos. Certo domingo, apenas quatro fiéis compareceram para ouvi-la – incluindo a mãe de Vinícius –, contra trinta da semana anterior. No meio da pregação, ao perguntar pelo restante de seu público, Rose ouviu de uma mulher que Carmozina havia feito um corpo a corpo e conseguira "roubar" quase todas as suas integrantes usando somente a lábia. Revoltada com a concorrência desleal, ela cerrou as portas e foi até o centro rival, que estava lotado.

Do lado de fora, Rose gritou bem alto para todo o mundo ouvir que Carmozina era uma feiticeira e que Flordelis roubava crianças. A velha devolveu as acusações responsabilizando a pastora pela morte de Amilton. "Essa vagabunda guiou meu filho para o mau caminho, até ele se matar na piscina do clube", acusou. Para rebater a injúria, Rose revelou que a ex-sogra manteve em casa imagens de São Cipriano e *A Bíblia Satânica*. Nesse momento, Carmozina se calou. Seu centro foi se esvaziando e os fiéis começaram a chamá-la de "bruxa" repetidas vezes. Jacira aproveitou para acusar a velha de impostora. O barraco religioso rapidamente chegou aos ouvidos de Demóstenes, que foi até lá tentar apaziguar. A confusão só parou com a presença da polícia, e a mãe de Flor fechou o ponto de cura, com medo de ser linchada por populares como havia ocorrido com seu irmão Miquelino. No passado, chamar uma mulher de bruxa equivalia a declarar sua sentença de morte: durante a Inquisição católica, no século XV, as ditas feiticeiras eram queimadas na fogueira. O termo "caça às bruxas" se espalhou, então, para definir a perseguição ocorrida a quem supostamente manifestava poderes sobrenaturais.

Em meados dos anos 1970, as regiões mais pobres do Rio de Janeiro mudaram radicalmente o perfil religioso. Em áreas de influência majoritária do catolicismo, as práticas de umbanda e candomblé também eram adotadas por boa parcela da população, muitas vezes simultaneamente aos rituais católicos. A partir dos anos 1980, no Brasil como um todo, mas especialmente na capital fluminense, as denominações evangélicas ganharam força. Novos ramos ligados ao neopentecostalismo – baseados na chamada Teologia da Prosperidade, que prometia aos fiéis recompensa divina imediata durante sua passagem terrena – conquistaram quase metade da população que vivia nas favelas do Rio de Janeiro. Desde essa época, as igrejas expandiram suas atividades missionárias para estabelecimentos penitenciários e conseguiram alta taxa de conversão entre os reclusos. Esses lugares sempre representaram um espaço-chave para a formação de organizações criminosas. De fato, todas as grandes facções de narcotráfico, como Comando Vermelho, Terceiro Comando e Primeiro Comando da Capital (PCC), foram fundadas em prisões. Pouco tempo depois, o primeiro grupo narcopentecostal conhecido foi fundado como uma subfacção do Terceiro Comando Puro: o Bonde de Jesus. Além de controlar o tráfico no bairro do Parque Paulista, no município do Rio de Janeiro, os chamados "soldados de Jesus" atacaram e vandalizaram vários templos de candomblé e de umbanda, expulsando os sacerdotes de seus territórios.

Desde então, a perseguição não só a religiões afro-brasileiras, mas também a padres católicos, tem sido relatada em várias favelas – só entre 2019 e 2022, o Ministério Público contabilizou mais de 150 atos de agressão contra terreiros e líderes de umbanda e candomblé em comunidades carentes do Rio. A majoritária presença evangélica em estabelecimentos penitenciários tem se traduzido na conversão de traficantes. Enquanto cumpriam sentenças em prisões estaduais, vários líderes do Terceiro Comando Puro, principal rival do Comando Vermelho, aderiram ao neopentecostalismo. O cenário radical tornou o ambiente mais difícil para figuras como Carmozina. Se no passado ser chamada de bruxa representava medo, mas também poder e respeito, a denominação voltou a ser equivalente a uma sentença de morte. Traficantes têm agredido, expulsado e até matado pessoas que insistem em declarar fé na prática de religiões de matrizes africanas.

Acusada de bruxaria, Carmozina entrou em depressão e foi cercada pelo carinho dos filhos, exceto Flordelis. As duas não tinham rompido, mas acabaram se afastando por motivos até então desconhecidos. Para as irmãs, Flor dizia que não tinha tempo para visitar a mãe. "Meus filhos tomam todo o meu tempo", reclamava a missionária. Para integrantes da igreja de Demóstenes, Flor falou ter ficado decepcionada com o fato de Carmozina não apoiar seu romance com Anderson nem sua missão de resgatar crianças de rua, vítimas do tráfico e do abandono. Carmozina teria deixado claro ser contra a tal "evangelização da madrugada" depois do barraco promovido por Joana Cara de Cadáver na festa de noivado de Flor. A moradora de rua acusou a cantora de ter roubado Rayane de seus braços e avançou sobre Flor com uma faca. Anderson e Flávio conseguiram desarmá-la, e um dos convidados chamou a polícia. Endividada até o pescoço com traficantes, Cara de Cadáver fugiu prometendo voltar. Na mesma festa, Flor ainda teve de enfrentar a fúria de Maria Edna, mãe de Anderson, que não aceitava o namoro do adolescente de 16 anos com uma mulher de 33. Carmozina também amaldiçoava o enlace porque o rapaz havia sido namorado da neta. Flordelis e Anderson se juntaram mesmo assim, rompendo com quem não abençoava a relação. Junto, o casal estava determinado a seguir carreira religiosa na Assembleia de Deus do Jacarezinho.

No início, os planos de Anderson eram ambiciosos. Conforme já dito à esposa, ele pensava em transformar sua casa num abrigo para menores abandonados. Segundo imaginava, com a visibilidade do trabalho filantrópico, ele e Flor conseguiriam aparecer na televisão e chamar a atenção da cúpula da Assembleia de Deus do Rio de Janeiro. Com o prestígio, o casal fundaria sua própria filial da agremiação e surrupiaria o posto de Demóstenes, então o maior expoente da igreja no Jacarezinho. Havia, no entanto, um enorme obstáculo a ser vencido: ao contrário de Demóstenes, Flor e Anderson não tinham ligações estreitas com o Comando Vermelho. Àquela altura, os laços do pastor experiente com traficantes eram tão apertados que ele recebia deles até donativos e ajuda financeira em situações de crise, como alagamentos. Para preservar a imagem da Assembleia de Deus e manter a relação com o CV amigável, porém, ele ainda mantinha proibido em seu púlpito o testemunho de ex-traficantes convertidos. Seus inimigos o acusavam de esconder integrantes do Comando Vermelho nas dependências do templo quando ocorriam investidas da Polícia Militar nas bocas do Jacarezinho. O religioso negou essa proteção e, segundo assegurou, fazia questão de chamar os policiais para mostrar cada canto do templo administrado por ele. Com o passar do tempo, Demóstenes começou a ser assediado por políticos da periferia e passou a sonhar em ser vereador, prefeito e até governador. No início da década de 1990, ele recebia com frequência a visita do renomado arquiteto Luiz Paulo Conde, eleito prefeito do Rio de Janeiro em 1993. Conde falava com Demóstenes sobre a reurbanização das comunidades cariocas e colaborava com as obras de reforma da igreja. A promiscuidade do pastor com a máquina pública despertou ainda mais cobiça em Anderson e Flordelis.

O prestígio de Demóstenes caiu por terra em 1994, quando se envolveu num escândalo sexual. Preocupado com a ascensão da Igreja Evangélica de Confissão Luterana no Brasil, ele chamou para conversar em seu gabinete uma missionária chamada Taís, na época com 18 anos. A jovem era bonita, carismática e atuava como braço direito de Rose, já com 39 anos. Segundo o pastor havia apurado no bairro, Taís era uma grande mobilizadora de jovens e eles vinham lotando os cultos da concorrência. No encontro a sós, Demóstenes mostrou como a Assembleia de Deus vinha se expandindo cada vez mais no Jacarezinho. O líder falava do crescimento da sua igreja e fazia observações negativas sobre a Confissão Luterana no Brasil, como a admissão de gays em seus quadros, considerada por ele uma afronta a Deus. "Onde já se viu veados pastorando ovelhas? Onde? Só no inferno!", debochava. Na conversa com Taís, Demóstenes falou dos planos da Assembleia de Deus de ordenar mulheres e ofereceu a ela trabalhar como obreira, auxiliando seus cultos e ganhando na carteira de trabalho meio salário mínimo por mês. Os olhos de Taís brilharam com a promessa. A missionária pontuou, inclusive, ser totalmente contra a corrente da Confissão Luterana defensora dos homossexuais. "Realmente não tem como um homem que se deita com outro homem subir ao altar e congregar em nome de Deus", frisou a religiosa. "Algumas igrejas, principalmente essas que crescem sem muitos critérios, são moradia do Diabo. Por isso elas aceitam disparates, como a pederastia e o adultério", falou Demóstenes, com 53 anos na época, casado com uma professora e pai de três filhos. Taís já havia perguntado a Rose sobre a possibilidade de um dia tornar-se pastora. A líder, no entanto, apontou a pouca idade da cordeirinha como obstáculo para chegar a um posto tão elevado na congregação. "Para ser pastora na minha igreja, a candidata precisa ter experiência de vida", justificou Rose.

Enquanto Taís reclamava da carreira religiosa, Demóstenes agia feito Satanás. Ele estava sentado à mesa do escritório, no lado oposto da garota. Alto, magro e vestido com camisa e calça sociais, o pastor pegou uma Bíblia, levantou-se, deu a volta na mesa e ficou atrás de Taís, que se manteve estática. "Filha, aqui não exijo experiência de vida das minhas ovelhas para servir a Deus. Se vier para a nossa igreja, você vai comandar todos os tipos de culto: o dominical, denominado de celebração a Deus, pai todo-poderoso, o culto de oração das terças-feiras e o estudo bíblico das sextas. Você tem ideia da multidão de ovelhas que estarão aos seus pés?", vislumbrou. Taís ficou em êxtase, imaginando-se no palco de um templo grande como aquele. Enquanto ela sonhava acordada, Demóstenes prendeu a Bíblia numa das axilas e começou a fazer uma massagem relaxante nos ombros da missionária concorrente. Inebriada, ela não se opôs. Pelo contrário, relaxou os músculos do trapézio e levantou e abaixou os ombros, para reduzir a tensão. "Me fale uma coisa: em quanto tempo eu me tornaria pastora se começasse amanhã como obreira?", quis saber a jovem carreirista.

Antes de responder, Demóstenes se aproximou ainda mais de Taís e, mesmo sem tirar a calça, esfregou seu pênis ereto na nuca da garota. "Isso dependerá exclusivamente de você, irmã", respondeu. "A pastora Rose trabalhou aqui na sua igreja por uma década e nunca passou do cargo de obreira", argumentou Taís. "Com o passar do tempo, Rose tornou-se uma ovelha maltratada pela vida, sem muito a oferecer...", ponderou Demóstenes, enquanto se esfregava na moça. Taís, então, teve um sobressalto e correu do assediador. Tentou sair pela porta, que estava trancada. Demóstenes pediu mil desculpas. "Basta uma distração para o Diabo entrar no nosso corpo e alterar a circulação sanguínea do homem. Aí a gente acaba fazendo coisas erradas mesmo sem nossa vontade. [...] Mas o segredo é uma demonstração irrefutável de fé, viu, minha filha?", justificou. Taís soltou um grito estridente. Funcionárias da Assembleia de Deus bateram na porta até o religioso abri-la. A jovem saiu de lá correndo com sua Bíblia e, no mesmo dia, contou para toda a favela ter sido vítima de abuso sexual. Foi até uma delegacia, mas os policiais disseram que a situação caracterizava constrangimento, e não assédio, pois "o pastor não havia posto o pênis para fora da calça e nada havia sido forçado". "Além do mais, é difícil para o homem controlar uma ereção quando ele fica diante de uma mulher bonita", justificou o delegado, em 1994.

Quando ouviu o relato de Taís, Rose se encarregou de denunciar Demóstenes na cúpula da Assembleia de Deus do Rio de Janeiro. No primeiro momento, falaram em transferi-lo para um templo de Bonsucesso após a próxima assembleia geral ordinária da convenção dos ministros das igrejas evangélicas Assembleia de Deus, marcada para dali a seis meses. Rose não quis esperar e ameaçou levar o escândalo a uma emissora de televisão de alcance nacional. Com medo da publicidade negativa, a instituição tomou providências imediatas. Demóstenes desapareceu do Jacarezinho sem deixar vestígios. Com isso, o cargo de pastor na unidade próxima à casa de Carmozina ficou vago e muitas lideranças se candidataram ao posto. Pretensiosos, Anderson e Flordelis bolaram um plano audacioso para assumir a função no médio prazo – e isso incluía intensificar os trabalhos de resgate de meninos de rua para se cacifar junto à administração da Assembleia de Deus.

Na primeira metade da década de 1990, a casa da Rua Guarani era marcada por um entra e sai de gente. Até então, Mãe Flor já havia "adotado" Rayane, Suzy, André Luiz e Anderson. [Adotado, aqui, está entre aspas porque o processo de perfilhação nunca foi constituído legalmente pela missionária.] Para recapitular: Suzy foi tomada de volta pela mãe biológica, Rayane permanecia com ela, o "filho" André Luiz acabou se casando com a "irmã" Simone, tornando-se "genro" de Flor, e o "filho" Anderson foi promovido à condição de noivo de sua "genitora". Mas o rapaz continuava chamando a missionária de "mãe", apesar de transarem todos os dias. Nessa barafunda, a chegada de mais quatro jovens selaria a escalação dos dez principais "filhos" de Flordelis, formando a linha de frente da grande família – cujo futuro estava fadado a acabar em tragédia, conforme havia profetizado Carmozina anos antes. Na nova leva de agregados, o primeiro a chegar foi Carlos Ubiraci Francisco da Silva, de 18 anos. Dependente de cocaína desde os 12, ele nunca morou na rua, como Flor e ele gostavam de dizer. O jovem vivia com os pais, Carlos Alberto Francisco Silva e Marli Benvindo Silva, no bairro de Comendador Soares, município de Nova Iguaçu (RJ), até desestruturar o próprio lar ao começar a vender os móveis de casa para comprar drogas. Sem saber como agir, seus pais passaram a discutir diariamente por causa do vício do rapaz. No turbilhão, o pai saiu de casa para viver com uma amante. A mãe nem fez objeção, mas exigiu que o ex-marido levasse o filho drogado com ele, o que não foi feito. Rejeitado aos 16 anos, o adolescente foi morar num barraco do Jacarezinho com um amigo traficante. Aos 18, ele se alistou e entrou no Exército, onde criou gosto por armas. Menos de um ano depois, pediu dispensa porque não aguentava viver sem cheirar pó. De volta à vida civil, Carlos Ubiraci pediu emprego no Comando Vermelho e trabalhou como "soldado" da facção, vigiando as bocas armado com fuzil e granada.

O jovem chegou a fazer carreira no crime, atuando como segurança particular de Sandra Sapatão, uma das traficantes mais promissoras do CV na época. Mas uma regra do estatuto do tráfico proíbe terminantemente seus "funcionários" de usarem as drogas produzidas pela boca. Carlos Ubiraci não só violou esse mandamento como foi capaz de furtar papelotes de cocaína no "cafofo" onde estava lotado. Para ele não morrer executado por tiros de metralhadora, Sandra Sapatão, uma bandida de coração mole, permitiu que Carlos Ubiraci escapasse. Mas havia uma condição: se ele pisasse na boca novamente, seria fuzilado sem dó nem piedade. Perambulando do outro lado da favela, o rapaz conheceu uma garota de rua e os dois se envolveram. Ela o levou a um culto na Assembleia de Deus e ouviu Flordelis falando sobre os dois únicos fins destinados aos usuários de entorpecentes: a cadeia ou a morte. Comovido, ele pediu ajuda à missionária. Mas quem o acolheu foi Anderson.

Na época, Carlos Ubiraci era alto e forte, atraente aos olhos das mulheres. Flordelis e Anderson o levaram para casa, e ela, como sempre, deu um longo banho de boas-vidas no novo "filho". O batizado aconteceu no banheiro de piso marrom e azulejos bege com desenhos de flores. "Não posso ser sua mãe biológica, mas posso ser sua mãe de coração", anunciou Flor, enquanto passava bucha de banho no corpo nu do rapaz. No início, Carlos Ubiraci ficava recolhido, circunspecto, pelos cantos da casa. De noite, quando todo o mundo dormia, escapava para consumir álcool, cigarro, heroína, crack, cola de sapateiro, acetona, cocaína e maconha. Voltava no dia seguinte feito um zumbi. Para curar a dependência química do "filho", Flor iniciou uma corrente de oração na casa com todos de mãos dadas. Segundo ela, o Diabo tinha de ser extirpado do corpo da pobre criatura. Todos gritavam "Sai, Satanás! Sai, Satanás! Sai, Satanás!", e nada. A sessão terminava com Carlos Ubiraci ressacado e sonolento. No dia seguinte, ele fugia novamente para se drogar nas ruas e chegava detonado.

Com pena, Anderson pegava o rapaz pelas mãos e o levava para mergulhar no mar de Copacabana, na esperança de recuperá-lo. Mas nada parecia fazer Carlos Ubiraci se livrar da dependência química. No auge das crises, sem dinheiro, ele seguia para os becos da Central do Brasil e comprava cocaína batizada (malhada) ao custo de 5 reais o papelote. Adulterado, o narcótico continha metilanfetamina, metilfenidato, maltodextrina, efedrina, manitol, inositol, bicarbonato de sódio, sacarina e até farinha de arroz branco para dar volume e consistência. O combo explosivo causava mais danos à saúde física e mental do jovem.

Cansada de ver o "filho" padecendo, Flordelis aplicou nele um tratamento mais radical, adaptado do livro de São Cipriano: trancou o rapaz em seu quarto, deixando-o lá por 48 horas a pão e água. No confinamento, havia uma cama de casal, cômoda, penteadeira, dois móveis de cabeceira e um guarda-roupa de seis portas. Confinado, Carlos Ubiraci teve a síndrome de abstinência aguda, iniciada com insônia e tremores leves. Rapidamente, a crise evoluiu para convulsão, hiperatividade, alucinação e descontrole psicomotor. Privado de liberdade, ele gritava feito louco. Na sala, Simone e seu namorado André Luiz, Flávio, Adriano e Rayane estavam assustados com os berros. Anderson achou melhor deixá-lo sair, mas Flordelis negou. "O Demônio está quase se esvaindo do corpo dessa pobre ovelha", assegurou, iniciando mais uma rodada de oração. Endiabrado, Carlos Ubiraci começou a quebrar os móveis do quarto. A penteadeira ficou totalmente destruída e a mesa de cabeceira foi atirada contra a janela, arrombando-a. Apavoradas, as crianças da missionária saíram às pressas da casa. Flordelis e Anderson entraram no quarto justamente quando o rapaz virava o guarda-roupa com toda a força. Com a queda, a caixa onde estavam escondidos os apetrechos de Carmozina se abriu, revelando as imagens ocas de São Cipriano e Exu Caveira, assim como *A Bíblia Satânica,* de autoria de Anton Szandor Lavey. Anderson trancou a porta do quarto por dentro. Intrigado, perguntou a Flor como aqueles artigos religiosos foram parar ali. A missionária contou ter recebido os apetrechos de presente da mãe, que, por sua vez, teria herdado de Miquelino. Anderson ficou curioso, mas deixou o assunto para depois. Mais calmo com a presença dos pais adotivos, Carlos Ubiraci pediu "por favor" para sair. Flordelis sentou-se no chão, deitou o "filho" no colo e iniciou suavemente uma cantiga de ninar. Enquanto isso, Anderson pegou o pôster de Baphomet e olhou cada detalhe da imagem intrigante. Carlos Ubiraci ficou isolado por mais uma semana no quarto do casal e saiu de lá, segundo seu próprio relato, curado da dependência das drogas graças às orações poderosas da Mãe Flor.

O segundo "filho" acolhido na nova temporada da grande família foi Wagner Andrade Pimenta. Flor gostava de contar que ele havia sido resgatado do tráfico, assim como Carlos Ubiraci, mas era mentira: ele nunca usou drogas nem foi morador de rua, como alguns integrantes de sua gangue. Com 12 anos, Wagner primeiro fez amizade com André Luiz, namorado de Simone. Só depois passou a frequentar a casa da Rua Guarani e logo chamou a atenção de Flor e Anderson pela beleza. Nessa época, os dois já concebiam o projeto de aumentar a ninhada para criar projetos sociais e se cacifarem ao posto de pastor deixado por Demóstenes na Assembleia de Deus. Ao casal, Wagner contou morar com os pais no Jacarezinho, mas eles seriam tão pobres que não tinham condição de comprar brinquedos para ele nem no Natal. Flor o atraiu com o videogame dado de presente para Flávio e também comprou um time de futebol de botão para ele disputar partidas com os demais adolescentes da casa. Três dias depois, houve um revés. Edson e Áurea Pimenta, pais biológicos de Wagner, foram até lá buscar o garoto, que acreditavam estar com Flor por influência de André Luiz. Em outra ocasião, Wagner havia passado dois dias na casa de outro amigo sem comunicar aos pais. Dessa vez, como castigo, levou uma surra de cinta. Uma semana depois, Wagner foi abordado no caminho da escola por Flordelis. O menino mostrou os hematomas da violência paterna e a missionária o levou para casa mais uma vez. Na chegada, Wagner teria sido levado ao banheiro pela missionária e os dois teriam transado, segundo relatos de outros moradores da casa. Flor e Wagner – supostamente – fizeram sexo muitas outras vezes, inclusive com o consentimento de Anderson, mas os dois contestaram a existência de contato mais íntimo entre eles. "Sempre o amei como filho", disse Flor. Passados quinze dias dessa nova estada na casa da Rua Guarani, Wagner recebeu outra visita do pai, que foi buscá-lo mais uma vez com a cinta nas mãos. Ninguém o atendeu. À noite, Áurea, a mãe, foi até lá e confrontou Flor:

– Vim buscar o meu filho, sua ladra! – anunciou a mãe.

– Ele simplesmente não quer ir – argumentou Flor.

– Essa decisão não cabe a ele!

– O menino só sai daqui se ele quiser, pois fez relatos de violência, espancamentos e tortura! – acusou Anderson.

– Isso não é verdade!

– Se insistir, vamos chamar a polícia e a senhora vai presa por maus-tratos!

Flor pegou Wagner pelo braço e mostrou a Áurea as marcas da violência em seu corpo. Diante da ameaça, a mãe deixou o filho lá por mais uma semana. Durante três meses, os pais de Wagner iam dia sim, dia não à casa da Rua Guarani, na esperança de recuperar o garoto. Numa dessas investidas, Simone abriu a porta e os deixou aguardando na sala. Wagner foi ao encontro de Áurea e implorou para ficar na casa. Nessa conversa, ele se referiu à mãe pelo nome dela, deixando-a arrasada. "Por que você não me chama mais de mãe?", quis saber. "Porque minha mãe agora é a Flor!", anunciou. Devastada, Áurea saiu de lá aos prantos, mas não desistiu. Voltava lá praticamente toda semana. Depois, passou a ir uma vez a cada quinze dias. E mais tarde, uma ao mês. Em todas as tentativas, Wagner insistia em ficar. Em uma das últimas visitas, Áurea estava decidida a levar o menino à força. No início das "adoções", chamava a atenção a forma combativa como Anderson e Flor defendiam os garotos roubados da rua como se fossem realmente pais deles. A veemência do casal, às vezes, beirava a loucura. Anderson pegou um pedaço de pau para impedir que Áurea levasse Wagner, demonstrando ser capaz de atos violentos "para defender um filho". "Ele só sai daqui por livre e espontânea vontade", pontuou, fora de si. "O Wagner agora é nosso filho. Deus o tomou de você e nos deu de presente!", gritava Flor, possuída. Envolvida em outros problemas de ordem doméstica, Áurea desistiu de tentar convencer o moço a sair das garras da missionária. Um ano depois, ela e Edson até voltaram para visitá-lo, mas nem sequer foram recebidos. Com o passar do tempo eles desistiram de vez, e Wagner fixou residência na casa da Mãe Flor de forma definitiva.

O terceiro elemento recrutado para o núcleo principal da família foi Alexsander Felipe Matos Mendes, de 14 anos na época. Filho de espíritas, morava numa casa no Jacarezinho onde todas as noites eram realizados rituais conhecidos como "mesa branca". Os pais de Alexsander se reuniam com pessoas autointituladas médiuns para "ajudar espíritos obsessores a encontrarem o caminho do bem", segundo definiam. Coberta com uma toalha branca, a mesa de jantar da família ficava completamente vazia e iluminada à meia-luz. Não era permitido acender velas. Em poucos minutos, os médiuns tinham o corpo supostamente tomado por espíritos de pessoas mortas e começavam a sussurrar, repassando instruções para os vivos em volta da mesa. Algumas pessoas anotavam em cadernos as instruções sobrenaturais. Alexsander ficava assustado com a liturgia e, com o tempo, foi se distanciando emocionalmente dos pais.

Quando o adolescente começou a ser levado por uma namorada aos cultos da Assembleia de Deus, houve conflitos religiosos dentro de casa. Alexsander foi acusado e perseguido pelos pais por ter o corpo, supostamente, tomado por espíritos obsessores de assassinos já falecidos. As brigas familiares culminaram com a expulsão de Alexsander, que foi morar temporariamente debaixo do viaduto San Tiago Dantas, um elevado localizado na praia de Botafogo, bem perto do Palácio Guanabara, sede oficial do governo do estado do Rio de Janeiro. O local era ponto de encontro de moradores de rua. Flordelis passou por lá e acolheu o novo "filho". Mas, como sempre ocorria, os pais foram buscá-lo uma semana depois. Para variar, a missionária ofereceu resistência para entregá-lo. "Alexsander agora é meu filho.

Sai daqui, Satã!", berrou Mãe Flor, endemoninhada. O casal chegou a dar queixa na delegacia do bairro por sequestro, e policiais foram três vezes à Rua Guarani, mas em nenhuma delas a vítima estava presente. Os pais do menino resolveram, então, entrar com uma ação judicial na Vara da Infância e Adolescência do Tribunal de Justiça do Rio de Janeiro, mas o processo nem sequer chegou à fase de instrução, e Alexsander acabou integrado definitivamente ao bando da Mãe Flor.

Por último, a missionária "adotou" uma garota chamada Cristiana Rangel dos Passos Silva, de 10 anos, oriunda da vizinhança. Segundo relatos da família, a menina também tinha história comovente. Filha de um casal paupérrimo, morava num casebre de 30 metros quadrados coberto por lona, bem próximo do rio Jacaré. Os pais saíam para trabalhar todos os dias na feira da Glória e deixavam a criança trancada em casa, sozinha, sem um brinquedo para se distrair. Certo dia, um temporal de quatro horas elevou o nível do rio para além do esperado, alagando a parte rebaixada do bairro mais próxima do córrego. Presa, Cristiana estava quase se afogando quando teria sido avistada por Simone, que passava na rua com André Luiz. O casal salvou Cristiana e a levou para casa, onde ficou por uma semana. Na sequência, os pais dela agradeceram a família de Flordelis pelo resgate da filha e a levaram para uma casa alugada longe do rio Jacaré. Estranhamente, Flor devolveu Cristiana sem fazer qualquer objeção. No entanto, a antiga rotina se repetiu. O casal saía para trabalhar e deixava a menina trancada, dessa vez na companhia de uma televisão. Atraída pela diversão permanente na casa de Flordelis, Cristiana passou a fugir para ficar a maior parte do dia com a missionária. Irritada com a insubordinação, a mãe deu-lhe uma sova no meio da rua usando um fio elétrico. Flordelis presenciou a agressão e intercedeu. Segundo relatos da missionária, a genitora teria dito "tá com pena, leva esse Demônio para você". E assim Cristiana foi recrutada por Mãe Flor, fechando a escalação do núcleo principal de seu bando, formado até então por dez personagens: Simone, Flávio, Adriano (biológicos); Anderson, Rayane, André Luiz, Carlos Ubiraci, Wagner, Alexsander e Cristiana.

Às vezes, para ter momentos a sós, Flor e Anderson deixavam seus "filhos" sob a tutela de Carlos Ubiraci e saíam para espairecer à noite, voltando muitas vezes de madrugada. Gostavam de frequentar o calçadão de Copacabana, mas também se arriscavam em praias desertas do Recreio dos Bandeirantes. Em um desses passeios, conheceram Theo Munhoz e Marilene Lúcia Rizzoli, ambos com 23 anos, que trabalhavam como vendedores em uma loja de calçados em Botafogo e também frequentavam cultos da Assembleia de Deus. Os dois casais logo descobriram outras coisas em comum, como entrar no mar à noite. Depois de três meses saindo juntos, cada vez mais próximos, Theo propôs um mergulho sem roupa na praia da Reserva de Marapendi, na Barra da Tijuca. Flor teria topado, mas Marilene Lúcia e Anderson recusaram e a proposta foi motivo de discussão. Mesmo sem entrar em acordo, Theo tirou a roupa e entrou na água, seguido por Flordelis. Da areia, Marilene e Anderson viam os dois se beijando na parte rasa e resolveram fazer a mesma coisa.

Depois das preliminares, os quatro caminharam para um ponto mais reservado da praia e fizeram uma troca de casais: Anderson transou com Marilene, e Theo, com Flor. Marilene teria tentado beijar Flor, mas ela se esquivou alegando que mulher com mulher era pecado. "Você não sabe o que está perdendo", provocou a jovem. No final, a vendedora pediu para os dois homens se beijarem. Anderson rejeitou, mas se deitou na areia e fechou os olhos. Theo o beijou suavemente por alguns minutos e os dois acabaram transando. Para deixá-los mais à vontade, as duas se vestiram, saíram caminhando pela areia e Flor contou à amiga sobre seu projeto de se tornar pastora. Falou que tinha uma meta de adotar cinquenta crianças e enumerou as dificuldades, principalmente com alimentação. Marilene, então, se comprometeu a ajudá-la com roupas e alimentos.

Duas semanas depois, Marilene apresentou Flor ao taxista Samir Bezerra, de 35 anos. Samir também era adepto de sexo grupal e passou a frequentar as praias desertas do Recreio e da Barra da Tijuca com Anderson, Flor, Theo e Marilene. O taxista levava bebidas e um violão para os encontros na praia, e Flor costumava cantar MPB sentada na areia. Nem ela, nem Anderson tomavam álcool. Para não haver sobras nos *rendez-vous*, Samir, solteiro, chegava sempre com uma acompanhante diferente, e as novatas eram disputadas a tapa por Anderson e Theo. Cabia a Marilene explicar antecipadamente as regras do encontro. A principal se referia à dinâmica da poligamia. Um elemento do casal, por exemplo, só poderia ficar com o outro se o parceiro fixo permitisse. No início, Flor era a mais possessiva e impedia o namorado de transar com as mulheres. Nos primeiros encontros, permitia apenas que o "filho-namorado" beijasse Marilene, sem sexo. Anderson, ao contrário, não fazia qualquer objeção e ainda jogava na cara da missionária as transas de boas-vindas entre ela e os "filhos" no banheiro da casa da Rua Guarani. À medida que a amizade entre os casais se estreitava, Flor liberava seu par para ficar com quem ele quisesse, inclusive com os homens. Numa das atividades grupais, por um deslize, Anderson chamou Flor de "mãe", despertando curiosidade em Theo e Samir. "Mãe? Como assim?", perguntaram. Anderson explicou que primeiro namorou Simone, depois tomou parte na "evangelização da madrugada" e só depois se envolveu com a "mãe". O "incesto" excitou ainda mais os casais: Theo e Samir pediram para Flor também chamá-los de "filhos" durante as transas.

As bacanais também aconteciam em motéis, principalmente quando as noites eram chuvosas. Com o passar do tempo, esses encontros renderam frutos para o projeto de Flor e Anderson. O casal de evangélicos previu problemas porque seus "filhos" não eram adotados legalmente e não havia comida para todos. Para os amigos, Flor repetia a ladainha de salvar crianças das mãos de traficantes e da pobreza. Segundo dizia, eram as mães que a procuravam para entregá-las. "Eles são órfãos de pais vivos", dizia, emocionando a todos. Samir visitou a casa da Rua Guarani e ficou chocado com o estado de penúria do local, principalmente pelo odor insuportável. Mesmo comovido, ele teve libido para dar em cima de Simone, e os dois foram a um motel com aval de Flordelis e de André Luiz, o namorado dela. Algumas semanas depois, a jovem passou a frequentar as noitadas nas praias desertas e nos motéis juntamente com o namorado. Num desses troca-trocas, Anderson e Simone voltaram a transar, e Flordelis também teria se relacionado com André Luiz. No meio dessa teia sexual, Flor conseguiu uma ajuda importante de Samir: o taxista costurou um encontro da missionária com integrantes do Centro de Defesa da Criança e do Adolescente. Lá ela recebeu orientação de como legalizar a situação de seus "filhos". Basicamente precisaria provar ter condições financeiras de adotar tanta gente, e as mães biológicas deveriam assinar um documento abrindo mão da prole – caso contrário, manter todo aquele pessoal em casa seria irregular. Diante dessas demandas, Flor preferiu manter a prole na clandestinidade.

Numa manhã de sábado, Flor e Anderson estavam em casa com seus "filhos" quando ouviram um burburinho vindo da rua. Uma viatura da Polícia Militar com quatro homens fortemente armados e um carro oficial da Vara da Infância e Juventude do Rio de Janeiro, com um representante da Justiça, estacionaram em sua porta. Logo atrás veio um ônibus vazio também com emblema da Justiça acompanhado de motos batedoras. O aparato justificava-se pelas dificuldades de autoridades policiais entrarem em território altamente dominado por traficantes do Comando Vermelho. Flor ficou desesperada quando ouviu do oficial de Justiça a razão daquela visita:

– Ou a senhora prova que esses filhos são seus, ou eles serão todos levados para um abrigo. Se houver resistência, vamos prendê-la!

CAPÍTULO 5
LÁGRIMAS DE CROCODILO

"Vamos precisar muito do seu choro, caso queira subir na vida adotando crianças carentes."

Depois de seis meses sem um pastor titular, o principal templo da Assembleia de Deus do Jacarezinho finalmente conseguiu um líder. José Maria de Oliveira, de 46 anos, conhecido na favela como Zé da Igreja, assumiu o lugar de Demóstenes com a missão de agregar novas ovelhas ao rebanho, além de estreitar laços com os traficantes do Comando Vermelho, uma das maiores habilidades de seu antecessor. Ex-presidiário, o novo sacerdote protestante mantinha o crime cometido no passado guardado sob o mais absoluto sigilo. Quando questionado pelos fiéis sobre o motivo de ter sido condenado, ele desconversava ou dava respostas vagas, sempre frisando o fato de não dever mais nada à justiça dos homens, pois havia cumprido uma pena de dezoito anos, nem à divina, uma vez que conseguira perdão celestial nos cultos liderados por ele no presídio Ary Franco, uma das piores casas penais do Rio de Janeiro.

Já na primeira semana à frente da Assembleia de Deus, Zé da Igreja conseguiu com Sandra Sapatão dinheiro para reformar o forro do templo, cuja madeira tinha apodrecido em razão da proliferação das fezes corrosivas dos pombos. No mês seguinte, ele ampliou o palco onde eram realizados os cultos e trocou a instalação acústica – tudo com o dinheiro sujo do comércio ilegal de drogas. Na década de 1990, o tráfico ainda era uma das principais fontes de contribuição das instituições religiosas em áreas dominadas pelo crime organizado. Segundo o livro *Operação traficante*, da socióloga Christina Vital da Cunha, da Universidade Federal Fluminense, o dinheiro e o recrutamento de fiéis são os dois maiores interesses dos traficantes e das igrejas evangélicas quando se fala na atuação em favelas. "A teologia da prosperidade, por exemplo, une os dois mundos [do tráfico e da religião]. Os traficantes gostam de dinheiro e vivem a vida no crime, onde circula muito capital. Já os evangélicos não negam o dinheiro. Pelo contrário, pois cobram o dízimo de forma ostensiva. Na visão dos traficantes, a contribuição financeira a uma igreja funciona como uma purificação do dinheiro sujo. Ou seja, doar para a igreja é uma forma de agradar a Deus. [...] Alguns traficantes acreditavam que purificavam suas almas ao contribuir financeiramente com as instituições religiosas. Nos cultos, os pastores também apresentavam essa alternativa de ajuda como uma espécie de salvação moral. Era como se, a cada doação, o bandido se renovasse, ou seja, deixasse de carregar o estigma de criminoso para se tornar uma pessoa de bem", destaca a obra da socióloga.

Quando viu Zé da Igreja pregando no palco do Jacarezinho, Flordelis ficou decepcionada. Chorou por três dias seguidos. Ela almejava um posto de destaque naquele lugar e trabalhava duro para isso, apesar de a instituição religiosa não ordenar líderes femininas na época. Flor, no entanto, não perdeu a esperança e continuou sonhando em ser a primeira mulher pastora da Assembleia de Deus. Quando soube do trabalho "filantrópico" da missionária e de suas apresentações nos cultos de domingo, Zé da Igreja chamou a supermãe para um lanche à tarde. Logo após o encontro, à noite, ele foi internado às pressas no pronto-socorro da Santa Casa de Misericórdia do Jacarezinho com suspeita de intoxicação alimentar fulminante. Depois de vários exames laboratoriais, foi constatado envenenamento por chumbinho, uma substância granulada de cor cinza-escuro composta de aldicarbe, um agrotóxico de alta potência usado para exterminar ratos. Zé da Igreja deu queixa na delegacia e a suspeita recaiu sobre sua esposa, Eulália, de 22 anos. Segundo ele mesmo disse aos policiais, se tivesse morrido, a jovem teria direito a um seguro da funerária no valor de 25 mil reais. Aos prantos, a acusada jurou inocência e acabou sendo perdoada por Zé da Igreja. Mas Eulália pouco se importou com o indulto do marido: fez as malas e foi morar com a mãe em Rio Bonito, sustentando para todos ser incapaz de matar uma barata. Para não perder o cobiçado cargo, Zé da Igreja passou a procurar uma namorada desesperadamente. Nos cultos, flertava com todas as meninas e chamava as mais bonitas para tomar sorvete. Ele até era um homem belo, mas, como guardava um segredo sobre seu passado, as pretendentes corriam dele como o Diabo foge da cruz.

Mesmo com o trabalho do pastor se consolidando, Flor não desistiu de um dia assumir a administração do templo onde congregava e cantava desde criança. Para aumentar o número de filhos, investiu na evangelização da madrugada. Esse trabalho comovia populares e chamava a atenção de líderes religiosos de outras instituições. Um diácono da Igreja Evangélica de Confissão Luterana no Brasil sugeriu que seus integrantes providenciassem alimentos para doar aos carentes resgatados pela missionária. Rose, que pertencia à instituição, resolveu fazer uma campanha de arrecadação. Antes, porém, fez uma visita à antiga amiga e foi bem recebida, em nome dos velhos tempos. Flor falou das dificuldades enfrentadas para alimentar tanta gente.

– Quantos filhos você já tem? – perguntou Rose.

– Deus tem sido muito generoso comigo. Já estou com dez! É muito amor...

– Tudo isso? Quem são?

– Simone, Flávio, Adriano; Rayane, Ubiraci, Wagner, Alexsander, André Luiz e Cristiana, essa menina linda que chegou por último.

– Quanta gente!

– Olha, Rose, como disse o salmista, os filhos são, de fato, uma herança do Senhor. Uma pena que você não tem nenhum...

– Flor, você falou que são dez, mas só citou nove.

O décimo, cujo nome foi omitido na contagem de Flor, era Anderson, já em processo de promoção a "marido". Rose havia participado da festa de noivado do casal e ficou de queixo caído pelo fato de ele ainda ser tratado pela cantora como filho, mesmo dormindo na cama da "mãe". Na verdade, Rose sempre desconfiou das boas intenções da amiga, pois havia testemunhado Flor tirando bebês dos braços de mães drogadas no Centro do Rio e caçando uma menina para namorar Flávio. Suas impressões sobre aquela grande família, que mais tarde constituiria uma organização criminosa, só pioraram. Enquanto as duas conversavam no sofá, Anderson passou por elas, deu um beijo longo na boca de Flor e perguntou se os filhos já haviam almoçado. A cantora ficou meio constrangida com a cena e respondeu que não. Nesse momento, Rose quis saber sobre os desdobramentos da confusão promovida por Maria Edna do Carmo, mãe de Anderson. Flor contou ter prevalecido a vontade do rapaz: ficar em sua casa. Outra situação deu nó na cabeça da moça. André Luiz, outro "filho" resgatado das ruas, atravessou a sala de mãos dadas com Simone, sua irmã. Nesse momento, Rose se levantou para ir embora. Lá fora, as duas conversaram mais um pouco.

– Flor, o que você está fazendo?

– Do que você está falando? – esquivou-se Flordelis.

– Dessa promiscuidade na sua casa. Você chamando Anderson de filho ao passo que dormem juntos. A Simone namorando o irmão André Luiz...

– Rose, Deus está despejando amor na minha família. Você é contra o amor?

– Não, não sou! Mas não acho isso certo.

– Você está nos julgando porque você não ama. Ficou amarga e seca desde que perdeu o Amilton. Você nunca mais amou ninguém. Agora se coloca contra o afeto que floresce no seio da minha família...

– Você pretende legalizar a adoção dessas crianças?

– Rose, deixa eu te falar uma coisa: meus filhos são tudo para mim. O amor que sinto por eles é tão grande e genuíno quanto a existência de Deus! Na minha casa, eles são todos iguais. Já nem sei quais nasceram das minhas entranhas nem quais eu resgatei da rua, tamanha é a minha devoção a eles. Para mim, uma certidão de nascimento é só um papel, ou seja, não significa nada!

Mesmo contrariada, Rose decidiu ajudar a amiga. No mesmo dia, mandou entregar para Mãe Flor alimentos coletados pelos integrantes da Igreja Evangélica de Confissão Luterana no Brasil. Na semana seguinte, porém, cheia de boas intenções – segundo disse –, foi ao Ministério Público fazer relatos de crianças e adolescentes carentes resgatados da rua por uma missionária da Assembleia de Deus. "Flordelis precisa de apoio jurídico para regularizar a adoção dos menores tirados do tráfico", disse ela no balcão de atendimento da Promotoria da Infância e Juventude. Foi orientada a fazer um relatório detalhado por escrito. No balcão, a pastora escreveu mais de cinco páginas contando como era a tal evangelização da madrugada. Para proteger a amiga, Rose omitiu as ligações sexuais de Flordelis com um dos meninos "adotados". Uma semana depois, a pastora foi chamada ao MP por um promotor para dar mais detalhes sobre aquela "denúncia gravíssima" posta no papel. Rose ficou nervosa quando descobriu que seus relatos davam conta de um crime. "Ou a senhora prova o que foi revelado em seu relatório ou poderá ser processada por falsa comunicação de delitos, podendo pegar até seis meses de detenção, conforme está previsto no Artigo 340 do Código Penal [Provocar a ação de autoridade, comunicando-lhe a ocorrência de crime ou de contravenção que sabe não se ter verificado]". Rose pediu um copo de água para se recompor e começou a detalhar tudo que sabia sobre a missão de Flordelis em pegar crianças da rua, inclusive sobre as mães que a acusavam de roubar seus filhos. Nervosa e arrependida de se envolver em confusão, ela teve um ataque de verborragia e proferiu um monólogo para tentar inocentar a missionária:

"Mas olha, se o senhor promotor visse as condições degradantes desses meninos na rua, até o senhor levaria umas crianças para a sua casa. Eles ficavam ao relento, tadinhos, desnutridos no meio da praça em plena madrugada cercada de marginais... Parecem uns ratinhos, sabe? Essas crianças estão muito melhor com a Mãe Flor, eu juro! Quer dizer, crente não pode jurar! Nem pela mãe, porque a mãe é sagrada. Nem pelo céu, porque o céu é o trono de Deus. Nem pela Terra, porque a Terra é o escabelo de seus pés. Nem por Jerusalém, porque é a cidade do grande Rei. Me desculpe se estou falando demais! Doutor promotor, olha só, a Flor é uma boa mãe. Acredite! Não tem procedência maligna nem pecaminosa em suas ações. Ela dorme com um dos filhos, é verdade. Mas eles se amam, viu? Eu lhe garanto: muitas mães levam suas crianças remelentas até a casa dela por livre e espontânea vontade. A Flor fala: 'não quero, obrigada'. Mas as mães deixam lá assim mesmo e desaparecem. O senhor pode ir lá na casa da Rua Guarani olhar com os seus próprios olhos. O bairro é tomado por bandidos armados, eu sei... Mas, se quiser, eu mesma falo pessoalmente com os traficantes do Comando para eles deixarem o senhor entrar na favela. Eles não vão tocar num fio do seu paletó nem cobrarão pedágio..."

Enquanto Rose falava mais do que o homem da cobra, o promotor acionava a Polícia Civil. Um delegado da 12ª Subdivisão Policial do Jacarezinho associou a denúncia de Rose à queixa apresentada pelos pais de Alexsander na delegacia. Rose saiu de lá pedindo "pelo amor de Deus" para a sua denúncia ficar sob sigilo, pois não tinha provas do que havia dito e também por temer pela vida, já que havia "filhos" de Mãe Flor ligados ao tráfico. Os policiais ficaram ainda mais interessados na história. Do Ministério Público, a denúncia contra a missionária foi parar na Vara da Infância e Juventude do Rio de Janeiro. Um mês depois, Flor foi intimada a comparecer ao gabinete do juiz titular Liborne Siqueira. Na audiência, o magistrado determinou a devolução de todas as crianças aos pais biológicos. "Impossível, Excelência. Até porque muitos deles perderam os pais para o tráfico", argumentou Flor. "Então vamos recolher todos para abrigos, pois esses menores devem ser tutelados pelo Estado", avisou Siqueira. Flor saiu de lá decidida a desobedecer à ordem. "Quero ver um oficial de Justiça entrar no Jacarezinho, um território dominado pela bandidagem", comentou com Anderson na saída do fórum.

Três meses depois da audiência ela ainda não havia recebido a visita de nenhum oficial, conforme havia previsto. Determinada, continuou resgatando meninos das ruas. Em seis meses, já havia na casa quinze menores, mas os cinco novatos não se misturavam ao núcleo principal formado pelos dez "filhos" considerados mais importantes. Essa segregação ficava evidente durante as refeições, na hora de dormir e até para usar o único banheiro existente. Os dez "mais" dormiam nos quartos e os cinco "menos" se espalhavam sobre colchões e papelões na sala e na cozinha – houve relatos até de quem dormitasse sobre a mesa de jantar e dentro da pia da cozinha. A comida era servida primeiro aos mais chegados. Se sobrasse, os demais almoçavam. Caso contrário, tinham de mendigar em bairros nobres da zona sul, como Copacabana, Ipanema e Leblon, para conseguir se alimentar, já que os moradores do subúrbio não dão esmola. Quem quisesse usar o banheiro para defecar tinha de pedir papel higiênico à Mãe Flor, que mantinha os rolos trancados em seu quarto e só liberava o material para os preferidos. Os demais tinham de se limpar com um guardanapo que era lavado na pia do banheiro e reutilizado a perder de vista. "A casa da Flor virou um chiqueiro que abrigava meninos de rua. Muitos saíam diretamente da sarjeta e batiam em sua porta para dormir em qualquer lugar da casa. Tinha adolescente sem-teto indo lá só para usar o banheiro", relatou Olival dos Santos da Luz, de 16 anos, um dos últimos a chegar nessa temporada, na Rua Guarani. Segundo ele, quando passou pela residência, os "filhos" mais próximos reclamavam da chegada dos novos hóspedes, mas Anderson ressaltava que "quanto mais crianças eles recolhessem, melhor seria para todos". Nessa época, Carlos Ubiraci, o mais velho, passou a atuar como uma espécie de gerente. Coube a ele tomar conta do rolo de papel higiênico, por exemplo. Ele mandava os "novatos" lavarem o banheiro cinco vezes ao dia e fazerem faxina de manhã, de tarde e à noite, pois a imundície aumentava em progressão geométrica. Os filhos principais não eram submetidos a trabalhos pesados.

Antes da gerência de Carlos Ubiraci, a casa – e principalmente o banheiro – tinha um odor insuportável por causa do fluxo de gente. Certa vez, o vaso sanitário entupiu por excesso de fezes e os detritos escorreram pelo corredor e chegaram à sala. "Era tanta gente para tomar banho e fazer cocô que chegavam a entrar de três em três, caso contrário não daria tempo para todo mundo usar. Não havia escova de dentes para todo o mundo. Eram somente três, com cerdas escuras de tanta sujeira dentro de um copo imundo e todos as usavam. Para otimizar a dinâmica do banheiro, Carlos Ubiraci mandava meninos e meninas urinarem no quintal", contou Olival. Sem nenhuma privacidade até para usar o banheiro, Flávio começou a reclamar do excesso de gente. Nessa época, aos 16 anos, ele namorava uma "irmã" de 11 chamada Agatha, resgatada da rua por Simone. Para fugir da bagunça, Flávio pegou a menina e foi passar uma temporada com a avó, Carmozina.

Flor e Anderson planejaram um mutirão para recolher juntos, numa única noite, a maior quantidade possível de crianças. Para ajudar, convidaram Theo e Samir, os amigos das orgias na praia. Sabendo do estado precário da casa, Theo – que não entrava com seu táxi no Jacarezinho, com medo dos traficantes – levou quarenta rolos de papel higiênico para contribuir com aquele "trabalho nobre" da missionária. Segundo Flor dizia aos amigos, quanto mais jovens conseguisse adotar, mais teria chances de obter ajuda financeira de instituições religiosas e de empresários solidários para construir um grande abrigo. Ela também falava a todo o momento do sonho em ser pastora da Assembleia de Deus. Em busca de novos "filhos", Anderson orientava Flor e os amigos a priorizarem bebês. "Chega de marmanjos!", dizia. Como sempre, ela investia em moradores de rua drogados e pegava os rebentos deles sem consentimento. Theo ficou chocado e abandonou a missão no meio da madrugada. Samir percebeu que, às vezes, os pais davam crianças de boa vontade para Flor porque estavam possuídos pelos efeitos alucinógenos da cocaína e de solventes, como ocorrera com Joana Cara de Cadáver. Alguns realmente procuravam Flordelis de forma espontânea e entregavam seus filhos pequenos para adoção, como havia relatado Rose no Ministério Público. Samir ainda testemunhou mães batendo à porta da casa da Rua Guarani pedindo abrigo para bebês de colo somente durante o dia, fazendo o local de creche.

Um dos meninos acolhidos por Flor na época em que Theo saía com Simone foi Edinelson, de 8 anos, apelidado de Beto pelos hóspedes da casa. Seus pais moravam no 17º andar de um prédio abandonado no Centro do Rio. Drogado, o casal teria entregado o rapazinho voluntariamente. Passada uma semana, já lúcidos, os dois foram até a Rua Guarani buscá-lo de volta. Ficaram nesse dá e toma por três meses. Apegada ao "filho", Flor resolveu não devolver mais o garoto, que já a chamava de mãe. A briga por ele ocasionou um bate-boca entre Flor e os pais biológicos de Beto. Chamaram a polícia, e o Juizado de Menores foi acionado mais uma vez, determinando a devolução imediata do menino aos responsáveis legais. Um policial advertiu Flor sobre o procedimento aberto para investigar a origem daquele monte de gente pernoitando em sua casa. "Não estou nem aí.

O que Deus me deu, o Diabo não me toma", revidou a missionária. Como a confusão atraiu viaturas ao Jacarezinho, o Comando Vermelho mandou um "soldado" avisar Mãe Flor que a facção estava descontente com as visitas frequentes de policiais à favela por causa de "roubo de crianças". A missionária desdenhou do recado dos traficantes. Uma semana depois de entregar Beto, ela resolveu fazer uma visita ao menino. Para sua surpresa, soube pela mãe que seu "filho" fora jogado pela janela do 17º andar pelo próprio pai simplesmente porque o menino chorava de fome e o irritava.

Chocada com a morte trágica, ela tomou uma decisão que mudaria sua carreira materna para sempre. Flordelis foi até o guarda-roupa, pegou a imagem de Baphomet e a fixou na parede usando fita adesiva. Em seguida, agarrou-se fortemente a uma Bíblia e teria orado de forma fervorosa, olhando para a imagem do homem com cabeça de bode e longos chifres: "Meu Deus! Obrigada por me dar a missão de acolher essas criaturas celestes que perambulam sem alma e sem destino pelas ruas. Nunca mais vou entregar meus 'filhos', mesmo com uma ordem judicial, mesmo sob ameaças de pais drogados, mesmo sob a pontaria de uma pistola da polícia ou mesmo sob a mira de fuzis de traficantes. Deus me escolheu para dar amor a esses pequenos querubins caídos do céu. Esse será o meu único propósito de vida daqui em diante. Nada me deterá!".

Atrelada à Assembleia de Deus do Jacarezinho, onde ainda mantinha o sonho de assumir o cargo de pastora, Mãe Flor intensificou ainda mais suas buscas por "anjinhos" pelo Rio de Janeiro. Visionário, Anderson mantinha em ação – de forma incipiente nessa época – o plano de fazer das adoções uma fonte de renda. Todos os seus vencimentos no emprego do Banco do Brasil, assim como o salário de professora de Flordelis, eram investidos no custeio da casa da Rua Guarani. Entretanto, quando houve ali dentro um fluxo rotatório de 25 adolescentes – nem todos dormiam no local –, as coisas saíram um pouco do controle. Sem muito critério para pegar gente das ruas, Flor e Anderson, com a ajuda de Carlos Ubiraci e Wagner, resgataram menores de 18 anos em conflito com a lei, suspeitos de assalto a banco, sequestro e até assassinato. Considerados infratores de alta periculosidade, Aldeci e Selma, de 16 anos, foram recolhidos do entorno da Central do Brasil e levados para o Jacarezinho. Ficavam lá durante o dia e saíam à noite pelo Centro do Rio para cometer crimes (infrações, já que eram menores). Voltavam no meio da madrugada com dinheiro vivo, carteiras, bolsas, relógios e cordões. Carlos Ubiraci percebeu a atividade criminosa da dupla e contou para a Mãe Flor, que chamou os dois para uma conversa em particular. Os adolescentes assumiram a atividade ilegal e ofereceram repassar parte dos ganhos com os malfeitos a Mãe Flor, para ajudá-la no sustento da casa. Para não sujar as mãos, a missionária não aceitou receber diretamente, mas orientou o casal de delinquentes a entregar a contribuição periódica de forma discreta ao "gerente" Carlos Ubiraci. Algumas semanas depois, porém, os dois desapareceram sem nem dizer até logo.

Passados três meses, Selma voltou sozinha pedindo abrigo e salvação, pois não queria mais cometer delitos. Ela havia se afastado do namorado por um motivo a ser explicado mais tarde. Flor não só a aceitou como fez um culto especial de boas-vindas, em sua sala, com a presença de suas ovelhas e de vizinhos. A missionária falou de "arrependimento", exaltou as qualidades de seu lar e discorreu sobre o poder de Deus em resgatar fiéis do fundo do inferno, mesmo depois de mastigados pela mandíbula do capeta. Antes, Selma deu seu testemunho: "Vi a morte várias vezes diante dos meus olhos, irmãos. Ela é horrível! Mas não quero mais esse tipo de vida. Quero viver na paz do Senhor, sob as asas reconfortantes da Mãe Flor e do Pai Anderson", anunciou, derramando lágrimas. A missionária abraçou a menina, abriu a Bíblia e tomou a palavra para si:

"Prestem muita atenção, filhos. [Glória a Deus!] Essa garota linda havia sido sequestrada pelo Satanás. [Glória a Deus!] Mergulhou nas profundezas do inferno, foi chamuscada pelas labaredas do Demônio. Teve a alma completamente derretida e escoada pelo ralo do abismo sem fim. [Glória a Deus!] Selma foi parar no esgoto do mundo, onde estão depositadas as almas dos mortos de pecados inafiançáveis! [Glória a Deus!] Mas há uma luz! [Glória a Deus!] Uma luz divina que se acendeu no firmamento e a guiou de volta ao paraíso, que é o nosso lar. [Glória a Deus!] Bendita seja a nossa casa. Ela foi toda construída de harmonia, compaixão, perdão, fé e amor. Muito amor! [Glória a Deus!]".

Durante o culto, a maioria dos "filhos" ficou de olhos bem fechados. Os homens, porém, não deixaram de reparar na beleza de Selma, uma moça branca, de cabelos pretos e ondulados, dentes bem alinhados e roupas muito curtas. A ficha corrida da infratora também lhe agregava valor. Esperta, ela capitalizava as atenções e jogava charme para os rapazes, exceto para Anderson e Carlos Ubiraci, considerados "feios" pela menina. Como a casa estava lotada, Mãe Flor pediu para os outros serem generosos e dividirem o colchão com a ovelha arrependida. "De qual você gostou mais, filha?", perguntou Flor. Selma escolheu todos: transava a cada madrugada com um "irmão" diferente. Seus parceiros constantes eram Flávio, Alexsander e Olival, mas às vezes dividia um colchão de solteiro com dois garotos e acabava transando a três. Numa noite, também dormiu com Simone. A resenha de sua performance no colchão virou assunto entre todos os moradores. André Luiz ouviu da namorada Simone boas referências sexuais de Selma e acabou transando com ela várias vezes no banheiro de piso marrom, com permissão da amada. De volta a casa com sua namoradinha de 11 anos, Flávio também fez sexo com Selma e falou sobre as qualidades da "irmã" para o padrasto. Depois do consentimento de Mãe Flor, Anderson dormiu com Selma – e até Samir arrastou a garota para um motel. No final, o taxista levou um susto: ela pediu dinheiro pelo sexo. Como transava sem proteção, Selma não engravidou por um milagre. Mas contraiu gonorreia, sífilis, bubão, tricomoníase, herpes genital, crista de galo, candidíase e HPV. Doente, foi desprezada pela casa. Compadecido, Olival peregrinava com Selma pelos postos de saúde do Rio até ela ficar curada. Os dois se apaixonaram e passaram a dividir o mesmo colchão.

* * *

A casa já tinha quase trinta crianças e adolescentes, entre hóspedes fixos e rotativos, quando Roberto Menezes, produtor de reportagem da TV Cultura do Rio de Janeiro, neto de uma moradora do Jacarezinho, procurou Mãe Flor para sugerir a realização de uma matéria sobre sua vocação para ações humanitárias. A fama de supermãe da missionária estava sendo disseminada na comunidade pela Assembleia de Deus e pela Igreja Evangélica de Confissão Luterana no Brasil. Flor e

Anderson festejaram o convite para a entrevista e marcaram com o jornalista para dali a três dias. Nesse primeiro contato, o produtor da TV Cultura pediu para ver a garotada, acreditando que encontraria dezenas de meninos e meninas pelo quintal. No momento da visita, porém, só havia seis gatos pingados. A maior parte dos "filhos", segundo Flor justificou, estava na escola. Era mentira. Nessa época, somente os três biológicos, além de Wagner, estavam matriculados regularmente. A maior parte dos hóspedes ainda vivia pela rua durante o dia, mesmo depois de "acolhida" pela missionária. Alguns perambulavam nos semáforos do Centro praticando mendicância e voltavam somente à noite para comer, tomar banho e dormir. "Naquela visita, fiquei com a impressão de estar diante de uma farsa, pois o imóvel de apenas dois quartos não tinha a mínima estrutura para abrigar tanta gente. Era impossível muitas pessoas usarem somente um banheiro, uma pia, um sofá. Vi uma lata no banheiro contendo apenas cinco escovas de dentes. Mas, até então, era uma dúvida de jornalista. Imaginei que não teria como ela enganar uma equipe inteira de TV", disse Menezes, em setembro de 2021.

De olho na visibilidade da reportagem, Anderson, Flor e Carlos Ubiraci convocaram a corja toda. Para reforçar a imagem de supermãe da missionária do Jacarezinho, seria necessário um quórum de pelo menos trinta crianças. Carlos Ubiraci se encarregou de mascarar o cenário para a entrevista. Ele esvaziou a geladeira e os armários para esconder os alimentos enviados semanalmente pela igreja administrada por Rose. No dia marcado para receber a reportagem, conseguiram reunir, a muito custo, vinte "filhos". Flor queria apresentá-los arrumados e de banho tomado. Anderson foi contra. Para tentar arrancar comoção do público, tinham de estar sujos e malvestidos. Carlos Ubiraci concordou com o "pai".

No dia D, uma Kombi da TV Cultura estacionou na frente da casa logo após o almoço. Dela desceram um cinegrafista, um auxiliar de som, um iluminador e o repórter Edgard Machado, de 23 anos na época, considerado inexperiente na profissão por ser recém-formado. Mãe Flor e Anderson estavam cercados de crianças e adolescentes no sofá da sala. Havia gente sentada no chão, em pé na porta e no corredor. Tímido, Flávio ficou trancado no quarto. A equipe primeiro fez uma série de imagens da prole numerosa e dos cômodos da residência. Sem gravar, Edgard perguntou se todos os "filhos" de Flor faziam as refeições em casa. "Quando tem para todo mundo, eles comem aqui, sim", respondeu a missionária. O repórter, então, perguntou onde eram preparadas tantas refeições. Flor mostrou um fogão de quatro bocas com três panelas pequenas. Ingênuo, Edgard não percebeu ser impossível cozinhar para um batalhão em utensílios tão minúsculos. O repórter levantou as tampas e viu arroz, feijão e uma dúzia de ovos cozidos. "Foi a pastora Rose quem trouxe esses alimentos. Ela nos ajuda muito. Somos amigas há mais de dez anos, desde quando ela namorava meu finado irmão Amilton...", justificou Flor. O repórter cinematográfico comentou: "Essas panelas me parecem pequenas para cozinhar almoço para mais de vinte filhos, não?" Anderson desconversou, falando da necessidade de terem caçarolas grandes. "Vamos gravar!", anunciou o repórter, cortando a conversa coletiva. Vizinhos curiosos se aglomeraram na porta. Com a câmera ligada, holofote aceso e o microfone em punho, Edgard iniciou o questionamento na sala:

– Quantos filhos a senhora tem?

– Trinta e poucos! – mentiu Mãe Flor.

– Quantos são biológicos e adotados?

– Eu não faço distinção. Diante dos meus olhos, todos são iguais.

– Como eles vieram parar aqui na sua casa?

– Resgatei eles das ruas, tirei quase todos das mãos dos traficantes, estavam fadados a morrer no crime.

– A senhora faz isso tudo sozinha?

– Não. Faço com a ajuda de Deus.

– Como a senhora faz para alimentar tanta gente?

Nessa hora, Flor se esforça para chorar, mas não consegue. Faz uma pausa dramática para comover. Caminha até a cozinha. Sem falar nada, ela mostra as panelas para a câmera – agora vazias. Orientado por Anderson, Carlos Ubiraci havia retirado toda a comida das panelas minutos antes. O repórter fez uma pergunta clichê à Mãe Flor:

– O que a senhora está sentindo?

– Mesmo com ajuda divina, é difícil mostrar o caminho da dignidade para esses meninos sem alimentá-los bem. Nós não temos condições de comprar comida para tantos filhos. É muita criança para pouca comida. Olha a minha geladeira. [Flor abre a porta e mostra o eletrodoméstico com duas garrafas de água, meio tablete de manteiga e três ovos.] Tem dias que eu tenho de escolher quem vai comer e quem vai ficar com fome. Isso dói no coração de qualquer mãe, sabia?

A muito custo, a supermãe finalmente conseguiu chorar. Anderson vibrou nessa hora, dando um soco no ar. Mas o pranto de Flor não rolou com naturalidade. Ela cobriu o rosto com as duas mãos para aumentar a dose do drama e também para esconder uma falha evidente na sua arcada dentária. Por falta de higiene bucal adequada, a missionária havia perdido recentemente o dente canino do lado esquerdo, o de número 23. Com isso, cultivou o hábito de tapar a boca na hora de rir e de chorar para esconder o diastema frontal. Na ilha de edição da TV Cultura, com trilha sonora comovente, a entrevista ganhou força. Como era de se esperar, o programa teve pouca repercussão por causa da baixa audiência da emissora estatal. No entanto, um telespectador especial assistiu e se comoveu com Mãe Flor e suas lágrimas tão falsas quanto uma nota de três reais: o sociólogo Herbert de Souza, conhecido como Betinho, ficou tocado com a história e resolveu ajudar. Na época, ele tinha acabado de fundar a campanha Ação da Cidadania Contra a Fome e a Miséria. Betinho e vários artistas, políticos e *socialites* foram à TV, às rádios e aos jornais estimular o brasileiro a fazer o que estivesse ao seu alcance para ajudar a resolver o problema da fome no país. No início da década de 1990, o Instituto de Pesquisa Econômica Aplicada (IPEA) estimava que 33 milhões de brasileiros estavam abaixo da linha da pobreza – ou seja, viviam com menos de 20% do salário mínimo por mês. Na época, esse contingente correspondia a 20,6% da população. Para efeito de comparação, em 2021, em situação de pandemia, o Brasil mantinha 10,8% da população nas mesmas condições de precariedade.

Enternecido com a história dramática de Mãe Flor, Betinho mandou entregar alimentos, roupas e sapatos na Rua Guarani. O sociólogo também usou seus contatos para conseguir um espaço muito mais nobre para outra reportagem, dessa vez no telejornal *RJTV*, do meio-dia, na TV Globo. Empreendedor, Anderson tomou a frente e organizou melhor o cenário para receber a equipe. Uma semana antes da hora marcada com os jornalistas, ele, Mãe Flor, Carlos Ubiraci e Wagner pegaram mais meninos pelas ruas, dando preferência para crianças de até 12 anos. Entusiasmado pelo interesse da mídia, Anderson estava disposto a mover céus e terra para transformar Flordelis na "Mãe de 50". No dia da gravação, havia 35 hóspedes na casa. Menos do que o planejado, porém bem mais do que na gravação com a TV Cultura. Com comida na mesa e despensa cheia, o tom da reportagem foi a solidariedade e o talento de Flordelis para ser mãe. Betinho participou da mesma matéria, feita pela repórter Priscila Brandão, mas gravou em outro lugar. Ao ter seu nome associado ao maior símbolo de cidadania, Flordelis passou para outro patamar como celebridade da favela. Começou a ser requisitada para dar entrevistas para o SBT, TV Bandeirantes e até para os telejornais da Rede Manchete, prestes a sair definitivamente do ar. Para não ficar atrás, a TV Record também mandou uma equipe de reportagem entrevistar Mãe Flor, mas os jornalistas ignoraram a ligação da missionária com a Assembleia de Deus, já que a emissora pertencia ao bispo Edir Macedo, fundador da Igreja Universal do Reino de Deus. Anderson também usava um telefone público para oferecer pautas sobre a missionária do Jacarezinho a emissoras de rádio e jornais impressos. Pensando no futuro, ele fez uma agenda com o nome e o telefone de todos os jornalistas que passaram pela Rua Guarani.

Nas entrevistas televisionadas, Flor falava de benevolência, solidariedade, amor ao próximo e compaixão. As reportagens ocorriam principalmente perto do Dia das Mães, Dia da Criança e na época do Natal. Cínica, a missionária dizia com cara de Virgem Maria ter recebido um chamamento de Deus para salvar os pequenos das mãos dos traficantes do Jacarezinho, dando ênfase à palavra "traficantes". "Essas crianças estavam sendo engolidas pelo tráfico", repetia ela, feito um disco arranhado. Com a ascensão da supermãe na mídia, a Assembleia de Deus do Jacarezinho passou a tratá-la feito estrela. A carreira de mãe zelosa de Flordelis corria paralelamente à de cantora gospel, já que ela continuava subindo no tablado da igreja para cantar louvores, principalmente nos cultos dominicais. Seu público vinha aumentando paulatinamente, mas o futuro cargo de pastora ainda era uma incógnita. Em casa, os lauréis do sucesso da missionária na TV e nos palcos eram atribuídos a Anderson, que planejava em detalhes as ações da companheira diante do brilho dos holofotes. Era comum ouvir dele frases do tipo "se não fosse eu, a reportagem não teria ficado tão boa". E tinha razão. Como as primeiras entrevistas não tinham emoção suficiente, ele passou a ensaiar depoimentos e choro com a namorada. Pegou um pedaço de madeira cilíndrico para simular um microfone de reportagem, mandou Flor sentar-se no sofá e simulou dezenas de perguntas, orientando-a em cada resposta. Ele também marcava o momento de as lágrimas escorrerem, pois sem pranto seria impossível sensibilizar o telespectador. "O choro tem um momento exato para acontecer, caso contrário ele perde o impacto. Nessa hora, preste atenção: você para de falar, prende a respiração, engole muita saliva de uma só vez, olha para o teto calada, depois para o chão, solta a respiração e chama o choro que ele vem. [...] Em seguida, você abaixa a cabeça e emenda o pranto num festival de soluços para a entrevista ter um *grand finale*", ensinava.

Às vezes, Wagner tentava ajudar nas instruções sugerindo à mãe postiça interromper a entrevista dizendo que precisava beber um copo de água. "Nem pensar!", reprovava Anderson. "A entrevista não pode ter esse tipo de corte porque interrompe a emoção e acaba atrapalhando a edição", ensinava. Nessas simulações, Flor reclamava da dificuldade de verter lágrimas sem estar emocionada de verdade. "Amor, não sei chorar assim do nada. Eu me esforço, faço força, me espremo toda e não sai nada", queixou-se a missionária. "Você não é cantora? Toda cantora é atriz. E toda atriz chora na hora que quiser. Dê o seu jeito, nós vamos precisar das suas lágrimas caso queiramos subir na vida adotando crianças abandonadas", disse Anderson, segundo relatos de Selma e de Olival. De tanto treinar com o companheiro, Flor aprendeu a simular emoções. Havia pranto em quase todas as suas apresentações na igreja. Em entrevistas, então, surgia uma torrente de lágrimas tão farta quanto o mar de Copacabana. Anderson só não imaginava que o choro de sua amada, ensinado por ele, seria providencial para ela fabular tristeza no dia da morte dele, inclusive no momento de seu enterro.

De tanto Mãe Flor aparecer na mídia, ela começou a ser procurada por empresários, conforme havia planejado com Anderson. Os primeiros a chegar foram os irmãos Carlos e Pedro Werneck, donos de restaurantes e hotéis, que atuavam no terceiro setor em busca de investidores dispostos a patrocinar projetos sociais. Pedro se comoveu com as lágrimas de crocodilo de Flor na televisão e resolveu ajudar. Tudo começou com um telefonema. Sem ao menos fazer uma visita, até porque precisava de muita coragem para entrar no Jacarezinho, Pedro parabenizou a missionária pela atitude de tirar crianças do tráfico e anunciou que faria um depósito semanal para ela, de meio salário mínimo, para ajudar no custeio da casa. Trancados no quarto, Flordelis e Anderson festejaram o sucesso do projeto – e principalmente o contato dos irmãos Werneck – com um ritual de ocultismo. Anderson agradeceu a Baphomet e os dois supostamente fizeram um culto reservado para glorificar as imagens de São Cipriano e Exu Caveira, entidades associadas ao satanismo. Betinho morreu em 1997, vítima de doenças decorrentes da Aids, sem ver a criatura demoníaca na qual Flordelis estava se transformando.

Nas cerimônias íntimas, a supermãe e seu filho-namorado-cúmplice vestiam branco e acendiam velas vermelhas, apesar de esse não ser um acessório usado por evangélicos – a prática, aliás, nem sequer aparece na Bíblia. A bem da verdade, Flor e Anderson não estavam nem aí para as escrituras sagradas. Num ritual bem particular, análogo ao satanismo, eles transavam. Numa dessas sessões, os dois teriam cortado o dedo com um estilete e esfregado sangue na face da imagem de Exu Caveira. Em seguida, um lambeu o sangue do outro para selar um pacto para subir na vida adotando crianças, ato classificado por eles como "filantropia divina". Filantropia, a propósito, é uma expressão formada pela junção de duas palavras gregas: *filos*, sinônimo de afeição e amor, e *antropo*, que quer dizer homem e humanidade. Literalmente, portanto, "filantropia" significa "amor pela humanidade", algo bem distante das intenções macabras do casal. Flor e Anderson também supostamente liam trechos da Bíblia de Anton Szandor Levy, uma coleção de ensaios e rituais mágicos de reverência a Satã como uma força da natureza. Na Rua Guarani, esses rituais ocorriam de forma reservada. Mas era possível aos "filhos" os ouvirem de dentro da sala, pois a casa não tinha forro. Numa das cerimônias, Flordelis e Anderson teriam vestido roupas pretas para evidenciar o poder das trevas, segundo suas crenças. O casal se posicionou em pé diante do quadro de Baphomet e começou a orar. No meio do rito, Flor tirou o manto escuro, ficando apenas de calcinha vermelha para estimular seu parceiro sexualmente e, com isso, "intensificar a expansão de adrenalina e energia bioelétrica para alcançar um trabalho mais poderoso". Na sequência, eles transaram. No dia seguinte, coube a Selma a tarefa de limpar o quarto e lavar as roupas usadas pelos dois.

Na mesma semana, Anderson recebeu a ligação de um produtor do *Fantástico*, da TV Globo, e outra de um jornalista da equipe do programa *Jô Soares Onze e Meia,* do SBT. Esses contatos foram feitos logo depois de o *RJTV* exibir uma terceira reportagem sobre Mãe Flor e sua missão de resgatar órfãos do tráfico. Foi quando duas visitas inesperadas e para lá de indigestas bateram à porta da casa. Sandra Sapatão, número dois do Comando Vermelho no Jacarezinho, chegou em uma caminhonete S-10, cabine dupla, acompanhada de quatro "soldados" fortemente armados com fuzis. Na mesma sala onde Flor dava entrevistas para repórteres falando da vida, a bandida avisou: "A parada é a seguinte, sua arrombada: se você chamar mais um jornalista do asfalto ou um samango [policial] aqui para a comunidade, vamos passar o cerol [assassinar] em você e nos seus filhos, sua protestante de merda! Vai ser tanto pipoco [tiro] de metralhadora que não vai ter cova pra todo mundo, sua puta de igreja!". Sandra apontou a arma para a cabeça da missionária na frente de Simone, Anderson, Carlos Ubiraci e Wagner, finalizando a ameaça: "Não quero mais ouvir essa sua boca imunda dizendo na TV que o tráfico tem algo a ver com seu trabalho sujo de recolher esses pobres diabos da rua, porque a favela inteira sabe a putaria que rola aqui nesse prostíbulo. Vaca!". Dado o recado, Sandra evaporou-se com seu bando. Flor conhecia o potencial da traficante, pois ainda estava fresca na memória a imagem do ataque à padaria da família de Anderson, o falecido ex-namorado de Simone.

A segunda visita foi até tranquila, comparada com a de Sandra Sapatão. Ao lado de quatro policiais militares e um ônibus da Vara da Infância e Juventude, um oficial de Justiça anunciou que tinha um mandado de busca, assinado pelo juiz Liborne Siqueira, para levar todos os moradores locais que não tivessem certidão de nascimento. Essa inspeção era fruto da denúncia feita por Rose, que deu origem a um procedimento investigativo no Ministério Público e foi acelerada com a exposição das crianças na mídia. Flordelis começou a chorar copiosamente – não se sabe se usava uma de suas habilidades cênicas recém-adquiridas, mas dessa vez escorreram muitas e muitas lágrimas. Anderson pediu calma. Só havia doze "filhos" na casa, incluindo quatro bebês. Flordelis se abraçou aos hóspedes, rolou pelo chão e clamou aos céus. "Não tirem os meus filhos de mim!", implorava, dramaticamente. Na sequência, desmaiou. Anderson disse ao oficial de Justiça que tinha toda a documentação, mas precisava de alguns dias para se organizar. Ao ver a mãe desacordada no chão, as crianças começaram a chorar. Comovidos com a cena, em comum acordo os policiais e o oficial deram a eles um prazo de 24 horas e marcaram um retorno para o dia seguinte. Na hora combinada, a equipe chegou distribuída em duas viaturas mais o ônibus, chamando a atenção de toda a favela. Mas a casa da Rua Guarani estava fechada. Um policial abriu a porta e entrou, encontrando um local fétido e completamente vazio. Anderson e Flor haviam fugido com todos os querubins, deixando tudo para trás. Incrédulo, o policial entrou no quarto do casal e levou um susto quando se deparou com a imagem de Baphomet, imponente, afixada na parede. Perto dele havia quatro velas vermelhas acesas e um pote de mel. No canto, as imagens de Exu Caveira e São Cipriano. Um PM começou a arrancar o pôster quando ouviu uma voz cavernosa fazer uma advertência sinistra:

– Se eu fosse você, não tocaria em nada!

– Quem é você? – quis saber o oficial de Justiça.

– Em nome de Satã, o soberano da Terra, o rei do mundo, eu comando as forças das trevas a derramar seus poderes demoníacos sobre mim! Abram totalmente os portões do inferno e venham diante do abismo para me saudar como sua amiga, sua irmã! Concedam-me as indulgências de que falo! Eu aceitei seu nome como parte de mim. Eu vivo com as bestas dos campos exultando a minha vida material! Eu ofereço o justo e amaldiçoo o corrupto! Por todos os deuses do subterrâneo, ordeno que todas essas coisas que falo venham a se realizar. Venham adiante e respondam seus nomes pela manifestação dos meus desejos, Baphomet!

Quando ouviram a invocação ao Diabo proferida por uma pessoa desconhecida e toda vestida de preto, os homens da lei escafederam-se.

CAPÍTULO 6
CENTOPEIA HUMANA

"Quem não tiver dinheiro nem cartão de crédito para doar a Deus vai assinar uma nota promissória sagrada."

O templo da Assembleia de Deus antes administrado por Demóstenes, onde Flordelis soltava a voz aos domingos, prosperou com a gestão do pastor José Maria de Oliveira, de 36 anos, o Zé da Igreja. A cúpula da instituição religiosa estava satisfeita com seu trabalho porque a arrecadação financeira havia aumentado 30% em um ano, muito em função do pagamento do dízimo pelos fiéis, das doações dos pequenos comerciantes do bairro e principalmente pela injeção financeira do Comando Vermelho. Em 1995, Zé da Igreja conheceu, em um dos cultos, a vendedora Izabela Coura, de 22 anos. Ele estava solteiro desde a suposta tentativa de envenenamento por sua ex-esposa, Eulália. Como a Assembleia de Deus não aceitava pastores solteiros, ele tinha pressa em arrumar uma companheira, e Izabela era a candidata ideal. Menina bonita, andava sempre bem vestida e usava maquiagem leve. Trabalhava na Avon vendendo cosméticos de porta em porta durante o dia e fazia supletivo à noite. Ainda assim, tinha tempo para assistir à pregação de Zé da Igreja todos os dias, no final da tarde. Em um culto festivo dominical, durante a apresentação da banda gospel Marcenaria da Fé, o pastor aproveitou para se aproximar de Izabela. Conversaram um pouco no corredor, foram tomar sorvete e a jovem falou um pouco sobre sua vida e o sonho de se casar. Para espanto de seu pretendente, entre uma lambida e outra na bola gelada de maracujá, Izabela revelou-se católica. Sua família frequentava a paróquia de Nossa Senhora Auxiliadora, onde ela foi batizada e recebeu a crisma, o sacramento no qual o fiel aceita, pela ação do bispo, uma unção com óleo sagrado. Mas a moça não estava certa se queria seguir o catolicismo, religião considerada a maior comunidade cristã do planeta. "Ando meio perdida. Não sei qual religião seguir. Essa é a verdade. Enquanto estiver em dúvida, vou pulando de galho em galho – até me sentir totalmente acolhida. Já fui à Deus é Amor, mas achei as pregações muito agressivas. Já as celebrações da Igreja Batista me pareceram sem graça. Na próxima semana irei à Sara Nossa Terra, aberta recentemente em Copacabana", anunciou a ovelha totalmente desgarrada. Zé da Igreja esperou o fim do colóquio enfadonho e deu nela um beijo de cinema. Os dois começaram a namorar no dia seguinte, um mês depois estavam noivos e o casamento saiu em menos de um ano.

Na Assembleia de Deus, Izabela não almejava ser pastora, como ocorria com a maioria das primeiras-damas dos templos. Ela assumiu o papel de cúmplice e colaboradora no ministério do esposo, nas funções administrativas na secretaria, como fiscalizar o trabalho na tesouraria. Izabela também auxiliava o marido nos cultos. No entanto, sua decepção com a Assembleia de Deus veio com a mesma rapidez com que engrenou a vida amorosa: a garota ficou incomodada quando percebeu a ligação escusa da igreja com o Comando Vermelho. Certa vez, ela estava na secretaria fechando o caixa das doações financeiras quando foi surpreendida com a chegada de um traficante acompanhado de três "soldados", todos fortemente armados. A quadrilha trazia uma mochila abarrotada de notas de 5 reais. Um dos bandidos abriu o zíper e ordenou que as funcionárias contassem o dinheiro. Depois de passarem nota por nota, elas anunciaram o total de 1.985 reais. Os traficantes deram pela falta de 15 reais, pois deveria haver 2 mil reais na mochila. Desconfiado, um dos soldados pediu para Izabela e suas auxiliares repetirem o processo até o valor chegar aos 2 mil reais redondos. No tira-teima, o montante alcançou 1.990. Para se livrar dos marginais, Izabela tirou 10 reais da bolsa e completou a diferença. Em casa, os dois brigavam porque a esposa não tolerava o contato com traficantes. "É como se Deus e o Diabo andassem de mãos dadas", argumentava ela. Numa dessas discussões, Zé da Igreja, imprudente, sentou um tapa no rosto da mulher. Depois da agressão, ela se tornou uma companheira circunspecta. Na secretaria, Izabela oferecia resistência, recusando-se a conferir o dinheiro do crime. "Quanta hipocrisia!", retrucava o marido.

Em meados da década de 1990, segundo denúncia do Ministério Público, a Assembleia de Deus e outras instituições religiosas do Jacarezinho transformaram-se em verdadeiras lavanderias do dinheiro sujo do tráfico. No templo onde Flordelis congregava, a lavagem ocorria desde a época do pastor Diógenes. O esquema, segundo uma investigação da Polícia Federal, funcionava assim: os líderes pediam dinheiro ao Comando Vermelho para reformar os prédios das igrejas, encomendar bancos de madeira em marcenarias e instalar sistemas de som. Os traficantes doavam quantias entre 50 e 100 mil reais, dependendo do tamanho do templo. No entanto, para o dinheiro ilícito voltar para as mãos dos traficantes de forma "legal", o Comando Vermelho indicava os locais em que o capital deveria ser gasto pelos pastores. Os bandidos recomendavam lojas de materiais de construção e até supermercados, caso os sacerdotes comprassem alimentos para fazer doações.

Essas aquisições eram extremamente superfaturadas, para lavar a maior quantia possível. Para se ter uma ideia, em 2019, uma única operação da Polícia Civil do Rio de Janeiro encontrou um mercadinho no Jacarezinho cujo caixa movimentou 30 milhões de reais em um ano, sem ter lastro para tal cifra. Com os desdobramentos das investigações, descobriu-se que o verdadeiro dono do pequeno comércio era Marcus Vinícius da Silva, o Lambari, comandante-mor do Comando Vermelho no Rio de Janeiro. Na década de 1990, a lavagem de dinheiro do tráfico já era operada por Lambari, que tinha

Sandra Sapatão como sua assistente número 1. Era ela quem mandava os "soldados" levarem ao templo de Zé da Igreja as mochilas com as notas amassadas de 5 reais, conhecidas na simbiose do tráfico com os religiosos como "dinheiro sofrido".

Já com dois filhos pequenos, conformada e até familiarizada com o entra e sai de bandidos na tesouraria da Assembleia de Deus do Jacarezinho, Izabela conheceu a carismática Sandra Sapatão, de quem virou amiga e confidente. A traficante xavecava Izabela, mas não ultrapassava os limites do bom senso: seus galanteios vinham sempre embalados por elogios e só. "Você é uma mulher muito bonita para ficar trancada numa sala sem janelas, nos fundos de uma igreja de favela", dizia. Em outras ocasiões, Izabela tinha a perfeição do seu rosto elogiada pela lésbica. Envaidecida, a esposa de Zé da Igreja agradecia o enaltecimento e desconversava sutilmente, reafirmando sua predileção por homens. Por uma questão de respeito, a traficante nunca fez uma investida mais agressiva. "Valorizo muito mais a amizade", dizia. Certo dia, os ventos mudaram para Sandra Sapatão: a Polícia Civil fez uma investida no Jacarezinho para tentar capturá-la. Por meio de uma denúncia anônima, os investigadores descobriram as ruelas por onde a traficante andava sem a proteção dos "soldados". Como já tinha laços bastante estreitos com a bandida, Izabela ofereceu a própria casa para esconder a amiga da polícia. Sandra aceitou o gesto de carinho sem pestanejar. Como não havia sido consultado, Zé da Igreja teve uma síncope quando se deparou com a malfeitora de alta periculosidade sentada bem à vontade no sofá da sua sala dando papinha para seu filho mais novo, de 1 ano e meio de idade. O pastor arrastou a esposa pelo braço para o quintal, para ter uma conversa em particular.

– Que porra é essa?! O que essa traficante está fazendo aqui?

– A polícia está caçando a Sandra na favela inteira e dei abrigo a ela. Tem dois "fogueteiros" lá na entrada da rua de olho em tudo. Se a polícia chegar lá, eles mandam avisar aqui.

– Você enlouqueceu? – questionou o marido.

– Olha, eu disse a você que queria distância do tráfico, lembra? Você me provou que era impossível administrar uma igreja no Jacarezinho sem fazer negócios com o Comando. E tinha toda razão. Agora estamos aqui dando abrigo a uma traficante! – argumentou Izabela.

Na juventude, Sandra Sapatão havia sido uma mulher atraente. Com o passar do tempo, foi adquirindo expressão de gênero masculino. Preta e sorridente, usava camiseta regata para mostrar os braços musculosos e mantinha o cabelo sempre curtinho. Sua aparência chamava a atenção das mulheres lésbicas do Jacarezinho. Apesar de ser considerada pela polícia uma das bandidas mais procuradas e violentas do Rio de Janeiro, era querida na comunidade. Tinha fama de ajudar as pessoas mais necessitadas e chegava a poupar insubordinados das sentenças de morte decretadas pelo tribunal do crime mantido pelo Comando Vermelho nas quebradas do Rio de Janeiro. Esses predicados facilitavam sua vida, principalmente quando ela precisava de abrigo.

Quando a polícia fazia investidas na favela, a maioria dos traficantes escondia-se bem longe do Jacarezinho. Lambari chegava a fugir do Rio de Janeiro. Com Sandra era diferente, pois a própria comunidade lhe oferecia abrigo. Ela chegava a ser disputada por famílias carentes, pois onde escolhia se hospedar não faltava nada: sua primeira providência era abastecer a despensa com alimentos e bebidas de primeira qualidade. Com Izabela e Zé da Igreja não foi diferente. Ainda assim, o pastor se mostrava incomodado com a presença da estranha. "Quando ela vai embora?", perguntou ele à esposa. "Não tem previsão", respondia ela, confortavelmente. "Uma visita não pode se hospedar com outras pessoas sem dizer quando vai embora", reclamava o marido. "Então use a sua masculinidade e pergunte a data a ela, caso tenha coragem!", devolvia a mulher. A bem da verdade, Zé da Igreja se pelava de medo da traficante, que andava com uma pistola na pochete e um fuzil poderoso pendurado nos ombros. Depois de um mês, mesmo com a desistência da polícia em encontrá-la, Sandra permanecia na casa. Saía para resolver pendências do Comando Vermelho no início da manhã e voltava à noite para dormir. Para piorar a situação, ela começou a fazer do endereço um *bunker* para conferir dinheiro do tráfico, mais tarde encaminhado à "lavanderia" da Assembleia de Deus. Certa vez, Zé chegou da rua e encontrou Sandra e Izabela conferindo notas na mesa da cozinha, escoltadas por dois "soldados" armados com metralhadoras. Ele não falou nada, mas a expressão de seu rosto denunciava indignação com a cena. Incisiva, a traficante perguntou:

– Algum problema?

– Não, imagina. Está tudo na paz do Senhor... – disfarçou ele.

Num dia em que estava sozinho com a esposa e as crianças, Zé da Igreja iniciou uma discussão. Izabela carregava o filho caçula no colo, enquanto o maiorzinho assistia à televisão na sala. O marido começou um embate acalorado, atribuindo à mulher a responsabilidade pela estada indefinida de Sandra. Segundo ele, se Izabela não tivesse estreitado laços além do necessário com a bandida, ela já teria ido embora. "Nosso lar virou uma filial do Comando Vermelho. Daqui a pouco os traficantes vão enrolar papelotes de cocaína em nossa mesa de jantar", berrava Zé da Igreja. Num arroubo de sinceridade, Izabela disse ao marido que, por ela, Sandra ficaria morando lá para sempre. Movido por impulso, o pastor desferiu um murro tão forte no rosto da esposa que, por muito pouco, a criança não caiu de seu colo. Izabela sentou-se no sofá com uma dor imensurável. Em uma hora, seu rosto ficou com um hematoma enorme e o olho direito desapareceu, engolido pelo inchaço roxo de sangue pisado. Ao ver a face da esposa parcialmente deformada, Zé se ajoelhou arrependido e começou a chorar copiosamente, dizendo não ter sido ele o autor de tamanha violência.

O pastor recorreu ao clichê barato de atribuir suas ações violentas ao Diabo, que teria entrado no corpo dele num momento de fraqueza e desequilíbrio emocional. "O estresse enfraquece o espírito e as portas da nossa alma se abrem para o Satanás..." Incrédula, Izabela ficou calada. Pegou os dois filhos e se trancou no quarto. À noite, Sandra Sapatão chegou para jantar e perguntou pela amiga. Amedrontado, Zé da Igreja sustentou que ela estava com dor de cabeça e se recolheu para dormir mais cedo. Na manhã seguinte, quando Sandra já havia saído "para trabalhar", Izabela deixou o quarto falando em separação. Zé não aceitou o divórcio e culpou a hóspede inconveniente pela crise conjugal. "Desde que essa mulher entrou aqui, nossa vida amorosa degringolou. Nem à igreja você tem ido", reclamou. A esposa insistiu no fim do casamento e levou um segundo murro no rosto – testemunhado por Sandra, que acabara de voltar. Ao flagrar Zé da Igreja destruindo o rosto perfeito da amiga, a traficante mirou uma submetralhadora na lâmpada do teto e disparou. Em seguida, apontou a arma de grosso calibre para a cabeça do pastor. "Começa a rezar, servo do Satã!", mandou. Acuado, ele se ajoelhou, suando em bicas e implorando desesperadamente pela vida. Izabela pediu para Sandra não assassinar o pai de seus filhos. Apaixonada, a bandida obedeceu. "Você deve a vida a ela, seu pedaço de merda! Nunca se esqueça disso! Anota o que vou te falar: se procurá-la sob qualquer pretexto, você será carbonizado vivo!". Izabela arrumou suas coisas, passou a mão nos meninos e foi morar com Sandra Sapatão do outro lado do Jacarezinho. Sem nunca transarem, as duas tornaram-se melhores amigas. Izabela assumiu um cargo na contabilidade do Comando Vermelho e acabou namorando Lambari, o número 1 do tráfico no Jacarezinho. Zé da Igreja nunca mais esqueceu o dia em que perdeu a mulher para o tráfico.

* * *

Para escapar do Juizado de Menores, da polícia e de traficantes do Comando Vermelho, Anderson, com 18 anos, e Flor, com 34, executaram um conjunto de ações ousadas, num plano inteiramente bolado por ele. Em 1995, havia na casa da Rua Guarani uma miscelânea de mais ou menos trinta cabeças, entre filhos biológicos, adotados, afetivos, agregados, encostados, emprestados, hóspedes passageiros e até meninos cujas mães precisavam trabalhar o dia inteiro, mas não tinham com quem deixar os rebentos. Insana, até essas crianças Flor chamava de "filhos". O primeiro passo do plano de Anderson foi "enxugar" a ninhada. Orientada por ele, Flor devolveu para os respectivos pais três jovens com idade entre 7 e 12 anos, consideradas "insubordinadas". Para poupar os dois filhos biológicos mais novos das intempéries e dos perigos da rua, a missionária deixou temporariamente Flávio e Adriano, apelidado de Pequeno, com a irmã mais velha, Laudicéia. "Para onde você está indo, sua louca?", quis saber a moça. "Não faço a menor ideia. [...] Vou para onde o destino me levar", respondeu Flor. Em seguida, o casal saiu em debandada pelas ruas do Rio de Janeiro levando consigo um grupo de 25 "filhos", sendo três bebês de colo – dois deles retirados dos braços de mulheres usuárias de drogas e o terceiro deixado temporariamente pela mãe na Rua

Guarani, como se ali fosse uma creche. A batida em retirada começou na madrugada de terça-feira, 28 de junho de 1995, após um jantar bem reforçado. "Comam bem, pois sabe-se lá quando faremos uma nova refeição", orientou Flor. No menu, pão com ovo, café com leite e mingau de amido de milho para as crianças, carne com feijão-preto e farinha de mandioca para adolescentes e adultos. Sempre em busca de referências religiosas, Flor comparou a fuga do Jacarezinho à jornada de Moisés, personagem bíblico escolhido por Deus para liderar a saída dos hebreus do Egito, onde eram escravizados, rumo à terra prometida de Canaã.

Foi Anderson quem definiu o roteiro e guiou a marcha noturna. O grupo saiu do Jacarezinho a pé, na madrugada, e seguiu sorrateiro pelas vielas escuras da favela para não encontrar os "olheiros" dos traficantes. A maioria caminhava calçando sandálias de borracha, num trajeto que levou à Rua Leopoldo Bulhões, na comunidade de Manguinhos, e seguiu pela Avenida Dom Hélder Câmara e pela Rua Luiz Gonzaga, até chegar a Benfica, bairro localizado na região de São Cristóvão, zona norte do Rio. Durante a procissão, Flordelis e seu séquito chamavam a atenção de populares porque todos andavam de mãos dadas, formando uma grande centopeia humana. Cobertos por mantas, os três bebês eram carregados por Simone, Carlos Ubiraci e Cristiana. Para dar um tom ainda mais dramático ao cortejo, a grande família entoava cânticos de louvor, como o clássico *Segura nas mãos de Deus*. Um trecho diz: "Se a jornada é pesada e te cansas da caminhada, segura na mão de Deus e vai orando, jejuando, confiando e confessando". Cantadas em coro por crianças e adolescentes, liderados pela voz potente de Flordelis, as músicas sensibilizaram quem passava de carro. Alguns motoristas ofereciam carona, mas eles recusavam, pois a romaria desumana fazia parte do ritual de sacrifício. Quando o grupo chegou ao Largo do Machado, no bairro de Laranjeiras, o dia estava clareando. Anderson organizou os meninos em fila indiana, do menor para o maior, despertando a curiosidade de quem seguia para rezar a missa matinal da igreja de Nossa Senhora da Glória. Na praça, aos pés da estátua de Nossa Senhora da Conceição, mortas de fome, as crianças maiores começaram a mendigar feito moradores de rua. Não demorou para ganharem alimentos, e outros meninos – sem-teto e sem rumo – juntaram-se à família, aumentando o comboio. "Quanto mais 'filhos' de rua, melhor para valorizar a nossa causa", justificava Anderson.

No final da tarde, Flor e seus seguidores já haviam almoçado. Do Largo do Machado, foram cantando pela Rua Senador Vergueiro até a praia de Botafogo. Pararam embaixo do Viaduto San Tiago Dantas, uma edificação histórica projetada por Affonso Eduardo Reidy, arquiteto autor do Museu de Arte Moderna e do monumento dos Pracinhas no Aterro do Flamengo. Lá, juntaram-se a um grupo de mendigos, onde recrutaram mais dois "filhos": Ginaldo Acioly, 16 anos, vulgo Orelhinha, e Adonai Xavier, 17, conhecido no submundo como Xaropinho. Ambos moravam no Morro do Alemão, mas vadiavam pelas ruas para escapar da polícia. A dupla praticava assalto à mão armada em pequenas lojas de bairros nobres da cidade. Numa das investidas, os dois entraram numa unidade franqueada de O Boticário, em Copacabana, e apontaram uma pistola para a funcionária responsável pelo caixa. Levaram tudo. Na saída, toparam com um estudante usando um celular Motorola, artigo de gente endinheirada na época. Orelhinha já tinha guardado a arma e exigiu o telefone da vítima. Como teve a solicitação negada, o ladrão sacou a pistola e pediu mais uma vez. O estudante enfiou a mão no bolso e acabou levando um tiro no ombro. A dupla pegou o celular e fugiu em disparada rumo ao Morro do Pavão-Pavãozinho. Hospitalizado, o rapaz sobreviveu, mas os dois marginais passaram a ser procurados insistentemente pela polícia. Ao se infiltrarem na "família" de Flordelis, Orelhinha e Xaropinho logo se entrosaram com Selma, a "filha" aprendiz na bandidagem. Com os novos membros, a gangue já somava novamente trinta membros.

Na primeira noite sob o viaduto, chefiados por Carlos Ubiraci e Wagner, os adolescentes maiores saíram pela redondeza em busca de papelão para servir de cama. Extremamente cansada, a "família" dormiu ao relento, inclusive os três bebês, cobertos por várias camadas de jornais. Estavam ali, lado a lado, Flordelis, Anderson, Simone e seu irmão-namorado André Luiz, Carlos Ubiraci, Wagner, Cristiana, Alexsander, Rayane, Selma e seu irmão-namorado Olival,

Orelhinha, Xaropinho, entre outros. No meio da madrugada, os bebês começaram a chorar de fome. Flor, Simone e Cristiana os embalavam insistentemente, mas nada adiantava. Mesmo sem um tostão no bolso, Selma e Olival saíram em busca de alimento para os irmãozinhos. Caminharam três quadras pela beira-mar até chegarem a uma pracinha escura frequentada por namorados em busca de privacidade para transar ao ar livre.

Com experiência em pequenos assaltos à mão armada, Selma mantinha com ela um canivete dentro da calça jeans justa no corpo. Desarmado, Olival resolveu acompanhar a namorada. A menor infratora abordou um casal que namorava do lado de fora do carro. Primeiro pediu uma ajuda financeira, que foi negada. "Por favor! Me dê qualquer trocado. Minha família está dormindo embaixo do viaduto com três nenês famintos", insistiu. "Dê o fora daqui!", retrucou o rapaz da zona sul, irritado. Olival pegou a namorada pelo braço e quis deixar o local, mas ela insistiu. "Se você me der uma moeda de 1 real já é alguma coisa. Ajuda aí, vai...". "Porra, já disse para você sumir!", esbravejou. A jovem que estava com ele enfiou a mão no bolso, em busca de uma nota para dar a Selma. "Vamos embora", reiterou Olival, amedrontado. Num ímpeto, Selma pegou o canivete e cortou o ar – ao mesmo tempo ela viu uma pistola apontada para sua cabeça. Olival saiu às pressas e atravessou a Avenida Repórter Nestor Moreira até chegar ao estacionamento do Clube de Regatas Guanabara. De lá, ouviu gritos de mulher seguidos de três disparos de arma de fogo. Apavorado, seguiu correndo pela praia de Botafogo até alcançar o viaduto onde o grupo permanecia abrigado. Olival estava aos prantos, acreditando na possibilidade de Selma ter sido assassinada na reação das vítimas ao assalto. Flor sugeriu uma corrente de orações.

Duas horas depois, a garota chegou ao viaduto sorridente, segurando seis sacolas com papinhas de bebê, pacotes de biscoitos doces e salgados, latas de refrigerante, papel higiênico e até absorvente feminino. Orelhinha e Xaropinho ficaram boquiabertos com a atitude de Selma e decepcionados com a falta de coragem de Olival. A assaltante escapou porque seu algoz havia atirado para o alto. Apavorada, ela se acocorou e, com as mãos na cabeça, começou a chorar desesperadamente. Segundo contou, o casal se compadeceu ao ouvir toda a história dramática da sua "família". "Debaixo do viaduto tem mais de trinta crianças com fome", dizia ela repetidamente. Os namorados, então, a levaram até um supermercado 24 horas para fazer as compras. Flordelis já conhecia a tendência de Selma para o crime. Anderson teria nomeado a menina mais a dupla Orelhinha e Xaropinho como os provedores do grupo. "Mas só vamos lançar mão desse expediente em casos extremos. [...] Aqui ninguém faz coisas erradas sem a minha autorização", alertou Anderson aos "filhos" que tinham os pés enfiados no crime. Era comum o trio sair de baixo do viaduto para cometer delitos pela redondeza. Com ciúme da irmã-namorada, Olival também passou a praticar pequenos furtos nas praias da zona sul com os marginais. Começou roubando telefone celular, carteira e óculos escuros de turistas incautos que largavam suas coisas na areia da praia para mergulhar no mar. Depois, anunciava assalto usando arma de brinquedo. Evoluiu para uma pistola de pressão com munição de chumbinho.

Na época da fuga de Flor, os Wernecks ainda mantinham o pagamento mensal de meio salário mínimo para ajudar nas despesas da missionária. O dinheiro era depositado na conta de Anderson no Banco do Brasil e usado em gastos básicos, como pequenas compras de supermercado. Mas o recurso era insuficiente para alimentar tantas bocas e todo o mundo tinha de batalhar pedindo esmolas e intensificando a prática de pequenos furtos. Embaixo do viaduto, Flor costumava pregar para seus filhos feito pastora, falando das adversidades da vida em família imposta por Deus, segundo ela. Durante o louvor, mendigos se juntavam para ouvir os sermões da missionária. Depois de uma semana abrigada sob o viaduto de Botafogo, a "família" foi surpreendida à noite durante um culto por uma aproximação da Polícia Militar. Quando cinco viaturas encostaram no local com as luzes vermelhas girando, parte dos moradores de rua envolvidos em crime andou lentamente rumo à praia. Flordelis, com medo de ser presa, interrompeu a oração e cobriu-se com papelão. Os policiais acenderam um holofote na direção dos sem-teto e seguiram adiante, sem ao menos descer do carro. No dia seguinte, Wagner, Alexsander e Carlos Ubiraci saíram com os meninos mais novos para mendigar pela orla da praia do Leme. No caminho, recolhiam jornais e papelões das lixeiras. Parado perto de um quiosque, Ubiraci quase desmaiou quando viu na televisão o noticiário RJTV, da TV Globo, usando imagens da entrevista feita com Flordelis e sua prole numerosa numa reportagem sobre a fuga. Encarando a câmera, uma repórter disse enfaticamente que a missionária estava sendo procurada pela polícia. O telejornal também mostrou imagens da casa da Rua Guarani, totalmente fechada, e entrevistas com Carmozina, Rose e até com o pastor Zé da Igreja, que afirmaram não ter a menor ideia do paradeiro da supermãe. Nos jornais impressos do dia seguinte, a grande família estampava as manchetes policiais.

Na edição de *O Dia* de 12 de julho de 1995, um alto de página tinha o seguinte título: "Procura-se Flordelis". Algumas mães biológicas de crianças levadas pela missionária foram até a polícia e contaram ter deixado os filhos na Rua Guarani acreditando se tratar de uma creche. Essas mulheres acusaram Flordelis diretamente de "roubo". No dia seguinte, as reportagens sobre o sumiço da missionária ganharam mais destaque porque o assunto era abordado na mídia feito novela. Com base em depoimentos de mães, o *Jornal do Brasil* estampou uma foto da cantora, acusando-a de sequestro. "Dona de creche desapareceu com 43 crianças", escreveu *O Dia*. Com tanta repercussão negativa sobre a "filantropia" da supermãe do Jacarezinho, os Wernecks resolveram suspender o repasse financeiro para a conta bancária de Anderson. Quando percebeu que o dinheiro não havia caído, ele telefonou para Pedro Werneck.

– Doutor Pedro, bom dia! Espero que o senhor esteja bem. Percebi que a sua caridade não chegou na minha conta. Aconteceu algum problema?

– Vocês estão sendo acusados de sequestro. Está em todos os jornais – ponderou o empresário.

– A imprensa está mentindo. Estamos fugindo porque a Justiça simplesmente quer tirar os nossos filhos.

– Onde vocês estão?

– Fixamos moradia debaixo de um viaduto e estamos passando fome. Se o senhor não contribuir mais com esse dinheirinho, três bebês de colo vão morrer de desnutrição. Pelo amor de Deus, doutor. Não deixe que isso aconteça. [...] A vida desses anjinhos está em suas mãos!

Para checar se a história contada por Anderson era verdadeira, os irmãos Werneck teriam passado discretamente de carro pelo viaduto. Comovidos com o que viram, os empresários não só voltaram a colaborar como ainda aumentaram os repasses para dois salários mínimos. Nessa época, eles vinham investindo no terceiro setor, contribuindo com causas humanitárias voltadas para a defesa dos direitos da criança e do adolescente e articulando doações com diversos empresários do Rio de Janeiro. Em 1998, fundaram oficialmente o Instituto da Criança, que mais tarde ficaria famoso a reboque da ascensão de Flordelis e sua vocação para a "caridade". Com o tempo, o trabalho dos irmãos Werneck cresceu e alcançou projeção internacional.

Em 2016, quando foi eleito uma das 100 melhores organizações não governamentais do mundo pela publicação suíça *The Global Journal*, o Instituto da Criança mantinha dezesseis projetos sociais, beneficiando mais de 3 mil pessoas. Uma dessas ações construiu, na época, 24 casas de alvenaria para desabrigados de uma das tradicionais enxurradas da região serrana do Rio, muito comuns nas viradas de ano. Para esse projeto, os Wernecks conseguiram levantar 4 milhões de reais com vinte empresários. No *high society* carioca, a família era conhecida pela falta de vergonha na hora de passar o pires em busca de colaboração financeira de empresários ricos para seu instituto. Certa vez, Pedro caminhava pela praia do Leblon quando encontrou, por acaso, o amigo Mário Pedro Moraes Rego, dono da grife Eclectic, e os dois sentaram-se despretensiosamente para tomar uma água de coco. No meio da conversa, Pedro engatou as histórias tristes dos menores abandonados, incluindo o trabalho "filantrópico" de Flordelis em resgatar meninos do tráfico. A lamúria convenceu o amigo a colaborar com os projetos do Instituto da Criança.

Com o dinheiro dos Wernecks no bolso, Anderson foi às compras todo sorridente. Chegou ao viaduto com sacolas cheias de marmitas com pratos feitos e refrigerante. Ao contar a novidade sobre o aumento da doação dos empresários, arrancou aplausos e gritos de euforia. Mas a alegria durou pouco. Carlos Ubiraci chegou com os jornais cariocas e suas páginas policiais noticiando a fuga alucinante de Flordelis, causando apreensão e medo. Nervoso, Anderson foi até um telefone público ligar para os velhos amigos das orgias na praia – Samir e Theo –, implorando socorro. "Me ajude a salvar essas crianças", suplicou. Preocupada, Flor foi ao encontro de Rose na Igreja Evangélica de Confissão Luterana no Brasil, no Jacarezinho. Da amiga, ouviu outra notícia aterrorizante: os traficantes do Comando Vermelho tentavam encontrá-la antes da polícia para executá-la a sangue frio, conforme havia sido prometido por Sandra Sapatão.

Os bandidos estavam irritados com Flordelis por ela ter atraído a polícia e a imprensa à favela, atrapalhando as atividades criminosas. Todas as vezes que uma viatura entrava na comunidade em busca de Flor, o comércio de drogas era interrompido e os traficantes se entocavam. Só botavam a cara ao sol novamente quando os policiais se retiravam. Da casa de Rose, Flor planejava visitar Carmozina e Laudicéia. Com medo de ser assassinada, porém, preferiu sair da favela imediatamente. A missionária caminhou a passos largos da igreja de Rose até a Praça da Concórdia, no centro do Jacarezinho, subiu na garupa de um mototáxi e seguiu até o estádio do Maracanã, onde pegou um ônibus rumo ao Viaduto San Tiago Dantas, em Botafogo. Embaixo do monumento, ela, seu filho-namorado e o núcleo duro da família, composto ali por Carlos Ubiraci, Simone, Wagner, Cristiana e André Luiz, fizeram uma reunião para decidir seus próximos passos. Com medo de perder a mãe, Simone propôs o retorno para a Rua Guarani e sugeriu entregar ao Juizado de Menores quem não tinha registro, como determinava o juiz Liborni Siqueira. Cerca de trinta crianças e adolescentes ouviram a sugestão da irmã mais velha e começaram a chorar. "Nem pensar! São todos meus filhos! Prefiro mil vezes a morte a me desfazer deles", esbravejou Mãe Flor. Anderson também descartou a possibilidade de entregá-los. "Nossos filhos são o nosso ganha-pão. Sem eles, perderemos a ajuda dos Wernecks. Sem eles, adeus mídia", argumentou o bancário.

À noite, Carlos Ubiraci pegou dinheiro com o "pai" e foi até a padaria. Comprou noventa pães franceses, 250 gramas de manteiga e cinco garrafas de refrigerante de dois litros, além de potinhos com papinhas para os três recém-nascidos. Um deles, aliás, vinha rejeitando o alimento e começou a preocupar Mãe Flor. Carlos Ubiraci, considerado o líder do rebanho, organizou o jantar. Para cada um dos "filhos" mais chegados, ele abriu com as mãos dois pães franceses, passou manteiga usando uma colher de plástico e serviu com refrigerante no meio da calçada. Depois, deu a cada um dos "secundários" um pão fechado e sem manteiga. Apesar de contribuir com o sustento da família praticando assaltos nas redondezas, Selma teve a manteiga negada, gerando o primeiro conflito no grupo. Marrenta, ela questionou em voz alta:

– Que critério você usou para escolher quem deve ganhar pão seco e quem deve ganhar pão com manteiga?

– Em primeiro lugar, abaixe esse tom! Em segundo lugar, não temos manteiga para todo o mundo, então eu priorizo quem está conosco há mais tempo – explicou o líder.

– Esse critério não me parece justo, pois nós saímos todos os dias para ajudar no sustento da família – argumentou Olival.

– Também quero manteiga porque eu trago uns bagulhos da rua pra cá! – exigiu Orelhinha.

– Infelizmente, regras são regras! – insistiu o gerente da turma.

Anderson e Flordelis discordaram de Carlos Ubiraci, mas resolveram não interferir para não tirar a autoridade do líder. Orientada sutilmente pela mãe, Simone retirou oito pães da sacola, passou manteiga e deu discretamente ao casal e aos dois "trombadinhas". Orelhinha e Xaropinho comeram e saíram para praticar assaltos em Copacabana. Olival agradeceu a oferta e recusou. Ele pegou sua namorada pelo braço e saiu para "jantar fora". Os dois entraram em um táxi na praia de Botafogo e pediram ao motorista para deixá-los na Central do Brasil. Quando o carro entrou no Viaduto Engenheiro Noronha, Olival puxou a pistola de pressão da cintura e apontou para a cabeça do motorista, anunciando o assalto. A ousadia foi cometida a poucos metros do Palácio das Laranjeiras, residência oficial do governador do Rio de Janeiro, uma área altamente vigiada por policiais do Batalhão de Operações Especiais (Bope) da Polícia Militar. Apavorado, o condutor deu cerca de 200 reais, ou seja, todo o dinheiro de um dia inteiro de trabalho. Olival e Selma desceram do táxi em frente ao Cemitério do Catumbi, entraram numa lanchonete e comeram hambúrgueres com Coca-Cola. Durante o jantar, o casal decidiu abandonar a grande família. Não pela treta envolvendo pão com manteiga, mas por decidir enveredar definitivamente para o crime. Com isso, não seria mais prudente ficar ao lado de Flordelis, que tinha a Justiça em seu encalço.

Na mesma noite, uma outra viatura da Polícia Militar encostou no viaduto e identificou Flordelis com os demais foragidos. Dois homens da lei chegaram bem na hora em que a trupe se arrumava para dormir. Enfático, um dos policiais ordenou que todos ficassem em pé, encostassem numa pilastra virados de costas e com as mãos na cabeça. Flor começou a chorar copiosamente, implorando para não machucarem ninguém. Um mendigo conhecido na área se aproximou e defendeu a supermãe, citando os cuidados dela com as crianças, principalmente com os bebês. O pedinte falou aos policiais que ela havia "adotado" até uns garotos de rua cuja moradia era o concreto do viaduto. "Agora eles fazem duas refeições por dia. Larga ela em paz e vão procurar bandidos no morro!", gritava a testemunha. Sabendo da fuga de Flor e seus "filhos", o policial a interrogou:

– A senhora sabe que está sendo procurada pela Justiça?

– Sei, sim senhor! – admitiu a missionária.

– De quem são essas crianças?

– São todas minhas! – reiterou.

– Prove que elas são suas!

– [Silêncio]

– Por que a senhora não entrega todas ao Juizado e acaba logo com isso?

– O senhor entregaria um filho seu? – perguntou Flor, emocionada.

– [Silêncio]

– Responda!

– A senhora está presa! – anunciou o policial.

Como era de se esperar, cerca de trinta "filhos" de Flor se juntaram a ela e se deram um abraço coletivo em meio a uma choradeira sem fim. Pelo rádio do carro, um dos policiais pediu um micro-ônibus para conduzir a grande família do viaduto à delegacia. No aglomerado de gente havia filha biológica, filhos afetivos, criança roubada, criança emprestada, três bebês e até meninos de rua agregados recentemente. Com dó, os mendigos também se juntaram e abraçaram todo mundo. Um dos policiais foi informado pela base: o veículo só chegaria dali a três horas. O choro coletivo continuava. Com os olhos ensopados, Rayane perguntou para onde iria. "Provavelmente para o orfanato", respondeu Mãe Flor. Um dos policiais finalmente se comoveu com a cena triste, mas se mostrou irredutível. Anderson tentou convencê-los a mudar de ideia usando um argumento poderoso:

– Seu policial, deixa eu te falar uma coisa com toda a honestidade deste mundo: essas crianças realmente não são nossas. Tem menino aí nesse meio que não sei nem o nome, muito menos quem são seus pais, admito. Esses três bebês nem sei como vieram parar aqui. Somente essa garota é filha biológica da Mãe Flor [ele aponta para Simone]. O resto a gente recolheu da rua. Tá vendo aquelas sacolas ali no chão? São alimentos. A gente comprou comida para esses meninos com o nosso dinheiro. Sabe para onde eles vão depois que vocês os entregarem ao Juizado? Vão todos para um abrigo. Ficarão lá esperando eternamente por uma adoção. Mas quem vai acolher essas pobres criaturas? Ninguém, pois no Brasil a maioria das famílias só quer adotar crianças de pele branquinha, olhos clarinhos e cabelinhos loirinhos bem lisinhos, feito espiga de milho. Sem a menor perspectiva de ganhar um lar, esses meninos pretos vão sair do abrigo com 18 anos diretamente para a rua. Sem trabalho, vão assaltar, sequestrar, traficar e matar. Olhem bem no rosto de cada um deles. É bem possível que vocês, policiais, algemem um deles no futuro...

Morando na rua, Anderson amadureceu, desenvolveu a oratória e aumentou seu poder de convencimento, tornando-se um líder nato. Ele já havia cultivado o hábito da leitura, dando preferência por livros religiosos. Esse combo – leitura, boa oratória e liderança – seria usado mais tarde para alavancar a carreira de Flordelis como cantora e pastora, e até a sua própria como pregador. Depois de ouvir Anderson falar, os policiais se convenceram: era muito melhor deixar aquelas crianças sob os cuidados da dupla embaixo do viaduto do que levá-las para uma casa de acolhimento. Na mesma madrugada, Samir e Theo chegaram com um caminhão e resgataram a grande família. Houve festa quando a molecada subiu na carroceria e seguiu pelas avenidas Atlântica, Vieira Souto e Delfim Moreira, passando pelas praias de Copacabana, Ipanema e Leblon. Com medo da perseguição policial, Selma, Olival, Orelhinha e Xaropinho abandonaram a turma e se jogaram definitivamente na criminalidade.

Os amigos de orgia levaram Flor e seus filhos para uma casa ampla, de alvenaria, no bairro do Irajá, na zona norte, próximo de onde Theo morava. Sem proprietários conhecidos, o lugar estava abandonado desde 1985, quando o marido do casal que alugava o imóvel morreu, aos 95 anos, e a viúva foi para um asilo no Rio Comprido.

Para invadir a residência, Anderson, Theo e Samir arrombaram a porta de madeira maciça da cozinha com chutes. Comparado com o casebre da Rua Guarani, o endereço do Irajá era um paraíso. Recuada, a habitação tinha cinco quartos grandes com camas de solteiro, suíte com cama de casal, garagem para cinco carros e pátio descoberto com piso de cimento, além de três banheiros e cozinha com fogão, geladeira, armário e mesa para seis pessoas. A sala espaçosa, em L, contava até com sofá, poltronas e televisão.

Quando Simone se deparou com o "luxo", pediu para Cristiana beliscá-la, tamanho era o sonho. Os muros ao redor eram baixos e no quintal havia um campo de futebol com acesso livre para a rua de trás. Nos finais de semana, moradores da região jogavam peladas no terreno. Carlos Ubiraci organizou o mutirão para capinar, lavar e faxinar o lugar. Parte das telhas de barro teve de ser arrumada para eliminar as goteiras. Samir bancou os pequenos reparos, Theo comprou o material de limpeza e, no dia seguinte, a grande família estava acomodada. Anderson e Flor ocuparam a suíte, de acesso restrito – às vezes, André Luiz e Simone dormiam lá. Os três bebês foram acomodados num único colchão, posto no chão para evitar que caíssem. Como não havia cama para todos, alguns "filhos" acomodaram-se em papelões pelo chão da sala e outros tiveram de dormir na garagem, ao relento, pois Flor não queria ninguém deitado pelos corredores de sua casa nova, empatando a passagem.

No dia seguinte, como de praxe, uma parte saiu para mendigar nas ruas de bairros nobres. Depois de fazer um "gato" no fornecimento de energia elétrica, Anderson ligou a TV e se deparou com mais reportagens falando da fuga fantástica de Mãe Flor e seus filhos "roubados". No final da tarde, quando os meninos chegavam da rua, a casa virava um pardieiro. Flor, Simone e Cristiana gritavam com a molecada, pedindo para não fazerem barulho, mas os mais velhos batiam nos mais novos e a choradeira reinava. Quando o excesso de ruído começou a incomodar a vizinhança, uma moradora do bairro, conhecida como Dona Noberta, de 65 anos, bateu na porta para xeretar. "Você é a Mãe Flor, né? Eu vi sua história na televisão", anunciou. Desconfiada, a missionária não disse "sim" nem "não". Anderson pediu para a senhora entrar e repetiu a ladainha de sempre. "Tá vendo esse monte de meninos? São todos nossos filhos. A gente precisa de comida para eles", pediu. Dona Noberta contou 21 cabeças no dia dessa visita, incluindo os três bebês. Um deles, inclusive, estava com sinais aparentes de desnutrição e com o corpo quente de tanta febre.

– De quem são essas crianças de colo? – perguntou a visita.

– São minhas filhas! Elas não são lindas? – comentou Flor, emocionada.

– Como elas se chamam?

– Ainda não deu tempo de colocar nome. A gente chama a primeira de bebê, a segunda de neném e a terceira de filhotinha. Mas nem sei quem é quem, porque elas não têm roupinhas – contou Simone, que embalava uma delas no colo.

– Se essa menina não for levada ao pronto-socorro urgentemente, vai morrer de tanta febre – alertou dona Noberta.

– Acontece que, se entrarmos num hospital público, seremos presos. A polícia está atrás da nossa família. A Flor está estampada em todos os jornais como foragida da Justiça – ponderou Anderson.

A bebezinha doente tremia e passou a babar e fazer cocô aguado. Para piorar, teve candidíase oral, feridas popularmente chamadas de sapinho. Na correria da polícia, os nenês estavam sem tomar banho havia dez dias, o que contribuía para a proliferação de todo tipo de fungo e bactéria. Para aplacar a febre, Cristiana esfregava uma fralda molhada no corpo da criança. Flor contou uma história triste para Noberta: segundo ela, uma moradora de rua viciada em cocaína havia parido a filha prematuramente num canteiro da Praça Procópio Ferreira, às margens da Avenida Presidente Vargas, no Centro do Rio. Sem leite e sem a menor vontade de ser mãe, a mendiga teria colocado a menina para morrer dentro de uma caixa de sapatos. "Isso mesmo! Era tão miudinha que cabia numa caixa de sapatos. Dá para acreditar? A mãe fechou com a tampa como se fosse um caixão. Eu a acolhi como filha", reforçou Flor, debulhando-se em lágrimas. Noberta também chorava com a história comovente. "Você é uma flor de pessoa", reverenciou a vizinha. "A senhora acha que ela tem quantos meses?", indagou a missionária. "Deve ter uns dois", arriscou a visita. "Nada! Ela está subnutrida porque nasceu prematura, no sétimo mês de gestação. Tem quase seis meses, mas parece que nasceu na semana passada", completou. Estarrecida com tanta desgraça, Noberta saiu aflita e impressionada com a aparente benevolência da supermãe. No dia seguinte, voltou com várias sacolas contendo macarrão, arroz, feijão, leite, latas de carne em conserva, muitos ovos e três mamadeiras para os nenês.

A vizinha pegou um termômetro e mediu a temperatura da bebê febril pelo ânus: estava beirando os 41 graus. Nessa visita, chamou a atenção da vizinha o fato de a nenê estar queimando em febre num colchão posto no chão do quarto, ao mesmo tempo que adolescentes jogavam futebol no quintal e crianças maiores assistiam à *TV Colosso* na sala. Enquanto isso, os mais velhos, Carlos Ubiraci, Wagner e Alexsander, conferiam os itens das sacolas de supermercado levados gentilmente por Noberta como se as compras fossem uma encomenda. "Tá tudo aqui", atestou Carlos Ubiraci. "Eles eram todos meninos de rua, por isso ficam ansiosos quando chega alimento", justificou Anderson, meio constrangido. Noberta saiu para providenciar um berço para os bebês. Flor entrou na cozinha e assumiu o comando: "Simone e Cristiana, preparem o almoço! Rayane, dê as mamadeiras para os bebês. Faça de tudo para a doentinha comer!" O bebezinho com febre continuou rejeitando alimento e já não tinha mais forças nem para chorar. No entanto, a vida na casa não parava. Do quintal, ouviam-se gritos de marmanjos comemorando os gols, enquanto a cadela Priscila dançava na tela da televisão, despertando risos na plateia.

Na hora de servir a refeição, Flor foi até o fogão e abriu panela por panela. Percebeu que a carne em conserva preparada com molho de tomate levada por Noberta não daria para todos. A missionária decidiu servir primeiro os mais chegados: Simone, André Luiz, Carlos Ubiraci, Cristiana, Wagner e Rayane. Os demais "filhos" deveriam esperar os mais importantes comerem para se servirem das sobras. A cena era humilhante, pois todos estavam com fome e o cheiro do almoço impregnava a casa. Mas alguns realmente eram obrigados a aguardar. No momento dessa divisão, Theo chegou com um saco contendo vinte pães franceses e testemunhou como Flor era injusta na hora de repartir a comida. Anderson defendeu o critério das refeições usando as regras da aviação civil. "Quando a cabine do avião despressuriza, eles mandam pôr as máscaras de oxigênio primeiro nos adultos. Só depois nas crianças", disse, mesmo sem nunca ter embarcado num voo. Theo tentou explicar a lógica dessa norma: a máscara tem de ser posta antes no adulto para evitar que ele desmaie com falta de ar e deixe os filhos pequenos sem socorro, até porque eles não conseguem alcançar a proteção, que despenca do teto do avião e fica pendurada no alto. Flor foi mais direta. "Theo, aqui as coisas não funcionam sem disciplina. Tem gente aí na sala que até 'ontem' era menino de rua. A gente adotou lá no viaduto. Você acha justo eles almoçarem primeiro? Além do mais, na minha casa quem dita as regras sou eu!", avisou, meio irritada, encerrando a discussão. Em seguida, alternando suas emoções bruscamente, ficou dengosa. Aproximou-se de Theo queixando-se de estresse. No ouvido do amigo, pediu para ser levada dali até um motel, pois precisava relaxar um pouco. "Quebra esse galho, amigo. Estou tão cansado, e a Flor é insaciável, você sabe... Faz isso por mim", esquivou-se Anderson. Theo pediu um tempo. Saiu do Irajá dizendo que voltaria em meia hora com mais comida e nunca mais retornou. De lá, seguiu até um telefone público e ligou para o Juizado da Infância e Juventude, denunciando Flor e Anderson. Passou para um oficial o local em que a missionária se escondia.

Na década de 1990, não era fácil chegar ao endereço do Irajá sem muitas referências. O bairro enorme tinha muitas ruas homônimas, e a numeração era confusa, pois não seguia uma ordem lógica. Três viaturas e um ônibus da Justiça do Rio de Janeiro circulavam pela vizinhança. Curiosa, Dona Noberta perguntou aos policiais como poderia ajudá-los. Ao ser questionada se havia visto Flordelis e sua filharada pelas redondezas, a senhora fez sinal afirmativo. "Vi, sim! Ela esteve aqui pedindo comida mais cedo. Mas está morando para os lados de Turiaçu, do outro lado da Avenida Brasil. Vá até lá, seu guarda! Prenda essa bandida, mas não diga que fui eu quem a dedurou. Pelo amor de Deus! Morro de medo daqueles marginais de igreja", falou Noberta. Era um blefe. As viaturas estavam a duas quadras da casa e a vizinha só passou informação falsa aos policiais para ganhar tempo. Assim que a radiopatrulha virou a esquina, ela correu para alertar Flordelis. Não deu tempo nem de a grande família terminar a refeição: os maiores pegaram os menores pelos braços, saíram pelo quintal, cortaram o campo de futebol e alcançaram a rua de trás, formando novamente a centopeia humana. Anderson e Flor resgatavam documentos das gavetas para sair dali o mais rápido possível, enquanto Carlos Ubiraci e Alexsander trancavam portas e janelas. Ainda havia gente na casa quando alguém esmurrou a porta.

– Quem é? – perguntou Alexsander.

– É a polícia. Abre ou vamos arrombar. Temos um mandado!

– Só um minuto. Estou nu. Vou pôr uma roupa e já volto – mentiu Alexsander.

Enquanto ganhava um tempinho, Anderson levou o dedo indicador até a boca, implorando silêncio. Flor pegou os últimos "filhos" pela mão sem fazer barulho e saiu de mansinho, pisando na ponta dos pés. Noberta também escapou às pressas e muda pelo quintal. Em menos de três minutos, Alexsander abriu a porta da sala e dois policiais entraram esbaforidos. Armados, vasculharam todos os cômodos da casa. Abriram armários e gavetas. Levaram um susto quando encontraram a bebezinha sem nome desnutrida e toda suja de fezes deixada para trás. Alexsander tentou aplicar uma mentira, dizendo que era sua filha. "Mostre a certidão de nascimento", exigiu o policial. Não havia documento algum. Chamaram uma ambulância pelo rádio e a menina foi levada à emergência de um hospital público qualquer. Flor só sentiu falta da bebê quando alcançou a Praça Caraguatá, ainda no Irajá. Simone carregava um dos nenês, e Cristiana levava o outro. "Esquecemos dela!", justificaram-se. Flor ficou apavorada com a possibilidade de a neném morrer e Alexsander ser preso. Desesperado, Anderson ligou para Theo e Samir, suplicando ajuda aos amigos de orgia. Desconfiados das intenções do casal protestante, porém, ambos haviam cortado relações para sempre. Para escapar do cerco policial, Flor e sua centopeia humana seguiram calados pela estrada Padre Rose até alcançarem a Avenida Meriti, deixando o Irajá a pé e sem parar nem mesmo para beber água. Cortaram o bairro Brás de Pina inteirinho e, depois de uma longa caminhada, chegaram à favela Parada de Lucas, já de noite. Rayane não conseguia mais ficar em pé, de tão cansada. As tiras de suas sandálias Havaianas se romperam e ela fez um terço do percurso descalça. Quando se queixava de dores, Flor associava seu sofrimento aos tormentos de Jesus Cristo na Via Sacra, o trajeto percorrido por ele carregando a cruz desde o pretório até o Calvário, onde, segundo a Bíblia, morreu crucificado. No novo destino, Flor e Anderson pararam para descansar sob a marquise de um prédio comercial numa noite de chuva. Para se livrar do frio, a filharada ficou amontoada feito uma família de jacarés, lado a lado, até com uns por cima dos outros. Wagner conseguiu papelão e plásticos de lixo para cobrir todo mundo. Por volta das 20 horas, Flor fez um culto. Nesse momento, Carlos Ubiraci, com 22 anos, encoxou Cristiana. Já rolava uma atração sexual entre os dois, mas eles resistiam a transar, com medo de pecar, já que eram "irmãos". Mesmo assim eles deram o primeiro beijo. Apaixonados, prometeram nunca mais se largar. Mãe Flor abençoou o casal fraterno, mas divulgou uma regra na família: os "filhos" só poderiam se relacionar entre si com sua autorização prévia. Em seguida, todos dormiram famintos, com sede e mortos de cansaço. Sem tirar toda a roupa, Carlos Ubiraci e Cristiana teriam transado ali mesmo, na rua, cobertos por papelões, ao lado de crianças.

Por volta das três da madrugada, Flor acordou e percebeu uma caminhonete preta de vidros escuros parada com mais três carros logo atrás. Um dos vidros das janelas do veículo desceu e ela pôde ver fuzis e metralhadoras apontados em sua direção. A missionária cutucou Anderson por baixo dos papelões e ele pediu para a mulher ficar quieta. Depois de vinte minutos de sentinela, os carros deram partida e embrenharam-se para a parte mais distante da favela. O casal, apavorado, não conseguiu mais dormir. Lentamente, Flor levantou-se, caminhou deprimida até a esquina deserta e desabou no pranto. Chorou com medo de morrer e com saudade de Flávio e Adriano, os filhos biológicos deixados com Laudicéia e já morando com a avó, Carmozina. Sentiu-se culpada pelo destino da bebê adoentada deixada para trás e com receio do que poderia ter acontecido com Alexsander, que fora diagnosticado recentemente com autismo. Anderson foi confortá-la. A missionária, então, começou a questionar a razão daquela fuga sem pé nem cabeça, em sua avaliação:

– Para onde vamos, meu amor? Olha só para o nosso estado deplorável. Estou faminta, com sede. Esses meninos estão passando fome. Eles não têm colchão para dormir, nem teto para se proteger da chuva. Somos procurados ao mesmo tempo pela polícia e por traficantes. Veja você, meu filho... tinha um emprego no Banco do Brasil e morava com os seus pais. Eu dava aulas. Ou seja, tínhamos nosso dinheiro. Era pouco, mas dava para sobreviver. Agora não temos nada. Onde nós erramos ao traçar e executar um plano tão nobre como tirar meninos da rua e adotar como se fossem nossos filhos? [...] É melhor nos entregarmos para a Justiça e acabar logo com isso de uma vez. Do fundo do meu coração, acho que Deus nos abandonou definitivamente... Não tenho mais forças para seguir, confesso. Nem acho justo continuar ao seu lado nem como mãe, nem como mulher, pois não tenho muito para te oferecer.

Emocionado, Anderson ajoelhou-se na calçada, segurou a mão da amada, olhou em seus olhos e disse palavras que mudariam para sempre a vida de ambos:

– Deus jamais desistiria da gente, minha mãe, minha mulher, minha vida! Nem dos nossos filhos, nem dos meus irmãos. Estou ao seu lado e estarei para sempre. Até o final. De perto de ti, meu amor, só saio morto. Um dia você me ensinou que, às vezes, Deus nos leva por caminhos árduos até chegarmos ao paraíso. Se cremos Nele, cremos também em milagres. Lembre-se que Ele abriu o Mar Vermelho para Moisés, derrubou o gigante Golias para Davi, pôs Jesus no ventre de Maria, concebido pelo Espírito Santo... Deus é fiel e justo, amor. Não tem por que nos virar as costas. Há de haver um sinal, uma luz, um caminho. Mãe Flor, acredite na força de Deus! Há de haver um milagre também para nós – pregou Anderson.

Os dois se abraçaram de joelhos, molhados com a água da chuva e das lágrimas. Na aurora, testemunharam o que acreditaram ser um "milagre". Pelo menos vinte "filhos" ainda dormiam sob a marquise quando as quatro portas metálicas do comércio ali localizado foram abertas quase ao mesmo tempo, despertando todo mundo com o barulho estridente. Mesmo cansada, a família foi obrigada a se levantar para liberar a entrada do estabelecimento – uma das maiores padarias do bairro, chamada Cantinho do Trigo. Simpático, seu Miro, o proprietário, perguntou o que eles faziam deitados em sua calçada. "Nossa Senhora de Fátima, tem até dois bebês!", espantou-se o padeiro. Como era de se esperar, Anderson contou com detalhes o drama de seus "filhos", pontuando a fome que estavam passando desde a saída do Irajá. Miro identificou Flordelis das reportagens na televisão e mandou todos entrarem. No banheiro dos fundos, onde os funcionários vestiam o uniforme de trabalho, todos tomaram uma chuveirada e, depois de vestirem a mesma roupa suja, foram conduzidos a um salão com mesas e cadeiras. Como se fosse um anjo, o comerciante permitiu que, durante uma hora, pegassem o que quisessem na padaria. Incrédulos, Flor e Anderson entreolharam-se estupefatos. Pediram calma aos "filhos", que se empolgaram. Dessa vez, a comilança não teve critério: eufóricos, pegaram pães doces e salgados, sucos, café preto, café com leite e refrigerante. Exageravam na manteiga. Fizeram sanduíches, usaram toda a variedade de queijos disponível, consumiram tortas, bolos, crepes e tapiocas. Pediram ovos mexidos, cozidos, *poché*. No meio do escarcéu, Flor inventou de fazer uma oração em agradecimento, mas ninguém deu ouvidos. "Eles podem comer coisas finas, como croissant, farinha láctea e Nescau?", perguntou Anderson. "Por uma hora, vocês podem comer tudo que tiver aqui dentro. E corram que o tempo tá passando", reiterou seu Miro. Avançaram nas frutas, cereais, geleias e vitaminas. A euforia era tanta que os primeiros clientes do dia entravam na padaria e saíam logo em seguida por causa da balbúrdia.

Encerrado o tempo da boca-livre, Miro chamou Anderson e Flor ao escritório da padaria e tudo foi esclarecido. Não houve milagre coisa nenhuma. A caminhonete da madrugada, exibindo metralhadoras e fuzis, era conduzida por José Roberto da Silva Filho, de 35 anos, conhecido como Robertinho de Lucas, o bandido mais procurado do Rio de Janeiro ao lado dos líderes do Comando Vermelho – como Marcus Vinícius da Silva, o Lambari, e a destemida Sandra Sapatão. Robertinho comandava o tráfico de drogas na favela Parada de Lucas e disputava o comércio de papelotes de cocaína na cidade com o

Comando Vermelho. Ou seja, era inimigo mortal de Lambari e Sandra Sapatão. Nessa época, Flor era conhecida como "madrinha do tráfico" por ter resgatado meninos das mãos dos criminosos, como ocorreu com Carlos Ubiraci e André Luiz. Desde que a Polícia Militar passou a entrar de forma recorrente no Jacarezinho para cumprir o mandado judicial contra Flor e seus infantes, os negócios do Comando Vermelho na favela sofreram prejuízo, ao mesmo tempo que as vendas das drogas de Robertinho de Lucas aumentavam. Mal tinha acabado o café da manhã, Robertinho entrou para se apresentar a Flor e Anderson.

Armado até os dentes, o bandido contou ter arrumado uma casa de três andares na favela para toda a família. A comunidade ajudou com mobília e alimentação. Havia, porém, uma condição para que ele escondesse Mãe Flor da polícia: que o casal não chamasse nenhum jornalista para a comunidade, por motivos óbvios. "Se tiverem de dar entrevistas para a televisão, façam isso bem longe da nossa favela", alertou um bandido identificado como Príncipe do Pó, braço direito de Robertinho de Lucas, que completou: deixaria os dois filhos pequenos com Flor durante o dia, pois sua esposa trabalhava no cafofo onde era feita a endolação da cocaína. Robertinho também levaria o herdeiro, Romulo Oliveira da Silva, de 3 anos, para "brincar com as crianças da mesma idade", como justificou. Com o tempo, a nova casa de Mãe Flor virou uma creche para a garotada das mulheres do tráfico e recebia até dez cabeças por dia. Sem nenhum poder de argumentação, Anderson e Flor aceitaram as exigências, até porque o comércio de drogas abastecia sua despensa.

Com a família instalada, a primeira providência foi resgatar a bebê doente levada pela polícia. Para isso, Flor teria de encontrar Alexsander. Como Simone e Cristiana se sentiam culpadas por ter esquecido a "irmãzinha", saíram atrás de pistas. Voltaram ao Irajá e encontraram Noberta, que havia acolhido Alexsander. O jovem contou que a polícia levara a bebê para a emergência de um hospital para os lados de Botafogo. Munidas de um telefone fixo e de uma lista telefônica disponibilizados por Noberta, as duas ligaram para todos os pronto-atendimentos do bairro perguntando por um bebê sem referência familiar. Depois de três horas ligando para lá e para cá, descobriram que a menina estava no Hospital Municipal Rocha Maia. Os "irmãos" seguiram até o endereço com um plano em mente. No balcão, Cristiana se identificou como mãe da nenê e conseguiu falar com a médica responsável pelo tratamento da paciente. "Esse bebê tem raquitismo, uma doença rara causada por deficiência nutricional de vitamina D, cálcio ou fósforo e por fatores genéticos. Atinge principalmente os ossos, comprometendo sua mineralização, deixando as pernas envergadas. Qual a idade dela?", indagou a médica. "Seis meses", respondeu Cristiana. "Você está enganada. Essa criança tem quase 2 anos. Veja os dentes, já nasceram quase todos, apesar de estarem subdesenvolvidos e tortos. Já era para ela estar andando ou pelo menos engatinhando. No entanto, a doença impediu que seu corpinho se desenvolvesse... Você realmente é mãe dessa menina?", inquiriu a médica, desconfiada. Cristiana ficou receosa e não respondeu.

Uma enfermeira que testemunhava a conversa ligou para sua chefe e foi orientada a acionar a Delegacia da Criança e do Adolescente para averiguar o caso. Enquanto isso, Simone foi ao encontro de Flordelis e informou o paradeiro da bebê. A missionária correu para o local e ficou do lado de fora, com receio de ser reconhecida. Então, ordenou que Cristiana roubasse a bebê sem nome ainda naquela madrugada. A garota voltou ao hospital, passou despercebida pela recepção e seguiu até o leito da emergência. Logo em seguida, uma equipe da Polícia Militar chegou para averiguar a comunicação feita pela enfermeira. Como a criança estava com hipofosfatemia, deficiência de cálcio e de vitamina D, a médica havia aplicado nela um soro endovenoso. Mas Cristiana não pensou duas vezes: arrancou a agulha do bracinho da "irmã", enrolou-a num lençol e saiu pela porta dos fundos, sem se dar conta do risco dessa ação. Quando os policiais chegaram ao leito, o berço já estava vazio.

Flordelis pegou a "filhinha" dos braços de Cristiana e seguiu para a nova casa na favela, onde a polícia jamais chegaria. Lá, batizou a menina de Roberta e organizou uma festa para celebrar seu retorno. As comemorações, porém, foram azedadas com a aparição surpreendente de Carmozina, que estava com cara de poucos amigos. Simone havia dado o endereço na Parada de Lucas para Flávio, que repassou as diretrizes para a avó. A bruxa caminhou por todos os cômodos da nova casa, olhando para teto, piso e paredes, observou cada móvel e conferiu quantos "filhos" havia. Soltando fogo pelas ventas, a velha mostrou uma série de recortes de jornais populares nos quais Flor era descrita como "bandida", "sequestradora de crianças", "desclassificada", "procurada pela polícia", "foragida", "fugitiva", "facínora", "surucucu", "ladra" e "malfeitora". "Você está escandalizando o reino dos céus e jogando a reputação da nossa família no lixo. Ainda por cima, continua dormindo com um dos meninos que chama de filho!", esbravejou. Carmozina ordenou que Anderson e Flor se entregassem imediatamente. Caso contrário, ela mesma os denunciaria à polícia. Com medo das ameaças da mãe, Flor resolveu novamente levantar acampamento com sua comitiva. Mais uma vez, Robertinho de Lucas estendeu a mão à missionária e emprestou uma casa às margens da Avenida Brasil para abrigar toda a família. Mas o novo local era perigoso, pois servia de base para ações criminosas do tráfico, principalmente quando havia confronto de bandidos com policiais militares ao longo da via expressa. Restou à centopeia humana ficar entocada lá por um tempo, escondida principalmente de Carmozina, que havia se tornado uma ameaça.

Anderson não concordou com as interferências da bruxa do Jacarezinho no destino da família, mas evitou entrar em confronto. Por ele, todo o mundo continuaria na primeira casa oferecida por Robertinho de Lucas, aparentemente mais segura. Esperto e visionário, o bancário traçou um plano para capitalizar a condição de foragido da Justiça. Com o aval da companheira, ligou para o Centro de Defesa da Criança e do Adolescente (Cedeca), uma organização não governamental, e pediu orientação para se entregar formalmente. Inspirado em filmes policiais hollywoodianos, em que sequestradores exigiam falar com a imprensa sobre resgate, quis que a ONG organizasse uma entrevista coletiva para Mãe Flor. A ideia era fazer um acontecimento midiático do fim da "perseguição policial e transformar a matriarca em uma celebridade carioca. Desde a saída do Jacarezinho, a centopeia humana já havia percorrido 57 quilômetros pelo Rio de Janeiro em cinco meses. Ou seja, já era hora de parar. Via assessoria de imprensa, o Cedeca se encarregou de chamar os jornalistas anunciando a tão esperada rendição de Mãe

Flor, agendada para dali a uma semana na sede da entidade. No dia marcado, Flor e Anderson vestiram roupas novas, providenciadas pelos funcionários da ONG. Diante de holofotes e de câmeras de televisão, a fugitiva falou para toda a imprensa fluminense ao lado do companheiro e de todos os "filhos", incluindo os três bebês: "Sou mãe de todas essas crianças. Por elas, sou capaz de enfrentar a polícia, traficantes, juízes e desembargadores. Nada me detém! Sou capaz de matar para proteger a minha cria como qualquer mãe. Esses meses em que estivemos fugindo, moramos debaixo do viaduto, dormimos na soleira da calçada cobertos pelas páginas dos jornais que me chamavam de criminosa. Reviramos lixo em busca de comida. [...] Faria tudo de novo se preciso fosse porque meus filhos são tudo para mim!", anunciou a pastora. No final da coletiva, citou a Bíblia (126:5-6): "Deus me disse que os tempos difíceis não duram para sempre. 'Aqueles que semeiam com lágrimas, com cantos de alegria colherão. Aquele que sai chorando enquanto lança a semente voltará com cantos de alegria, trazendo os seus feixes'. Até os tempos mais difíceis passam. A alegria de Deus sempre vence. Essa é a maior lição que minha família vai tirar da experiência de viver escapando da Justiça em nome do amor incondicional que eu e meu companheiro sentimos pelos nossos filhos". Flor também despertou o interesse dos repórteres quando falou das ameaças de morte feitas pelo Comando Vermelho. "Quem governa o Jacarezinho é o Comando Vermelho!", disse, enfática, como se isso fosse alguma novidade. No dia seguinte, ela estava em todos os jornais com manchetes favoráveis, embora alguns títulos ainda mostrassem equívocos: "Dona de creche teme ser morta", publicou o jornal *O Dia*, e "Flordelis ficou desaparecida com medo de ameaças", estampou o *Jornal do Brasil*. Anderson comprou todos os periódicos e lia em voz alta, rindo de orelha a orelha e destilando orgulho por todos os poros.

Estrela da "bondade" e da "filantropia", Flor foi convidada pelo pastor Zé da Igreja para pregar e cantar num culto dominical em sua homenagem na Assembleia de Deus do Jacarezinho. Vestida com saia bege e blusa azul-bebê de mangas compridas, com babados, subiu ao púlpito diante de uma multidão e pegou um microfone sem fio. Nesse dia, desabava sobre o Rio de Janeiro uma tempestade colossal, mas a igreja lotou mesmo assim. Todo o mundo queria ver a missionária famosa e seus filhos. O templo teve as portas cerradas e fechadas à chave assim que atingiu a lotação máxima. Na pregação, Flor falou de mensagens enviadas a ela por seres celestiais durante o tempo de sacrifício nas ruas e terminou com uma profecia: "Houve um momento em que fraquejei, confesso. Mas meu anjo Anderson segurou minha mão e me puxou do poço da melancolia, onde jazem os fracassados. Então ouvi a voz poderosa de Deus bradando dos céus: finalmente você e sua família chegaram à plenitude, à fina flor. Minha vida agora será de salvação e poder. [Glória a Deus!]. A bem da verdade, Jesus Cristo nunca soltou a minha mão nessa jornada pelas ruas escuras da cidade, onde me escondi feito uma meliante. [Glória a Deus!]. Ele me disse com todas as letras: sua saga ainda não acabou, filha! O Diabo será enviado à Terra na pele dos meus acusadores. Mas Deus vai derrotar todos eles! Um por um! [Glória a Deus!]. Jesus Cristo me disse! Ele fala comigo todos os dias! [Glória a Deus!]. Sobre a Terra e o mar virá o terror, pois Satanás ainda vai descer até o seio da minha família com grande fúria, sabendo que me resta pouco tempo..."

No final da pregação, com o temporal ainda caindo, Mãe Flor fez um *pocket-show* com canções gospel e foi bastante aplaudida. O pastor Zé da Igreja, então, aproveitou o engajamento da missionária, pegou o microfone da mão dela e pediu ao seu rebanho uma ajuda financeira de forma nada sutil. "Irmãos, prestem atenção no que vou lhes dizer agora: vivemos numa carestia infernal. São dias difíceis. A nossa igreja está operando no vermelho faz tempo. É uma sangria sem fim. Nem todo o mundo está pagando o dízimo, o que é pecado. Deus está tão triste com esse calote profano que suas lágrimas estão caindo do céu em forma de chuva desde cedo. Mas hoje é o dia de alegrar o reino celestial. Vamos aproveitar que a igreja está lotada para promover o desafio da fechadura. Todas as portas do templo foram trancadas. Passamos seis voltas de correntes e fechamos com cadeados. Estamos presos na casa de Deus. Querem privilégio maior do que esse? O *Supra summum* determinou que só devemos abrir a fechadura para quem doar todo o dinheiro que carregar consigo. Eu disse TODO. Esse dinheiro não é para a igreja, quero deixar isso bem claro. É para o Todo-Poderoso! À medida que vocês forem doando, as lágrimas do Altíssimo vão secando e a chuva cessará. Deus aceita dinheiro vivo, cédulas, moedas e cheques. Também temos uma maquineta de plástico para passar cartão de crédito. É uma tecnologia de ponta que imprime recibo com papel carbono. Quem não tiver dinheiro nem cartão de crédito vai assinar uma nota promissória sagrada doando a Deus *a posteriori*. Nossas obreiras estão localizadas em pontos estratégicos, perto de cada porta, para recolher a graça de cada um de vocês. Ah, mais uma coisinha: Deus condena a vaidade! Estou vendo aqui do alto alguns fiéis usando anéis, brincos, cordões, pulseiras e relógios. Não pode! É pecado! Hoje é um dia propício para se livrar dessas indumentárias do Satã. Tem uma lixeira especial no final do corredor para jogar isso tudo fora. Um aviso importante: metade de tudo que for arrecadado hoje será repassado à causa dessa mulher de alma nobre chamada Flordelis. Uma salva de palmas para ela..." Os fiéis formaram uma fila indiana e a porta só era aberta quando alguém pagasse alguma quantia. As doações variavam de 1 a 20 reais. Na tal lixeira, foram jogados vários tipos de acessório. Ingênuos, Flordelis e Anderson esperaram até o final do culto acreditando que Zé da Igreja realmente repassaria dinheiro para ajudá-los no sustento da família, conforme anunciado. "Não tem nada para vocês, seus devassos!", retrucou o pastor, acusando Flor de ofender a igreja ao dormir com um de seus "filhos".

O golpe de Zé da Igreja abriu os olhos de Anderson e Flor. Eles nunca mais pisaram na Assembleia de Deus do Jacarezinho e passaram a sonhar com o dia em que teriam o próprio ministério para colocar em prática esse tipo de arrecadação. O bancário começou a estudar sobre empreendedorismo religioso e não parava de pensar na forma como a Assembleia de Deus fazia dinheiro desde a época do pastor Demóstenes. No dia seguinte ao culto, no entanto, o casal teria de começar a descascar um abacaxi enorme, já que falar com a imprensa não resolveu todos os problemas. A Vara da Infância e Juventude havia marcado uma audiência para Mãe Flor se apresentar formalmente dali a três semanas. Com medo de perder seus "filhos", Anderson ligou para os irmãos Werneck pedindo assessoria jurídica e relatando os dissabores de morar numa área de confronto permanente entre policiais e traficantes. Os empresários e seus advogados procuraram a Justiça com uma pergunta simples e objetiva: o que seria preciso para regularizar a situação de Flordelis? Nessa época, o titular da Vara da Infância e Juventude era o juiz Siro Darlan. Em seu gabinete, o magistrado foi curto e grosso na resposta: "Basta ela andar na lei, legalizando a adoção das crianças, oferecendo um lar estruturado, bem longe da favela, para todas elas e principalmente mantê-las bem alimentadas e matriculadas na escola". A dupla de irmãos se comprometeu com o juiz a oferecer dignidade à família, e Darlan deu um prazo de trinta dias para os Wernecks apresentarem a ele uma casa decente para abrigar Flor e seus anjinhos.

Polêmico e midiático, o juiz Siro Darlan tornou-se figurinha batida no noticiário nacional desde a segunda metade da década de 1990, quando teve início o processo de ascensão de Flordelis como figura pública. O caminho dos dois se cruzou pela primeira vez na Vara da Infância e Juventude do Rio, comandada pelo magistrado por catorze anos. Suas canetadas ganhavam o noticiário ora pela irreverência, ora pelo escândalo. Ainda juiz de primeira instância, provocou perplexidade com decisões tidas como exageradas, resvalando na censura – uma delas ocorreu no ano 2000, quando determinou que a TV Globo fosse proibida de usar atores menores de 18 anos na novela *Laços de Família*. Segundo o juiz, as cenas do folhetim apresentavam "conotação sexual" e "violência" excessivas para as crianças, além de submetê-las a "longas jornadas de trabalho". No ano seguinte, Darlan proibiu a entrada de adolescentes em um show da banda Planet Hemp promovido pela prefeitura do Rio, argumentando que o grupo fazia apologia às drogas. O magistrado também vetou a participação em um evento de moda promovido pelo Barra Shopping de modelos menores de 18 anos que não comprovassem frequência escolar.

Em 2004, Darlan foi promovido a desembargador, e as decisões polêmicas continuaram na segunda instância. Em 2013, concedeu *habeas corpus* dando liberdade a sete dos nove bandidos envolvidos na invasão ao Hotel Intercontinental, em São Conrado, quando um bando armado com fuzis, pistolas e granadas manteve 35 reféns, entre funcionários e hóspedes, por três horas. Na ocasião, uma pessoa morreu e seis ficaram feridas. Entre os beneficiados estava Rogério 157, que assumiu o comando do tráfico na Rocinha após a prisão do megatraficante Antônio Francisco Bonfim Lopes, o Nem da Rocinha. Seis anos depois, Darlan continuava assinando decisões de grande repercussão na mídia. Durante um plantão judiciário, mandou soltar os ex-governadores Anthony Garotinho e Rosinha Matheus, que haviam sido presos um dia antes a pedido do Ministério Público estadual – foram acusados de receber propina em dois contratos superfaturados em 62 milhões de reais, para a construção de casas populares em Campos dos Goytacazes. Em 2015, Darlan manchou a própria biografia: foi acusado de corrupção passiva por ter supostamente vendido uma decisão judicial por 50 mil reais. Teve bens bloqueados pela Justiça e sigilo bancário quebrado até que, em 9 de abril de 2020, o Superior Tribunal de Justiça (STJ) resolveu afastar o desembargador de suas funções por 120 dias, algo humilhante para uma autoridade de sua envergadura.

Na mesma data, a Polícia Federal prendeu seu filho Renato, acusado de também participar do esquema de venda de sentenças supostamente orquestrado pelo pai. Segundo a PF, o esquema teria beneficiado milicianos e pessoas investigadas por crimes de corrupção e tráfico de drogas. "Sempre atuei com seriedade e no rigoroso cumprimento dos mandamentos éticos da magistratura. Repudio a associação do meu nome à prática de crimes. Refuto com toda a indignação a alegação de que busquei benefícios através das minhas decisões. Sigo de cabeça erguida, confiante de que tudo será esclarecido e que a justiça prevalecerá", afirmou o desembargador, na época. Em uma decisão monocrática de *habeas corpus*, o ministro do Supremo Tribunal Federal (STF) Edson Fachin determinou, em 3 de março de 2021, o retorno de Darlan às suas funções.

Em abril de 2022, o magistrado voltou a se defender das acusações dizendo ter sofrido perseguição da Rede Globo ao longo da carreira. Segundo ele, o motivo teria sido o embate contra os interesses da emissora, referindo-se à decisão desfavorável a *Laços de Família*. "A Globo se acha a rainha da cocada preta. Até hoje ela me persegue por causa da minha decisão em vetar crianças nessa novela das oito", justificou. "Na época, a atriz Vera Fischer [protagonista da trama] usou todo o seu charme para despachar com o então presidente Fernando Henrique Cardoso. Mas não adiantou. A segunda instância manteve a minha decisão. Desde então, a TV Globo colocou uma série de propagandas negativas contra mim em todos os telejornais. Teve *fake news* no Fantástico, *Bom dia Rio*, *Bom Dia Brasil*, *Bom dia não sei o quê*; RJ 1, 2, 3, 4, 5, 6... Era um inferno. Fizeram comigo, como se fez com Leonel Brizola, e o que se faz até hoje com Luiz Inácio Lula da Silva. Mas a Globo não conseguiu me destruir, porque, do ponto de vista moral, eu sou maior do que ela", completou.

Depois de despachar com o então juiz, em 1995, os irmãos Werneck acionaram sua rede de solidariedade para conseguir com amigos endinheirados uma casa ampla para Flor, Anderson e seus "filhos" no prazo estipulado pelo juiz, de trinta dias. Enquanto isso, os dois evangélicos seguiram sozinhos para o encontro com Siro Darlan. Aos 34 anos, a missionária entrou de cabeça erguida no prédio da Justiça do Rio, segurando firme a mão do companheiro, de 18 anos. A discrepância etária, no entanto, não era aparente: ela parecia bem mais nova, e o bancário demonstrava mais idade. Uma secretária acomodou os dois numa antessala e, depois de esperar por uma hora e meia, eles finalmente entraram no gabinete do juiz. Sentados em frente à mesa de Darlan, ouviram o magistrado falar do rigor em adotar uma criança no Brasil, explicar as razões para o processo ser demorado e comentar sobre o prazo estipulado para Flor e sua turma saírem da favela.

O casal ouvia tudo calado quando, diante do juiz, a missionária entrou em transe: olhou para os lados e viu o pai, Chicão, falecido havia dezenove anos, tocando acordeom no gabinete do magistrado. A seu lado estavam os demais integrantes do Conjunto Angelical, todos mortos violentamente no acidente da Via Dutra. Vestida de terno preto e gravata, a banda cantava e dançava em volta da mesa de Siro Darlan, liderada pelo finado pastor Joaquim Lima. João Januário (contrabaixo) era o mais empolgado: dançava saltando pelo ar, como se fosse leve feito uma pluma. José Gomes (tamborim) dava arrepios, porque atravessava paredes. Geraldo Marçal (guitarra solo) foi ousado ao subir na mesa e tocar seu instrumento pisando em documentos. Enquanto isso, Siro Darlan falava sobre o Estatuto da Criança e do Adolescente (ECA), uma das únicas coisas que prestavam do governo de Fernando Collor de Mello. Para completar o show gospel das assombrações, Aléssio Barreto (guitarra base) levitou e saiu de cena atravessando o teto. No meio da apresentação, Darlan perguntou se Flor aceitava as condições impostas por ele para ficar com sua grande família. Mesmo hipnotizada pelos fantasmas, ela respondeu "sim". Ao perceber a loucura da "mãe-esposa", Anderson pegou a missionária pelo braço, despediu-se meio constrangido de Sua Excelência e deixou rapidamente o gabinete do juiz. Flordelis saiu do prédio da Justiça deixando a impressão de não regular muito bem.

Em três semanas, os irmãos Werneck conseguiram uma casa ampla para abrigar Flordelis e sua centopeia humana. O imóvel tinha dois andares e estava fechado havia cinco anos e todo tomado pelo mato. Ficava na parte mais movimentada da Avenida Paulo de Frontin, bairro do Rio Comprido, zona central do Rio de Janeiro. Nesse quesito, atendia a uma das exigências do juiz Siro Darlan: estava longe da favela. Simpáticos à causa de Mãe Flor, os proprietários alugaram a construção de oito quartos a um preço abaixo do mercado. Os "filhos" pegaram na enxada, capinaram, pintaram as paredes e depois fizeram uma faxina. Anderson e Carlos Ubiraci comandavam tudo, lembrando aos novinhos a exigência do juiz. Flor não percebeu porque estava fora de si, mas o bancário ouviu com todas as letras Siro Darlan dizendo que faria uma vistoria quando tudo estivesse pronto. Assim, a pequena reforma era feita com mais esmero. Os irmãos Werneck conseguiram três geladeiras novas, um fogão de seis bocas, televisão, armários, cômodas, berços e quinze beliches com colchões. O traficante Robertinho de Lucas não se esqueceu de Mãe Flor e doou uma pilha de roupas novas de vários tamanhos: shorts, bermudas, camisetas e fraldas, mais lençóis e cobertores, além de muitos brinquedos para a molecada – a bandidagem havia assaltado uma série de carretas na Avenida Brasil, saqueado toda a carga e abastecido a casa, tudo para impressionar o juiz em sua visita. No dia marcado, Siro Darlan chegou e ficou de queixo caído quando viu a estrutura montada para receber toda aquela gente, quase trinta pessoas. Ousado, Robertinho de Lucas deixou novamente aos cuidados da grande família seu caçula, Romulo, já com 4 anos, para brincar com as crianças que ele chamava de "manos". O menino sentia-se sozinho, e o traficante achava as asas de Mãe Flor seguras para ele.

Darlan aprovou tudo e houve uma gritaria de comemoração, mas logo o juiz jogou um balde de água fria na fervura de felicidade: faltava legitimar o acolhimento dos "filhos" menores de 18 anos. Flor e Anderson foram orientados a procurar os pais biológicos de cada jovem e abrir processos de adoção. Era impossível, pois havia ali crianças tiradas dos braços de mães usuárias de drogas, bebês sem qualquer pista de quem os tinha parido e muitos meninos de rua acolhidos ao longo da jornada pela cidade. Mesmo sabendo que a possibilidade de isso acontecer era nula, Flor se comprometeu a resolver a questão. Ao decidir pela permanência da garotada no Rio Comprido, Siro Darlan concedeu uma guarda provisória a Flor – mesmo com parecer contrário do Ministério Público do Rio de Janeiro, órgão que nunca engoliu a imagem de mãe dedicada e temente a Deus que a missionária propagava na mídia.

Estabelecida na vida nova, Flordelis tomou um banho, arrumou-se toda, pegou uma bolsa grande e seguiu até a casa de Carmozina para buscar algo sem o que não conseguiria mais viver. Na sala da avó, Flávio e Adriano já estavam prontos à sua espera. A missionária abraçou seus filhos biológicos longamente, cobriu-os de beijos e chorou bastante, sentindo-se culpada por tê-los abandonado temporariamente. Nos primeiros minutos do encontro, percebeu uma certa "marra" na personalidade de Flávio, que falava gírias de traficante e mostrava-se impaciente e irritadiço. Flor deduziu que o garoto estava com hormônios ferventes, em função da puberdade. Pouco antes de ir embora, Flordelis tentou lavar roupa suja com a mãe.

– A senhora teria mesmo coragem de me entregar à polícia?

– Teria, sim! Você está longe de Deus faz tempo!

– A senhora realmente seria capaz de entregar uma filha?

– Se ela for criminosa, não pensaria duas vezes – reiterou Carmozina.

Austera, Flordelis levantou-se do sofá e caminhou até o quarto da mãe com a bolsa grande e vazia. Carmozina foi atrás. A missionária abriu o guarda-roupa da bruxa sem pedir licença, pegou uma caixa da prateleira mais alta e pôs sobre a cama. De dentro, tirou a imagem de Exu Caveira – a de São Cipriano, recolheu de um altar. No lugar do cartaz de Baphomet, encontrou uma estatueta de gesso da figura pagã toda pintada de preto. "Os policiais rasgaram o cartaz e acabei comprando essa imagem", justificou Carmozina, que havia recuperado os apetrechos da Rua Guarani. "Pode levar tudo com você, pois seu destino está diretamente ligado a esses seres", completou. Flordelis colocou os objetos na bolsa, fechou o zíper, passou a mão nos garotos e saiu da morada da mãe, no Jacarezinho, prometendo para si mesma nunca mais aparecer por lá. Quando chegou à sua nova casa, encontrou os filhos agitados. Anderson tinha saído para resolver "problemas de igreja", mas Simone e Cristiana receberam Flor ainda na calçada.

– Mãe, a senhora tem visita.
– Quem é?
– Veja com seus próprios olhos.

Ao passar pela porta da sala, Flordelis teve um sobressalto. Sandra Sapatão estava sentada no meio do sofá, bem à vontade, com um fuzil pendurado no ombro. Em seu colo repousava Romulo, herdeiro do seu arquirrival Robertinho de Lucas. A traficante provocou:

– Vim acertar as contas, sua pastora do Diabo!

CAPÍTULO 7
CICATRIZES DA FÉ

"Meu sêmen é sagrado porque foi santificado por Deus."

O cenário é o agreste alagoano. Fabiano da Silva Ferreira e Anderson Farias Silva tinham 11 anos e eram melhores amigos no ano de 2001. Magricelas e serelepes, moravam na periferia do município de Arapiraca, a 130 quilômetros de Maceió. Influenciados pelos pais pobres e religiosos, alimentaram desde cedo o sonho de estudar Teologia e ingressar no seminário, para, na vida adulta, serem ordenados padres. Deram o primeiro passo frequentando a Paróquia de São José, no bairro Alto do Cruzeiro, com capacidade para 1.800 pessoas sentadas. Aos 12 anos, os dois garotos se matricularam num curso preparatório promovido pela Igreja Católica, onde aprenderam a usar os objetos litúrgicos e leram todos os livros sacros utilizados nas celebrações. Na sequência, foram integrados ao quadro de coroinhas. Nas missas,

Fabiano, Anderson e mais oito meninos tinham inúmeras atribuições. Uma delas era ajudar o monsenhor Luiz Marques Barbosa, de 70 anos, a vestir sua indumentária. A primeira peça posta no corpo dele era uma túnica branca – por baixo, geralmente havia uma camiseta clara e uma calça comprida social. Em seguida, por cima da túnica, os jovens colocavam em Luiz a estola, uma tira comprida de pano vermelho simbolizando o poder sacerdotal. Por último, o religioso vestia a casula, um traje usado somente em ações sagradas. As crianças, por sua vez, usavam apenas túnicas brancas para trabalhar nas cerimônias.

Militar e capelão do Corpo de Bombeiros, Luiz era um homem rígido no trato com os fiéis, principalmente com os coroinhas. Usava o microfone para passar carraspana em quem não parasse de falar durante as missas. Outro hábito recorrente era expulsar as mulheres cujos trajes, segundo ele, eram inadequados para frequentar a casa de Deus. Certa vez, ele conduzia um rito dominical quando identificou, do presbitério, uma moça de blusinha sem alças, deixando o colo dos seios à mostra. Primeiro, mandou que ela se retirasse. Diante da recusa, o sacerdote desceu do palco, retirou a túnica do corpo, cobriu os seios da mulher e a puxou pelo braço até a saída. A atitude de Luiz foi aplaudida pelos fiéis. Era comum ainda ele bater com o microfone na cabeça dos ajudantes para repreendê-los quando faziam algazarra.

Com o tempo, monsenhor Luiz passou a fazer atendimento espiritual na casa paroquial, um ambiente anexo ao templo com entrada separada. Vestindo a capa de acolhedor, ele chamava os coroinhas separadamente para conversar. No início, o mais assíduo era Cícero Flávio Vieira, de 13 anos. O menino entrava na casa, o sacerdote fechava a porta à chave e os dois ficavam lá dentro trancados por cerca de uma hora. Fabiano e Anderson perceberam o movimento atípico e, curiosos, perguntaram a Cícero o que tanto ele fazia ali. O garoto sempre desconversava. Algumas semanas depois, Anderson foi chamado pelo líder religioso e ficou com ele a sós por meia hora. Na saída, Fabiano inquiriu o amigo, que garantiu não ter acontecido nada de mais. "Ele pergunta sobre as coisas da igreja, quis saber da família, falou um pouco como é a vida dele. Essas coisas do dia a dia...", contou. No início, Fabiano chegou a ficar triste por nunca ter sido escolhido. Sentia-se preterido. Alguns meses depois, ainda com 12 anos, ele foi surpreendido com a separação dos pais. O pároco Luiz percebeu sua tristeza e finalmente o chamou para uma conversa particular na sacristia da Paróquia de São José, onde eram guardados os objetos litúrgicos e as vestimentas dos padres.

Logo na entrada, o local tinha uma imagem em tamanho real de Jesus Cristo deitado e morto, representando a retirada de seu corpo da cruz. Nesse primeiro ambiente havia um sofá grande e dois menores, todos marrons. Atravessando uma porta, chegava-se a um cômodo mais reservado da sacristia, com armários talhados em madeira maciça, uma mesa de escritório e duas cadeiras, para onde Fabiano foi levado para receber aconselhamento. Monsenhor Luiz mandou as outras pessoas sair e, a sós, introduziu a conversa perguntando como o menino estava se sentindo em relação à separação dos pais. Fabiano detalhou o drama familiar e falou da decisão de morar com o pai, pois sua mãe iria se mudar com a irmã para a casa da avó, pequena para acomodar duas famílias. Em seguida, o religioso perguntou ao menino sobre a escola. Ouviu como resposta que suas notas eram altas e ele passaria de ano com facilidade. Os dois conversaram sentados por mais de uma hora, separados pela mesa. Na despedida do atendimento, ambos se levantaram e o sacerdote deu um abraço longo e aconchegante em Fabiano, dizendo-lhe que ele poderia procurá-lo sempre que tivesse vontade. "Agora que sua família está desmantelada, serei seu pai e você será meu filho", anunciou. Com tanto afeto, o sentimento de rejeição do coroinha rapidamente se dissipou.

Na época, Fabiano não sabia, mas estava sendo arrastado para uma armadilha cujas sequelas se estenderiam por toda a sua vida. Luiz vinha abusando dos seus coroinhas fazia tempo, e o primeiro passo era transmitir confiança com falsas preocupações. Certa vez, Fabiano andava pelo salão da igreja na missa das 19h30, balançando o turíbulo para espalhar a fumaça do incenso, simbolizando a subida das orações aos céus. No meio da cerimônia, o monsenhor pediu para o ajudante comparecer à casa paroquial para outra sessão de aconselhamento assim que a celebração acabasse. Distraído com os amigos, ele se esqueceu do chamado. O padre foi até o pátio e gritou com ele. No final de uma conversa de quase duas horas, o sacerdote deu um abraço apertado e um beijo no rosto do menino, que não entendeu o significado daquele gesto singelo. "Nessa época, eu era criança e não tinha a menor noção de sexo, pois não tinha televisão, e meus pais me criaram trancado dentro de casa. Saía somente para ir à escola e à igreja, onde eu supostamente estaria protegido", relatou Fabiano, aos 33 anos, em 2022.

A próxima investida foi marcada por violência física e psicológica, durante uma missa noturna. No momento do Pai-Nosso, todos os fiéis fecharam os olhos e o monsenhor aproveitou a oportunidade para passar a mão, por cima da roupa, no pênis de Fabiano, que o auxiliava no altar. Pouco antes da comunhão, quando os fiéis se cumprimentavam no rito conhecido como abraço da paz, o religioso escolheu o coroinha para cumprimentar. Mesmo estando num palco sagrado e diante de centenas de fiéis, monsenhor Luiz deu um apertão forte em Fabiano. Apesar das várias camadas de tecido, foi possível sentir a excitação do padre. O menino começou a achar aquilo estranho, mas não soube como reagir. No final da cerimônia, o líder pediu para o coroinha não sair sem antes falar com ele. O garoto não deu muita bola para o aviso e foi brincar mais uma vez pelos corredores externos da paróquia. Meia hora depois, o capelão foi até lá feito um ditador e perguntou aos berros por que ele havia desobedecido a uma ordem sua. Na frente de outras crianças, enfurecido, o clérigo pegou Fabiano pelo braço e o arrastou até a casa paroquial, num percurso de 30 metros. O abusador tinha 1,78 m e era forte, enquanto a vítima era magricela e fraca. Ou seja, apesar de oferecer resistência, o menino foi levado com muita facilidade.

Rodeada por varandas e cercada por um muro alto, a casa tinha um jardim todo florido e um portão metálico. Fabiano foi levado primeiro para a sala de estar. A funcionária da casa, Maria Isabel dos Santos, percebeu sua aflição e lhe ofereceu um copo de água. Ríspido, monsenhor Luiz mandou a mulher se recolher. Obediente, ela seguiu para a casa dos fundos, onde morava. Eram quase nove da noite e Fabiano ficou sentado no sofá enquanto o criminoso tomava banho e se perfumava. Alguns minutos depois, o sacerdote pegou Fabiano calmamente pelo braço e o levou até o quarto, onde havia uma imagem da Sagrada Família e outra de Nossa Senhora de Fátima, ambas postas sobre a cômoda. Na parede, repousava Jesus Cristo crucificado. O religioso trancou a porta, tirou toda a roupa e fez do crucifixo um cabide, encobrindo o filho de Deus. Fabiano ficou em pé, estático, tremendo dos pés à cabeça. Luiz pegou uma garrafa de aguardente conhecida como Canelinha Rosa e tomou um *shot*. Ofereceu a bebida à criança, que recusou. O adulto, então, abriu uma garrafa de vinho e serviu à vítima, relacionando a bebida ao sangue de Jesus, conforme dizia nas missas. Em seguida, delicadamente, a roupa do menino foi tirada até ele ficar completamente nu.

Um mês depois, Fabiano e Luiz Marques Barbosa haviam estreitado os laços. O garoto procurava por ele sempre que precisava de dinheiro, e cada encontro rendia dividendos entre 2 e 20 reais. Todo o valor saía dos envelopes deixados pelos dizimistas. Para as contadoras da instituição, o desfalque era marcado como "despesas sem comprovantes". Aos 14 anos, Fabiano começou a tirar notas baixas na escola. Feito um pai, o monsenhor passou a pagar aulas de reforço e conseguiu uma vaga para ele no Colégio São Francisco, administrado pela Igreja Católica e considerado um dos melhores de Arapiraca. A escola particular pedia roupas novas e tênis para as atividades físicas. Mão aberta, Luiz abriu o envelope do dízimo, tirou 400 reais e deu ao menino, fazendo duas exigências: que ele levasse a nota fiscal comprovando a compra e voltasse à noite para mais encontros sexuais. "Esse será nosso segredo, meu filho. Você vem aqui todas as noites, eu sustento você e a gente faz amor", dizia.

Aos 15 anos, Fabiano sofreu fortes dores abdominais na região do umbigo, febre alta e excesso de vômito enquanto dormia na casa paroquial. Monsenhor Luiz o socorreu. Ligou para um amigo médico chamado Francisco e pediu um atendimento de emergência em seu consultório para salvar o pupilo. De lá, o coroinha seguiu para o centro cirúrgico do hospital público Nossa Senhora do Bom Conselho, onde foi realizada uma intervenção de emergência para retirada do apêndice. Logo após a cirurgia, o sacerdote fez uma visita ao paciente e deixou claro: ele teria morrido se não tivesse dado entrada no hospital imediatamente. "Quem conseguiu isso tudo para você fui eu, viu, meu filho? Nunca se esqueça disso", reforçou. Já em casa, depois da alta médica, Fabiano recebeu outra visita do religioso. Sozinho no quarto, o adolescente ainda sentia incômodo com os pontos da cirurgia. Impaciente com a inatividade sexual de sua presa, o mais velho insistiu em transar com o menino no pós-operatório. Fabiano pediu um tempo para se recuperar, mas Luiz insistiu e ficou apalpando o sexo do jovem até ele se dar conta de que seria impossível a vítima ter ereção.

A rotina de abusos praticada por monsenhor Luiz contra Fabiano se perpetuou até ele completar 18 anos. O sacerdote confessou a amigos ter se apaixonado perdidamente pelo coroinha, a ponto de ficar desequilibrado e doente, mas negou ser pedófilo. O abusador mantinha amizade com outros dois reverendos gays e pedófilos do interior de Alagoas: Raimundo Gomes Nascimento, de 43 anos na época, e Edilson Duarte, de 35. Até o bispo diocesano do município de Penedo, Dom Valério Breda, de 55, fazia parte desse círculo social. Quando estavam a sós bebendo vodca e fuxicando sobre a beleza dos ajudantes, chamavam-se por nomes femininos. Na fantasia sacra, Luiz era "Simone", Raimundo era "Mônica" e Edilson era "Leona". O bispo Valério, italiano de San Fior di Sotto, gostava de ser chamado de "Vera Fischer". Nesse tricô, "Mônica" ouviu tanta resenha positiva sobre Fabiano que pediu permissão a "Simone" para aliciar o garoto. "Nem pensar!", respondeu, irritado. Mesmo assim, "Mônica" levou a criança para a cama e transou com ela por mais de dois anos, pagando os estupros com dinheiro vivo.

No dia 26 de outubro de 2022, Fabiano deu o seguinte depoimento:

"Eu era virgem quando comecei a ser abusado sexualmente pelo monsenhor Luiz. Sequer tinha pelos pubianos. Como as minhas primeiras relações sexuais foram com ele, acreditava que fazer sexo era aquilo. Fui conversar com outros coroinhas e eles revelaram que também transavam com padres e bispos. Então achei que estava fazendo algo sagrado, pois ele era representante de Deus e uma autoridade muito respeitada na cidade. Ainda tinha o título de capelão da polícia. Quando entrei na puberdade, as relações se intensificaram. Então, achei que poderia ser gay e continuei me deitando com ele quase todas as noites. Ao completar 16 anos, uma menina mais velha se interessou por mim. Nós nos beijamos, transamos e gostei muito. Minha cabeça deu um nó, pois não sabia mais qual seria a minha verdadeira orientação sexual. Desde então, me interessei somente por mulheres e o sexo com o padre passou a ser algo infame, asqueroso, violento e vil. Como eu era pobre, transava com ele somente pelo dinheiro, pois ajudava no sustento da minha família. Certo dia, não quis mais dormir com ele nem pelo pagamento. Monsenhor Luiz me chamou no confessionário para dizer que, se eu o deixasse, não poderia mais pôr os pés na igreja dele. Sendo assim, não fui mais lá. Era um ótimo motivo para eu me livrar. Estava enganado. Um mês depois, ele fez uma visita à minha família e contou que Deus não cuidava mais de mim porque eu havia abandonado sua casa. Religiosa, minha mãe mandou eu voltar e eu obedeci, até porque o dinheiro que ele me dava começou a fazer falta. Os encontros sexuais voltaram. Ele me beijava e me chamava de 'meu amor'. Fiquei com trauma da palavra 'amor'. Com o tempo, a relação tornou-se escabrosa. Eu ficava de bruços na cama e ele se deitava por cima de mim, tentando me penetrar. Esse era o pior momento. Eu travava as pernas para impedi-lo. Em seguida, penetrava a contragosto no monsenhor e meu pênis ficava todo sujo de fezes, produzindo um odor insuportável no quarto. Sentia vontade de vomitar, mas ele insistia para eu continuar até ele gozar. A minha sorte – se é que isso pode ser chamado de sorte – é que Luiz tinha ejaculação precoce e esse inferno acabava rapidamente. Depois de tudo, tomava um banho, mas o fedor não saía do meu corpo. Até hoje, 15 anos depois de ter me livrado dessa aberração, ainda sinto esse futum no meu nariz. Tenho alucinações com ele quase todas as noites. Às vezes, nos piores pesadelos, enxergo esse demônio deitado na minha cama, nu, me chamando de 'meu amor'. Esse monstro destruiu a minha vida para sempre".

Anderson, o melhor amigo de Fabiano, também começou a ser molestado por sacerdotes antes de entrar na puberdade, em Arapiraca. Mas só aos 14 anos ele veio a entender o tipo de violência à qual era submetido. Adolescente bonito, era muito cortejado pelos padres. O primeiro abuso ocorreu de forma sutil, logo após uma missa, quando Raimundo Gomes o chamou à sacristia. "Você está ficando um homem muito atraente", elogiou, dando um beijo suave e inadequado no rosto do adolescente. A segunda investida ocorreu após uma rodada de orações em uma das capelas da Paróquia de São José. O monsenhor levou o coroinha até a casa paroquial e beijou longamente a sua boca. Enojado, o adolescente manteve os lábios cerrados o tempo inteiro, e o religioso, então, começou a lamber seu rosto, avançando para orelhas e nuca. No final, Raimundo repassou-lhe um envelope com dinheiro. "Esse é o dízimo que os fiéis idiotas pagam para ajudar a manter o clero. É todo seu, meu filho", anunciou, com voz máscula. Eram 20 reais em notas de 2. "É pouco, eu sei. Se quiser que eu aumente a oferta sagrada, vamos ter de passar da fase dos beijinhos de boca fechada", avisou. Apesar de Anderson ainda querer ser padre, ele já sabia que não conseguiria praticar a castidade, pois tinha a sexualidade muito aflorada e desejava mulheres. Quando seu corpo ganhou massa muscular, os sacerdotes de Arapiraca começaram a disputá-lo. Era comum os pedófilos organizarem encontros nos finais de semana para ouvir música e beber vinho, cachaça e drinques feitos com vodca. Nessas baladas, ouviam músicas católicas gravadas pela Comunidade Canção Nova em ritmo eletrônico. Embriagados, falavam com voz anasalada, passavam batom vermelho e misturavam gírias da comunidade LGBTQI+ com termos religiosos, criando um dialeto bem particular. No *petit comité*, chamavam-se pelos codinomes femininos. A beleza de Anderson foi assunto na roda:

– Poc do céu! Vocês viram como esse bofe tá ficando todo trabalhado na beleza? A mala é um luxo! Tô bege como o pano umeral! – exclamou Leona (Edilson), gargalhando alto.

– Desaquenda, sua mona pintosa! Meu *edí* é desse boy faz tempo! – reivindicou Mônica (Raimundo).

– E desde quando a senhora respeita os ocós das amigas, sua maricona? Você já furou o meu olho porque 'fez' o Fabiano quando eu ainda estava 'casada' com ele... Pensa que esqueci, meu bem? – reclamou Simone (Luiz).

Regados a bebida, os encontros dos padres para debater seus crimes sexuais ocorriam num espaço da casa paroquial onde havia um bar e aparelho de som. O bispo Dom Valério, a "Vera Fischer", aparecia em algumas reuniões, mas não há denúncias de abusos de coroinhas contra ele. No entanto, o bispo era cúmplice dos crimes porque sabia dos estupros, apesar de negar. "Vera Fischer" tinha posição de comando na Igreja Católica de Alagoas. Em 30 de julho de 1997, nomeado pelo Papa João Paulo II para responder pela diocese de Penedo, escolheu como lema *Caritas Christi Urget* (O amor de Cristo pede) na cerimônia de ordenação. Também chegou a presidir a Comissão Regional Pastoral Bíblico-Catequética da Regional Nordeste 2 da Conferência Nacional dos Bispos do Brasil (CNBB). Outra cúmplice dos estupros de Arapiraca era a empregada, Maria Isabel, que providenciava gelo e ingredientes para os drinques, como alecrim, canela e flores de hibisco. Como tira-gosto no rega-bofe religioso, servia frango à passarinho e linguiça toscana, tudo na mais absoluta discrição para não incomodar os estupradores de batina. Ela nega. José Reinaldo Bezerra, motorista da Paróquia de São José, levava os amigos bêbados de volta para casa e, no dia seguinte, comprava Engov e Sonrisal para que os salafrários aplacassem a ressaca santa. Segundo testemunhas, o motorista ainda conduzia crianças e adolescentes até a casa paroquial para satisfazer o desejo sexual dos pedófilos. Ele também nega. Mas tanto o motorista quanto a empregada foram presos, acusados de acobertar os crimes sexuais dos seus patrões.

Ao perceber que "Leona" estava de olho em sua presa, "Mônica" fez investidas mais agressivas. Levou Anderson para casa, sob o velho pretexto de dar aconselhamentos espirituais, e declarou sua paixão. Assustado, o garoto quis escapar, mas o religioso o segurou pelos braços. Nesse dia, usou as mãos para abrir sua boca e o beijou. No início, Anderson rejeitava Raimundo, mas foi cedendo com o tempo. Segundo ele, o monsenhor ficava muito afeminado entre quatro paredes, dizendo que "era uma mulher" chamada "Mônica". "Havia outra 'vantagem' em ser abusado pelo padre: ele tinha um micropênis que media três centímetros ereto e era tão fino quanto uma caneta Bic. [...] O fato de ele ter trejeitos e voz feminina na cama me fazia acreditar que eu não estava com um homem", disse Anderson, aos 33 anos, em outubro de 2022. As violações se estenderam por cinco anos. Raimundo e sua vítima ficaram tão envolvidos emocionalmente que dormiram no mesmo quarto por mais de dois anos: o religioso, numa cama de casal, e o jovem, num colchão de solteiro posto no chão. "A casa paroquial era aconchegante, e a comida, deliciosa. Inconscientemente, eu vivia uma relação afetiva, mas nem me dava conta de que estava enredado psicologicamente por um criminoso. [...] Eu nunca me deitei na cama do padre. Era sempre ele quem descia para o meu colchão", contou. Para manter sua presa por perto, o sacerdote matriculou o rapaz numa escola particular e bancou tudo, inclusive o material de estudo. No entanto, o ex-coroinha, heterossexual, passou a namorar uma menina, e o monsenhor teve surtos de ciúme. Para puni-lo, parou de pagar os estudos, e Anderson voltou a estudar em escola pública aos 17 anos. Hoje ele é policial militar em Alagoas e prefere ver o Diabo em sua frente a se deparar com um padre. "Nem sei se sou ateu ou agnóstico. O que sei é que tenho nojo – muito nojo – da Igreja Católica e de tudo que ela representa", definiu.

Os abusos em série de Arapiraca vieram à tona em 2008, quando Fabiano entrou em depressão e procurou pelo ex-coroinha Cícero, que já havia abandonado a Paróquia de São José, cansado do assédio do monsenhor Luiz. Segundo seu relato, Cícero foi estuprado entre 1999 e 2006, desde os 12 anos de idade. O religioso primeiro o abraçou, deu um beijo em sua boca dizendo "amá-lo como se ama Deus" e ainda deixou 2 reais para o menino guardar o "segredo de confissão". A convite do padre, Cícero dormia na casa paroquial com consentimento dos pais. Primeiro ele era alojado num aposento para hóspedes. No meio da noite, o sacerdote do Satanás levava a criança para seu quarto, onde ocorriam carícias, sexo oral e cópula anal. "Meu sêmen é sagrado porque foi santificado por Deus", proferiam os religiosos aos coroinhas.

Quando Fabiano procurou Cícero para falar sobre os abusos dos párocos, chorou tanto que as frases ficavam incompletas e nem sempre seu relato era compreendido. Nessa época, ao contrário do amigo, Cícero e Anderson já estavam livres da violência – mas nem por isso haviam esquecido a monstruosidade da qual foram vítimas. Os dois, então, bolaram um plano e incluíram Fabiano na história sem consultá-lo. Com parte do dinheiro guardado que recebeu do monsenhor Raimundo, Anderson foi a Lojas Americanas e comprou uma câmera digital por 400 reais. A ideia era armar um flagrante. Os dois jovens seguiram o motorista Bezerra até ele pegar Fabiano na escola e levá-lo à casa paroquial. Depois de pular o muro, os amigos seguiram até a janela da suíte de Luiz. Agachados, puseram a câmera no batente para filmar o interior do quarto. O equipamento gravou por cerca de dez minutos, até que Anderson levantou-se para ajustar o foco da lente e foi surpreendido pelo padre. "Quem está aí?", gritou ele. Para não serem pegos, os rapazes saíram correndo e só na casa de Cícero conferiram a gravação, que havia registrado nitidamente o monsenhor transando com Fabiano. O flagrante foi entregue ao Ministério Público Federal em 2009 e ao jornalista Roberto Cabrini, que fez a denúncia em rede nacional no programa *Conexão Repórter,* do SBT. Fabiano ainda passou o vexame de ter o vídeo praticando sexo com Luiz gravado em DVD e vendido em feiras de Alagoas como um filme pornô intitulado *Senhor dos anéis,* com a foto do religioso na capa. Os três ex-coroinhas chegaram a relatar os abusos formalmente ao bispo diocesano Dom Valério Breda, a "Vera Fischer". "Minha Nossa Senhora! Que horror! Vocês têm certeza disso? Vou tomar providências rigorosas porque esse tipo de absurdo deixa Deus muito triste", anunciou o sacerdote, como se não fosse cúmplice dos seus pares de batina.

Por incrível que pareça, pedofilia não é crime no Brasil. O capítulo do Código Penal sobre crimes sexuais pune o estupro de vulnerável; a indução de menor de 14 anos a satisfazer a lascívia de outrem; a satisfação da lascívia mediante presença de criança ou adolescente; o favorecimento da prostituição e a divulgação de cenas de estupro de vulneráveis. No entanto, essa falha pode ser corrigida. Há um projeto de lei (4299/20) de autoria da deputada Rejane Dias (PT-PI) tramitando no Congresso, que tipifica o crime de pedofilia. Se aprovada, a nova lei acrescentará um artigo ao Código Penal classificando como pedofilia o ato de constranger criança ou adolescente, corromper, exibir o corpo apenas com roupas íntimas ou tocar partes do corpo para satisfazer a lascívia, com ou sem conjunção carnal utilizando criança ou adolescente. A pena, nesses casos, será de quatro a dez anos de reclusão, o que ainda é considerado pouco para um crime horrendo contra crianças e adolescentes. O projeto prevê ainda que a punição seja aumentada em até um terço se o abusador se prevalecer de relações domésticas, de coabitação, de dependência econômica ou de superioridade hierárquica inerente ao emprego. Se o agressor for parente da vítima ou tiver mantido relação de afeto com ela a fim de se vingar de qualquer membro da família, a pena poderá ser acrescida em dois terços. Outro projeto de lei (1776/2015) que tramita na Câmara Federal inclui a pedofilia no rol de crimes hediondos, também com aumento de pena do abusador, e prevê o início da prisão do criminoso em regime fechado. Esse projeto é de autoria dos deputados federais Paulo Freire (PR-SP) e Clarissa Garotinho (União-RJ).

Segundo a Organização Mundial da Saúde (OMS), pedofilia é transtorno da "preferência sexual", ou seja, refere-se a pedófilos adultos que têm "preferência sexual" por crianças, geralmente pré-púberes ou no início da puberdade. Para o Vaticano, pedofilia é uma infração universal punida com demissão. A denúncia pode ser feita por qualquer pessoa, sendo ela a vítima ou não. Inicialmente, o caso deve ser relatado ao superior do clérigo acusado. Se o criminoso for o padre, por exemplo, deve-se falar com o bispo. A autoridade que recebeu a denúncia ouve o acusado. Se o bispo considerar a denúncia verídica, ele a manda para o Tribunal Eclesiástico. Resultado: as denúncias sempre são varridas para debaixo dos tapetes das igrejas. A bem da verdade, sempre foi comum a cúpula do catolicismo acobertar crimes sexuais de seus clérigos contra crianças e adolescentes, como fez o bispo Valério, a "Vera Fischer". No entanto, em 2021, ocorreu uma pequena mudança.

Para debater a pedofilia dentro da igreja de forma aberta, o Papa Francisco presidiu um evento no Vaticano intitulado "A proteção de menores na Igreja", com 150 titulares de congregações espalhadas pelo planeta – incluindo o presidente da Conferência Nacional dos Bispos do Brasil (CNBB), Dom Walmor Oliveira de Azevedo. O encontro apresentou depoimentos de vítimas de abusos cometidos por padres para mostrar à sociedade o horror dessa prática e clamar que esse tipo de crime cessasse imediatamente. Três meses depois, o Vaticano mudou as regras internas, obrigando seus membros a denunciar às autoridades religiosas, o mais rápido possível, todos os casos de pedofilia. Na nova regra, as denúncias, mesmo sendo apenas suspeitas, devem ser enviadas sigilosamente para a Congregação da Doutrina da Fé, seja por integrantes da instituição, seja por funcionários das sacristias. A nova orientação, porém, não determinou que as denúncias fossem enviadas também ao Ministério Público e à polícia, que é bem mais ligeira em investigação do que os burocratas dos tribunais eclesiásticos.

O escândalo de Arapiraca só saiu do cercadinho da igreja porque foi mostrado na televisão, chocando o país inteiro. De lá, foi parar na Comissão Parlamentar de Inquérito (CPI) do Senado, que apurava crimes sexuais praticados por pedófilos. Para políticos, Edilson confessou tudo, inclusive os apelidos femininos dos sacerdotes. Monsenhor Luiz admitiu a prática sexual com Fabiano, mas teve a cara de pau de levar uma Bíblia no dia de seu depoimento. Segurando o livro sagrado, contou que a relação com o coroinha não caracterizava abuso, muito menos crime, porque ele (Luiz) era homossexual e estava apaixonado pelo garoto. "Até onde eu sei, ser homossexual e se apaixonar não é crime no Brasil", defendeu-se. Em seguida, "Simone" se comparou a Jesus. "Renova-se em mim o que ouvi na Sexta-Feira Santa, que foi Jesus dizendo: 'Tiraram a minha roupa, cuspiram em mim e me crucificaram'. É isso que estou passando com essas acusações levianas", proclamou. O apelo não surtiu efeito. Luiz saiu de lá preso e, em 2011, foi condenado pelo juiz da Vara da Infância e Juventude, João Luiz de Azevedo Lessa, a 21 anos de prisão. Monsenhor Raimundo, a "Mônica", e padre Edilson, a "Leona", pegaram dezesseis anos no mesmo processo.

No entanto, nenhum dos três estupradores cumpriu um dia sequer da pena, porque seus advogados recorreram da sentença. Benevolente, a Justiça dos homens deu a eles o direito de esperar pela morosidade das instâncias superiores gozando de liberdade. Raimundo morreu em 2014, em decorrência de um acidente vascular cerebral (AVC). Mesmo expulso da Igreja Católica pelos crimes sexuais, ele foi sepultado com honras religiosas logo após uma missa de corpo presente lotada, realizada na Paróquia Sagrado Coração de Jesus, em Arapiraca. O sepultamento, no cemitério Pio XII, arrastou uma multidão de fiéis. Monsenhor Luiz tinha 91 anos em 2022. Durante a pandemia, beirou a morte ao ficar internado com covid-19 por oito dias na Santa Casa de Misericórdia de Maceió. Em novembro de 2022, sobrevivia com sequelas graves da doença. Padre Edilson está foragido da polícia. Bispo Valério, a "Vera Fischer", nunca foi cobrado pela cumplicidade com os pedófilos, mas morreu em 2020 vítima de insuficiência renal crônica causada por crise alérgica contraída quando usava um respirador mecânico. Fabiano, Anderson e Cícero movem uma ação milionária na Justiça contra a Igreja Católica. Cada um quer

1 milhão de reais para reparar danos morais. "Sabe o que é revoltante nessa história toda? Nunca nenhum integrante do clero nos procurou para se desculpar ou para prestar qualquer tipo de assistência. Nunca!", disse Fabiano, que faz terapia há mais de dez anos para tentar se livrar do trauma de ter sido abusado por quem deveria zelar pela sua paz espiritual. Em 2022, ele era casado, trabalhava com vendas e tinha uma filha de 5 anos.

Também em 2022, outro padre criminoso caiu nas garras da Justiça dos homens e foi condenado a dezenove anos de prisão, acusado de violação sexual contra pelo menos uma dezena de coroinhas com idade entre 11 e 17 anos. O abusador era Pedro Leandro Ricardo, de 32 anos quando fez a sua primeira vítima. O cenário do crime foi o município de Araras, interior de São Paulo. Ednan Aparecido Vieira, de 17 anos, era órfão de pai e vivia com a mãe em estado de miséria, fazendo apenas uma refeição precária por dia. Para escapar da pobreza, resolveu tornar-se padre e ingressou como coroinha na Paróquia de São Francisco de Assis, administrada por Pedro Leandro. Certa vez, o religioso pediu para Ednan ajudá-lo num trabalho social feito na zona rural de Araras. Eles seguiriam bem cedinho na caminhonete da igreja, com alimentos para serem doados a famílias carentes. Na condução do veículo, o sacerdote pegava na perna do jovem, sentado no banco do carona, sempre que trocava as marchas. Mesmo estranhando, o garoto não fez comentário – tratava-se, afinal, de uma autoridade muito acolhedora e respeitada na comunidade. Na segunda vez, Pedro Leandro avançou um pouco mais: pediu para o coroinha dormir na casa paroquial, pois fariam nova viagem pela zona rural na manhã seguinte. Ednan aceitou o convite na hora, pois teria a oportunidade de fazer mais uma refeição naquele dia. O abuso ocorreu logo após o jantar, quando o religioso apareceu de banho tomado, excitado, usando uma cueca samba-canção e apalpando o próprio pênis. Sentado no sofá, Ednan recebeu uma ordem: "Chupa aqui!". Ele recusou, mas, diante da insistência do outro, propôs o contrário: receber sexo oral do padre. No final do ato, trancou-se no quarto. No dia seguinte, o sacerdote serviu o café da manhã como se nada tivesse acontecido e, na outra semana, repassou ao jovem um envelope contendo 500 reais. Pobre, Ednan pegou o dinheiro e entendeu o pagamento como um "cala-boca" ou "se quiser mais, basta transar comigo". Com medo de a cena se repetir, o rapaz foi embora, abandonou seu sonho e mudou-se de Araras.

Pedro Leandro era um monstro de batina. Outra vítima, Eduardo, de 12 anos, contou na Justiça ter sofrido nas mãos do pai alcoólatra. Em 2003, acabou acolhido pelo padre na Paróquia de São Francisco de Assis. Na época, o coroinha não sabia, mas era uma mulher trans: apesar de ter nascido com corpo masculino, se autoidentificava com o gênero feminino. O religioso acompanhou o início do processo de readequação sexual do garoto, que passou a ser chamado de Bella ao completar 14 anos. A adolescente entrou para o coral da igreja e sofreu violência psicológica, com reações agressivas e preconceituosas dos amigos, que não entendiam sua transformação. Bella pediu ajuda a Pedro Leandro, e este a responsabilizou pelo *bullying*, pois "ela dava muita pinta". Certo dia, o sacerdote pediu para a menina ir até a casa paroquial para falar "do seu problema". A sós, pediu que ela tirasse toda a roupa, pois queria ver se "ainda tinha pênis". A garota ficou estática com a abordagem, e o religioso aproveitou para lhe dar um beijo na boca. Num ímpeto, Bella deu um empurrão no padre, derrubando-o no chão. No dia seguinte, sua mãe foi chamada à sacristia e soube que a filha havia sido expulsa da paróquia por ser transexual e agressiva. "Ela tem uma 'opção' de vida diferente da esperada pela Igreja. Isso tem causado tumulto aqui dentro", justificou o pároco.

Segundo o Ministério Público, Pedro Leandro praticou abuso contra uma dezena de coroinhas entre 2002 e 2006. Ele jura inocência e atribui as denúncias a funcionários do departamento financeiro da sua paróquia, que teriam sido flagrados desviando recursos. Eles foram demitidos e, desde então, armaram contra ele com o intuito de macular sua reputação. Quando a queixa se espalhou por Araras, o bispo emérito da diocese de Limeira, Dom Vilson Dias de Oliveira, transferiu o subordinado para o município de Americana – onde, mesmo acusado, atuou rezando missas e fazendo batizados, além de outras espórtulas sagradas. Mais tarde, Dom Vilson foi afastado das funções pelo Vaticano sob suspeita de cobrar propina de Pedro Leandro para manter as delações contra ele em segredo. O padre só foi demitido pelo clero dez anos depois de cometer a primeira violência. "O réu perpetuou as condutas delitivas utilizando-se da autoridade religiosa que exerce na comunidade em que atuava, fazendo com que todos o obedecessem, perpetuando abusos", escreveu o juiz Rafael Pavan de Moraes Filgueira na sentença que condenou o monstro de Araras. Assim como os criminosos de batina de Arapiraca, porém, Pedro Leandro seguia em liberdade aos 50 anos, em 2022, graças – como sempre – à boa vontade da Justiça brasileira.

Em 1995, outro monstro eclesiástico atacou crianças. Dessa vez o crime começou no município mineiro de Mariana, a 110 quilômetros de Belo Horizonte. Bonifácio Buzzi, de 36 anos na época, era responsável por uma pequena igreja no distrito rural de Mainart. No que parecia uma intenção nobre, ele iniciou um programa educacional, como voluntário, para ensinar os filhos dos lavradores a ler, escrever e fazer contas. O que ele queria mesmo, porém, era ficar rodeado de crianças para estuprá-las. Os pais, operadores de máquinas agrícolas, deixavam os filhos com o religioso por volta das 4 horas e só retornavam para buscá-las às 17 horas. Dependendo do dia, o sacerdote ficava com vinte meninos e meninas, mas, para saciar seu desejo macabro, preferia garotos entre 10 e 12 anos. Quando suas vítimas cresciam, ele as trocava por outras mais novas. A substituição geralmente ocorria quando nasciam pelos pubianos na criança.

Padre Buzzi dava aulas usando lousa de giz. No intervalo, levava seus "alunos" para tomar banho num córrego próximo. Segundo os meninos, todo o mundo ficava nu, mas não acontecia nada. O pedófilo agia no meio da madrugada. Quando os pais chegavam para levar os filhos para casa, ele escolhia sua presa dizendo que o menino precisava de aula de reforço e pedia que ficasse para dormir na casa paroquial. Inocentes, os pais deixavam. Na calada da noite, Buzzi beijava o menor e se masturbava enquanto a vítima dormia. No início, os abusos paravam por aí. Certa vez, Pedro, de 10 anos, foi o escolhido para as aulas de reforço. Sua mãe, Doralina, admiradora do trabalho do padre, concordou. Dessa vez, Buzzi avançou. À noite, a casa estava infestada de muriçocas. Com a desculpa de espalhar repelente no corpo da criança, o religioso mandou que ela ficasse nua. Na sequência, o garoto foi penetrado. Durante o estupro, o sacerdote percebeu uma certa desenvoltura de Pedro em fazer sexo oral e, principalmente, quando o menino assumia posições sexuais passivas na hora da penetração. Com o tempo, apaixonado, o padre descartou outras vítimas. Passou a transar somente com Pedro, mesmo depois de ele entrar na fase da adolescência, rompendo o padrão de abusar somente de crianças. Na escola rural, já com 13 anos, o garoto contou para um coleguinha de 15 que namorava o religioso. O coleguinha contou para a mãe, uma senhora chamada Jacira, da Associação de Mulheres da Agricultura Familiar. Ela denunciou a violência ao pároco da Arquidiocese de Mariana, e Buzzi foi transferido para uma igreja próxima à localidade de Sumidouro, a dez quilômetros do local onde ocorriam as aulas de alfabetização. Um mês depois, Jacira foi até lá e ficou surpresa quando viu, numa quermesse, padre Buzzi, Pedro e sua mãe, Doralina, de 39 anos, sentados à mesma mesa tomando quentão. Jacira conhecia Doralina do trabalho rural e só não havia contado a ela sobre os abusos contra seu filho porque ficou com medo de acontecer uma tragédia, pois a mulher tinha dado golpes de machado em outra agricultora numa disputa por um pedaço de terra para a plantação de pimenta-biquinho. "Fiquei com receio de ela esquartejar o homem e acabar presa. Mas, dessa vez, não podia mais esconder a verdade", justificou Jacira. Ela foi até a mesa, pediu licença e chamou Doralina para uma conversa em particular:

– Nem sei como começar essa prosa.
– Vá direto ao ponto, Jacira!
– Você tem de afastar o seu filho do padre Buzzi!
– E por que eu faria isso?
– Porque ele é um pedófilo! Já o denunciei na paróquia e mandaram ele pra cá.
– Ah! Então foi você quem fez essa fofoca?
– Mulher, tu não tá entendendo, o padre tá comendo seu filho.

Doralina se afastou da amiga sem falar nada e seguiu até uma barraca para pegar mais bebida. Insistente, Jacira foi atrás, anunciando que faria uma nova denúncia, dessa vez na delegacia. A mãe de Pedro deu um gole longo na mistura de cachaça, canela e gengibre e encarou Jacira.

– Não faça isso! Meu filho não vai suportar ficar longe do padre. Pedro caminha dez quilômetros para visitá-lo uma vez por semana depois que Buzzi foi transferido. [...] Agora você vem me dizer que é a autora dessa falsa denúncia. [...] Ele aprendeu a ler graças ao padre, não sabia nem as vogais...

– Acho que você não entendeu. Buzzi está violentando o seu filho! – alterou-se Jacira.

– Você não sabe o que diz. Pedro foi abusado pelo pai desde os 8 anos. Todos os dias, inclusive na cama, na minha frente! Eu me separei dele para evitar o incesto, que é pecado. Depois, passou a ser molestado pelo padrasto, uma desgraça de homem que conheci na roça e levei para casa porque não tinha onde dormir. Agora que meu filho foi escolhido por um representante de Deus, você vem dizer que é estupro? Que devo impedir? Você está doida?

Com medo do machado de Doralina, Jacira deixou a acusação para lá. Cinco anos depois, porém, as denúncias contra padre Buzzi finalmente chegaram à delegacia de Três Corações. Pedro já estava com 17 anos e se recusou a confirmar a relação sexual mantida com o sacerdote por três anos consecutivos, iniciada na infância. "Foi consentido. Nós nos amávamos. Eu terminei com ele porque me apaixonei por um pastor", disse o jovem ao policial. Em sua defesa, o religioso alegou ser doente. Não lhe deram ouvidos: foi condenado a vinte anos de cadeia. Depois de ficar cinco anos no xilindró, migrou para o conforto da prisão domiciliar. Em casa, cumprindo pena, conseguiu atrair dois menores, de 8 e 10 anos, e fez sexo com eles. Foi parar num manicômio judiciário. No hospital psiquiátrico, mesmo vigiado, convenceu um paciente de 13 anos a chupá-lo. De lá, o pedófilo incorrigível mudou-se para Barbacena, na região metropolitana de Belo Horizonte, onde cometeu novos abusos e foi preso mais uma vez. Quando migrou para o regime semiaberto, em 2012, desapareceu.

Em 2015, Buzzi foi o único brasileiro a ter o nome incluído na lista internacional de padres autores de crimes sexuais contra crianças e adolescentes acobertados pelo Vaticano. A lista da vergonha foi divulgada no filme hollywoodiano *Spotlight – Segredos revelados*, ganhador do Oscar de melhor filme em 2016. Só depois dessa publicidade de alcance mundial a polícia de Minas saiu atrás dele – que já estava para os lados do município de Barra Velha, em Santa Catarina, abusando de outras vítimas. Foi capturado e levado para o presídio de Três Corações. No traslado, disse aos policiais que não adiantava prendê-lo, pois sua doença estava na alma, e não em seu corpo. Quando deu entrada na penitenciária pela terceira vez, em 5 de agosto de 2016, padre Buzzi aparecia nas páginas policiais de todos os jornais por causa da repercussão do filme *Spotlight*. A população carcerária agitou-se com sua chegada, e ele foi para a solitária. Houve uma disputa entre os presos mais violentos para ver quem seria seu assassino, mas ele mesmo ganhou a aposta: dois dias depois, pegou o lençol da cama, fez uma teresa (corda improvisada) com o tecido, amarrou uma das pontas na parte mais alta da grade, passou a outra ponta no pescoço e fez um nó. Em seguida, enforcou-se com o peso do próprio corpo ajoelhando-se lentamente. Dentro do universo religioso, o suicídio é um dos temas mais controversos. A maioria das doutrinas afirma que o destino de quem tira a própria vida é o inferno. Se for verdade, padre Buzzi, o pedófilo, está sentado no colo do Satanás.

* * *

Na casa do Rio Comprido, Anderson aprimorou o empreendedorismo religioso. A duas quadras do novo endereço havia um pequeno estúdio musical, onde foi gravada a primeira fita demo de Flordelis. Assim como sua amada, ele tinha lábia de pastor. A princípio, tentou convencer os donos da empresa, os irmãos Salim e Samir, a arcarem totalmente com a produção, pois Mãe Flor era uma estrela das reportagens de televisão. Ele então mostrou recortes de jornais em que ela aparecia em destaque e propôs um disco com poucas canções, conhecido no mercado como EP *(extended play)* – ou seja, algo maior do que um *single* e menor do que um LP *(long play)*. Outro cartão de visitas que o filho-empresário apresentou foi a capa de um compacto supostamente feito pela missionária, intitulado *Ninguém se esconde*, com a canção *Azul do céu* registrada no lado B. "Eu entro com a artista, vocês bancam os custos da fita demo e dividimos os lucros meio a meio. O que acham?" Salim pediu para ouvir o compacto de Flordelis, gravado em 1979. Até hoje a família da cantora guarda a capa desse compacto como se fosse uma relíquia. A capa tem uma foto do rosto dela de cabelos curtos, aos vinte e poucos anos, em tons de sépia. Nos créditos, consta que a produção teria sido bancada pelo pastor Paulo Rodrigues Xavier, primeiro marido de Flor, e por João José Correr, outra liderança da Assembleia de Deus do Jacarezinho. Pela ficha técnica, os acompanhantes eram músicos da nova formação do Conjunto Angelical. O *single* foi gravado no estúdio Angelical II, em Belford Roxo, mas nunca foram prensadas mais de 200 cópias por falta de recursos. "Por isso o disco é hoje uma raridade preciosa. Vale milhões", acredita o irmão de Flor, Fábio Malafaia, um dos músicos do disco, detentor de uma das cópias do compacto.

Para passar uma camada de verniz artístico em Flordelis, Anderson andava com a capa do single para cima e para baixo, dizendo que o artigo tinha vendido tanto, mas tanto, que se esgotara rapidamente nas lojas. Quando ele bateu na porta dos irmãos Salim e Samir, em meados da década de 1990, o Brasil já fabricava CDs em escala industrial, mas, por causa do preço, poucos tinham acesso ao aparelho, o CD player, para tocá-lo em casa ou no carro. Portanto, o EP demo de Flordelis foi registrado numa fita cassete – e com um belo desconto, graças à conversa mole do aspirante a pastor. Cada uma das seis canções de louvor custou 200 reais, quando o valor médio da gravação, na época, era de 600 reais por faixa. Com a mercadoria em mãos, Anderson investiu em sua artista: comprou um reprodutor de cassete, fez 400 cópias do EP, colocou na capa uma foto de Mãe Flor com a filharada e passou a vender as fitas de porta em porta no Jacarezinho, onde sua estrela era bem conhecida, e na saída dos cultos da Assembleia de Deus onde ela se apresentava aos domingos. Acompanhada por Fábio Snak (guitarra solo), Jamil (guitarra base e trompete), Paulo Roberto (contrabaixo), César, Sérgio e Silas (trombones), Jorge Aguiar (teclado) e Osmar (bateria eletrônica), Flor soltou seu vozeirão. No final do último dia de trabalho, ela ainda pregou com os músicos para um público de trinta pessoas, afirmando ter tido uma visão sobrenatural: "Deus veio até mim enquanto eu gravava esse disco. Estou toda arrepiada, gente! Ele falou ao pé do meu ouvido, irmãos! Ele me disse que aqui, neste estúdio tão humilde quanto o coração de Jesus, minha carreira de cantora dará o primeiro passo profissional. [Aleluia!] Quando estiver no topo da montanha com meu marido e meus filhos – bem pertinho do céu –, não esquecerei de nenhum de vocês! Jamais!".

Uma semana antes de gravar sua primeira fita demo, Flordelis enfrentou a destemida Sandra Sapatão pela última vez. A missionária tinha acabado de chegar à casa do Rio Comprido na companhia de Flávio e Adriano, os dois filhos biológicos que havia resgatado dos cuidados de Carmozina após passar quatro meses fugindo da polícia pelas ruas da cidade. Na sala, foi surpreendida pela traficante armada de fuzil e com o pequeno Romulo, de 4 anos, no colo – o menino era filho de Robertinho de Lucas, bandido rival de Sandra e protetor de Flordelis. A bandoleira do Comando Vermelho estava lá para um acerto de contas. Frente a frente com a inimiga, Flor não se mostrou abalada. Mandou as crianças sair da sala, pegou Romulo e perguntou à traficante:

– Meu nome é Flordelis. Como é mesmo o seu nome, querida?
– Que palhaçada é essa, sua crente do caralho?
– Aceita um copo de água? Café? Chá? – ofereceu, lânguida.

Não se sabe se era princípio de Alzheimer, sequelas de um acidente vascular cerebral (AVC), demência simples ou puro fingimento. Desde o parto de Flávio, em 1981, Flordelis passou a ter lapsos recorrentes de memória. Logo após o nascimento do bebê, ela ficou uma semana sem lembrar o nome do filho. Às vezes, perguntava às irmãs mais velhas como ela própria se chamava. Era comum Flor sair da casa da mãe, no Jacarezinho, e esquecer o caminho de volta – ou até o motivo de ter saído na rua. A família encarava o problema como simples distração, mas a transitoriedade (tendência para esquecer pessoas, fatos e eventos) foi aumentando com o passar do tempo. Quando Sandra Sapatão encarou Flor, ela insistiu não se recordar das pendências com a criminosa sanguinária. A bandida ficou sem entender a reação da inimiga e teve de bater em retirada tão logo Anderson chegou avisando que o juiz Siro Darlan apareceria dali a uma hora. E o magistrado sempre chegava acompanhado de policiais, reforçou. Sandra saiu às pressas do Rio Comprido e nunca mais procurou a missionária.

Em 21 de maio de 2021, a traficante estava tomando sol na praia de Saquarema, região dos Lagos, quando foi presa pela polícia e levada para o Instituto Penal Santo Expedito, em Bangu, na zona oeste do Rio. Em outubro de 2022, o juiz Rudi Baldi Loewenkron inocentou-a da acusação de ser chefe do tráfico de drogas no

Jacarezinho. "Entendo que o acervo probatório é por demais frágil, que não houve interceptação, apreensão de anotações, ou testemunha de viso que pudesse confirmar a participação de Sandra no tráfico local. A prova produzida nos autos é insuficiente e não autoriza um decreto condenatório. A absolvição impõe-se", escreveu na sentença. Sandra Sapatão, personagem recorrente na lista dos bandidos mais procurados pela Polícia Civil do Rio de Janeiro – a recompensa para quem a encontrasse era de 1.600 reais –, ganhou a rua para andar livre.

No Rio Comprido, a grande família aumentou com a chegada de novos "filhos" resgatados da rua e outros nem tão desconhecidos assim. Depois de outra reportagem no RJTV para mostrar o lar da missionária, o casal Selma e Olival procurou Mãe Flor pedindo abrigo. Ambos estavam foragidos da polícia após cometerem latrocínio no Centro do Rio. Uma semana depois foi a vez de Orelhinha e Xaropinho, integrados ao último escalão do quadro de traficantes de Robertinho de Lucas. Um mês mais tarde voltou Aldeci, membro de uma quadrilha de assalto a bancos. O ex-namorado de Selma tinha sido recolhido ao Centro de Atendimento Intensivo Belford Roxo e posto em liberdade assistida por bom comportamento. Sem referência familiar, contou a uma assistente social do governo que era "filho" de Flordelis e conseguiu voltar para a casa da "mãe" disposto a recuperar a antiga paixão, agora "noiva" de Olival. Entre os personagens novos estavam Ariovaldo, apelidado de Ari, e Pascoal, que chamavam a atenção pela beleza. Aos 16 anos, chegaram por conta própria, dizendo que os pais moravam no interior. Nessa época, Flordelis já havia abandonado o ritual do banho de batismo, comum na Rua Guarani, mas nem por isso deixou de sentir atração sexual por alguns "filhos" novatos. Ari e Pascoal, por exemplo, receberam atenção especial da matriarca simplesmente por serem atraentes.

Em 1998, a grande família já possuía cerca de quarenta "filhos", mas nem todos moravam na casa. Uns passavam temporadas e desapareciam. Outros tinham pais e moradia fixa, mas ficavam lá durante o dia. Alguns não se acostumavam com a rotina, principalmente depois de Anderson e Flordelis imporem regras rígidas que passavam pela dinâmica familiar e pela logística. O núcleo principal – composto pelos herdeiros biológicos (Simone, Flávio e Adriano) e pelos agregados mais antigos (Alexsander, André Luiz, Carlos Ubiraci, Cristiana, Rayane e Wagner) – acomodava-se no piso superior do imóvel, com quartos confortáveis, camas macias e ventiladores giratórios, e tinha acesso a uma geladeira exclusiva, trancada com cadeado na maior parte do tempo. A chave ficava com Carlos Ubiraci, o gerente. Os demais "filhos", considerados cidadãos de segunda classe, dormiam em beliches, no piso inferior. No meio da muvuca, havia cerca de dez crianças e três bebês, que mais tarde seriam adotados legalmente pelo casal.

No piso de cima, um cômodo amplo, batizado de quarto secreto, foi reservado aos rituais satânicos de Flordelis e Anderson. No aposento havia um guarda-roupa, cama, duas cômodas, uma cristaleira e dois altares com as imagens de Baphomet, Exu Caveira e São Cipriano, usadas separadamente em cultos e bruxarias. O critério usado para escolher os personagens que seriam adorados nas cerimônias macabras era bem particular. Quando o rito envolvia sexo, por exemplo, o casal colocava no chão a imagem de Baphomet, considerado por Anderson um homem viril, mas ambíguo por ter braços fortes e seios de mulher. Exu Caveira entrava em cena quando a magia envolvia trabalhos de quimbanda, uma religião autônoma – nessas celebrações, Flordelis supostamente conversava com uma entidade chamada Maria Padilha, também conhecida como Dama da Madrugada. Se a feitiçaria envolvesse questões familiares ligadas diretamente ao destino dos "filhos", incluindo Anderson, São Cipriano tornava-se presente.

Em alguns desses universos ocultistas, Flor dizia ser um querubim chamado Queturiene, uma suposta variação da personagem bíblica Quetura, a amante de Abraão. A história da concubina é mencionada *en passant* no livro de Gênesis (25:1-6). Quetura também é citada numa genealogia, no primeiro livro de Crônicas (1:32,33) do Antigo Testamento da Bíblia. Segundo a teologia, o nome Quetura significa "envolvida em fragrante incenso". Após ser possuída de Queturiene numa sessão reservada, ela resolveu exercer um suposto poder sobrenatural para rebatizar a prole com nomes de anjos. Para essa ocasião foi convidado somente o núcleo principal. Todos ficaram sentados em círculo no quarto secreto, diante da imagem de São Cipriano, e houve banho de sal grosso para afastar espíritos malignos. A missionária explicou que todos ali eram criaturas terrenas custodiadas pelo Diabo. Fez um resumo da vida pregressa de cada um para que se lembrassem de suas desgraças e de como foram "salvos" das entranhas do inferno por Queturiene. Emocionada, lembrou os serviços sujos prestados por Carlos Ubiraci ao Comando Vermelho e as crises terríveis de abstinência; falou da violência doméstica sofrida por Cristiana e do destino cruel que Satanás havia reservado para Rayane, resgatada das mãos de um demônio chamado Cara de Cadáver.

Flor também tinha uma "filha" chamada Vânia, que não fazia parte do núcleo principal. A narrativa de sua vida era tão espetacular, que servia de exemplo para reforçar os "poderes" da supermãe. Quando a menina tinha 3 anos, dormia coberta com papelão na calçada da Central do Brasil. Nesse cenário inóspito, foi vítima de uma chacina e levou um tiro no abdome. A bala, segundo essa fabulação, ficara alojada em seu fígado. "Só quem estava na Central do Brasil sabe o que eu passei. Tenho essa bala até hoje no meu organismo. É meu amuleto", assegurava ela, mesmo sem nunca ter visto uma radiografia provando que o projétil estava mesmo em seu corpo. Em uma roda mística comandada por Flordelis no quarto secreto para passar a limpo seus "milagres", ela contou que Vânia foi atingida por um tiro certeiro disparado pelo Demônio e só sobreviveu porque foi salva pelas mãos espirituosas da missionária.

Em rituais realizados separadamente, os "filhos" mais queridos foram rebatizados e passaram a ter nomes de anjos. Anderson tornou-se "Daniel", codinome abreviado mais tarde para "Niel". "Ele é o meu filho mais importante. Somos unidos pelo amor, pelo sangue e pela carne", proferiu Queturiene. Nessa quimbanda, segundo testemunhas, Flor vestia um *caftan* preto, fino e transparente, sobre uma calcinha fio dental da mesma cor. Não usava sutiã. Simone, que recebeu o codinome de "Hebreia", era chamada no círculo íntimo de "Bebê" ou simplesmente "Bê". Carlos Ubiraci ganhou o apelido de "Neném", apesar de já ser chamado assim desde que chegou à família. Wagner tornou-se "Misael". Flávio, Adriano, Cristiana, Rayane e Alexsander nunca foram rebatizados porque, segundo a bruxa, ainda não alcançaram merecimento divino. Certa vez, num ritual coletivo, Queturiene pegou a imagem de Exu Caveira e, diante dela, fez uma feitiçaria simples usando um pote de mel. Num pedaço de papel, escreveu a lápis os nomes completos dos irmãos Werneck, desenhou ao lado o símbolo do cifrão ($) diversas vezes e mergulhou no mel até o rabisco desaparecer. "Que essas duas almas continuem nos ajudando", pediu Niel. "Glória a Deus!", repetiam os jovens. A família também realizava trabalhos usando frutas. No dia do batismo dos "filhos", Flordelis pegou um melão e colocou dentro dele duas alianças para renovar os votos do seu amor pelo seu companheiro. Depois, as frutas foram jogadas na mata. Ocasionalmente, os rituais eram macabros. Certa vez, Queturiene recrutou seus querubins para uma sessão especial de magia no quarto secreto. Ela pegou uma galinha preta viva, usou uma faca de cozinha para cortar o pescoço da ave e a deixou se debatendo até o sangue escorrer pelo chão, como fazia seu finado tio Miquelino. Nessa hora, parte dos "filhos" – incluindo Flávio e Cristiana – saiu do quarto, assustada. Com a mesma faca usada para decapitar a galinha, Queturiene cortou o papo do bicho e colocou um papel lá dentro todo molhado de sangue. Nele estava escrita a seguinte frase: "Que o juiz Siro Darlan esqueça do nosso endereço para sempre". Mãe Flor pediu para Simone costurar o papo da galinha e carbonizá-la no quintal sem a cabeça.

A bruxaria parece ter dado certo. Alguns meses depois, o juiz concedeu a guarda provisória de quase toda a filharada para a supermãe e nunca mais apareceu. Com o tempo, a guarda tornou-se permanente. Para comemorar a bênção da justiça dos homens, Anderson e Flor fizeram amor até o amanhecer sob os olhos atentos de Baphomet.

Em 10 de abril de 2022, Siro Darlan falou sobre sua decisão: "Na década de 1990, resolvi deixar todas as crianças com a Flordelis porque era muito melhor elas ficarem na casa do que voltarem para as ruas. Na época, briguei com todos os promotores do Ministério Público que foram contra. Não me arrependo de nada, até porque a Flordelis fazia com aquelas crianças o que o Estado não fazia. [...] Essa mulher sempre foi julgada injustamente, como todas as pessoas faveladas, pretas e pobres. Claro que eu não sabia o que se passava na intimidade daquela casa. Todas as vezes em que fui lá, todo mundo estava muito feliz. Era isso que me interessava. [...] A Flordelis pegava essas crianças em todos os lugares: na rua, na favela, na vizinhança, nas praças da capital e do interior... Só quem tem filhos sabe. Primeiro, nasce o Abel. Depois, nasce o Caim. Em seguida, começam os conflitos familiares dentro de casa, pois um irmão quer matar o outro. No caso da família da Flordelis e do Anderson, não poderia ser diferente. Agora, vamos deixar de ser hipócritas! Em um lugar com dez, vinte, trinta, quarenta, cinquenta crianças e adolescentes de origem e sentimentos tão diferentes, pode rolar de tudo: amor, afeto, carinho, ciúme, intriga, inveja, ódio, raiva, tesão..."

À luz das ciências sociais, as atitudes de Flordelis e Anderson ganham análises curiosas. Lidice Meyer, doutora em Antropologia pela Universidade de São Paulo, avaliou os relatos dos rituais do casal, assim como a relação estabelecida por eles ao juntar Baphomet, Exu Caveira e São Cipriano ao mesmo tempo em que se apresentavam como evangélicos tementes a Deus. "Acredito que, na verdade, eles não cultuassem nenhuma dessas entidades, até por falta de conhecimento. Flordelis e Anderson faziam uma mistura de elementos de umbanda com quimbanda, conhecida no Rio de Janeiro como macumba. A umbanda já possui elementos do cristianismo, o que facilitou a entrada de Flordelis no meio evangélico, já que sua mãe frequentava terreiros. A quimbanda é tida como prática de magia perversa e lida com os exus, incluindo o Exu Caveira. A intenção é agradar essas entidades para que elas venham a colaborar com o indivíduo que realiza o ritual. Seria errado definir a umbanda e a quimbanda como práticas satanistas, pois seus adeptos não se veem assim. Para eles, são rituais que envolvem seres sem corpos (incorpóreos). [...] A classificação dos exus como demônios vem de uma interpretação cristã sobre suas práticas. O fato de Flordelis relacionar o Exu Caveira com Baphomet e satanismo revela seu total desconhecimento da umbanda e da quimbanda, além de uma forma bem pessoal e popular de como cultuar os demônios. [...] Nos rituais de Flordelis também existe uma mistura de elementos de bruxaria folclórica. Ou seja, práticas criadas sem muita profundidade com o uso de materiais e livros populares. Não é uma prática organizada de satanismo, embora talvez ela achasse que fosse", disse a especialista.

O antropólogo Wagner Gonçalves, da Universidade de São Paulo, explica como se dá a mistura de figuras tão antagônicas como

Deus e o Diabo no mesmo ritual. "As religiões evangélicas e as de matrizes africanas são iguais, apesar de se atacarem mutuamente. Uma acusa a outra de cultuar deuses que, na verdade, são o Diabo. Muitos estudiosos classificam as igrejas pentecostais de 'cristianismo macumbeiro', pois eles usam a mesma lógica do sistema mágico religioso afro-brasileiro, como banho de descarrego e uso de sal grosso, além de uma série de outros elementos. [...] O que difere essas religiões é que, nas protestantes pentecostais, como a Assembleia de Deus e a Igreja Universal do Reino de Deus, os pastores falam muito mais no Diabo do que em Deus como forma de amedrontar os féis com esse tipo de maniqueísmo e, assim, mantê-los dentro da igreja. Até porque, exercer o medo sobre as pessoas é uma forma eficiente de constituir poder", discorreu o antropólogo.

Flordelis e Anderson sempre foram adeptos do relacionamento aberto, assim como boa parte dos seus "filhos". Em mais uma cerimônia secreta, o casal investiu em Pascoal. Musculoso, o jovem chamava a atenção das "irmãs" porque andava só de cueca pela casa. Primeiro ele transou com Simone, apesar de ela namorar seu "irmão" André – que, por sua vez, estava transando também com uma "irmã" chamada Vanúbia, então ficava elas por elas. Simone teria elogiado a performance do rapaz para as "irmãs" e a resenha positiva chegou aos ouvidos de Mãe Flor. Para advertir a adolescente, a missionária reforçou uma de suas regras mais rígidas: seus "filhos" não poderiam se relacionar sexualmente sem seu expresso consentimento, mesmo que de forma casual. Simone, então, pediu desculpas pelo "incesto" não autorizado. "Não estou dizendo que você não pode transar mais com o Pascoal. Não é isso. Estou apenas pedindo para você me consultar antes. Vai que você pega barriga de um irmão", teria observado Flor. Da boca para fora, a supermãe justificava esse controle pelo receio de sua casa se tornar "um antro de luxúria", descambando para um excesso de bebês indesejados. Os cuidados com a taxa de natalidade interna, no entanto, não surtiram efeitos positivos. Cristiana acabou engravidando duas vezes do "irmão" Carlos Ubiraci – primeiro, sofreu um aborto espontâneo, depois teve Raquel. Simone, a Hebreia, namorou Alexandre, de breve passagem na família, e teve três crianças com o "irmão" André Luiz: Lorrane, Rafaela e Ramon. Novos casais foram se formando e se desfazendo ao longo do tempo. Adriano, o "Pequeno", caçula biológico de Flordelis, foi galã na adolescência. Teve um namorico com Roberta, supostamente encontrada na caixa de sapatos, e, mais tarde, se envolveu simultaneamente com as "irmãs" Nylaine e Lorrana (não confundir com Lorrane, herdeira de Simone). Outros dois "filhos" de Flor e Anderson, Iago e Francine, começaram a namorar, mas foram expulsos de casa porque sua primeira noite de amor ocorreu sem o aval de Queturiene.

Enquanto Flor repreendia Simone pela prática sexual com Pascoal, Anderson o recrutava para uma sessão de bruxaria no quarto secreto. Usando a autoridade de "pai", pediu para o rapaz de 16 anos se apresentar discretamente no cômodo à noite, logo depois do jantar. O jovem foi todo empolgado, achando que seria batizado com nome de anjo e promovido ao núcleo principal, apesar de ter acabado de chegar a casa. Na hora marcada, Pascoal bateu na porta do quarto vestindo apenas um short. Anderson o recebeu na penumbra. Numa mesa de canto, repousava a imagem de São Cipriano, cercada por quatro velas vermelhas. Flor apareceu usando uma camisola azul transparente, sem nada por baixo. Pascoal ficou impressionado com a beleza do corpo da "mãe", mas travou com a presença de Anderson.

– Fique à vontade, meu "filho". Tire o short e deite-se no chão! – ordenou a missionária.

– Não entendi, Mãe Flor.

– Me chame de Queturiene!

Nu, Pascoal começou a acreditar que teria de transar com Anderson, que também havia tirado a roupa. O mal-entendido foi esclarecido pelo "pai", que comandava o ritual.

– Neste momento, você não vai transar com nenhum de nós. Vai ficar trancado aqui no quarto por 72 horas, sozinho, refletindo sobre seus pecados. De madrugada, Queturiene virá lhe fazer uma visita para avaliar seu merecimento e, quem sabe, purificar o seu corpo e sua alma. Sinta-se privilegiado, pois a mulher que vai te atender é uma entidade superior com linha direta com Nosso Senhor.

Pascoal aceitou o sacrifício. Anderson deixou no quarto uma cesta contendo pão e frutas, além de uma garrafa grande com água. Durante três dias, Flor, ou melhor, Queturiene, passava lá para transar com o jovem. Na semana seguinte, o ritual se repetiu com Olival e Aldeci, os assaltantes de rua agregados quando a família andava pelas ruas do Rio de Janeiro. Orelhinha e Xaropinho pediram para passar pela alcova, mas foram barrados por Anderson por terem uma lista de pecados enorme, já que atuavam no tráfico de drogas da favela Parada de Lucas. Usando a desculpa de "purificar" a prole, Anderson e Flordelis transaram com todos os "filhos" por quem sentiam atração. Quando fizeram investidas sexuais em Ari, amigo de Pascoal, descobriram que o jovem era gay. "Se a senhora quiser, posso ir embora, pois minha tia da Igreja Universal disse que Deus não perdoa homem que faz sexo com homem", adiantou-se. Flor e Anderson se entreolharam e anunciaram que Ari poderia ficar, desde que não adquirisse "trejeitos de mulher". Um mês depois, Ari teria transado com Anderson diversas vezes sem que ninguém soubesse. Na cama, segundo ele, "Niel" era "selvagem". "Quando a gente transava, ele me dava tapas fortes no rosto, amarrava os meus braços com tecidos, puxava meu cabelo por trás e apertava meu pescoço com força na hora de gozar", relatou.

Ari tinha 16 anos quando morou no Rio Comprido e ficou por lá até completar 18. Em 2021, aos 42 anos, fez questão de deixar claro que todas as relações sexuais com Anderson, inclusive as mais violentas, foram consentidas. "Ele era muito bom de cama e tinha um pau enorme. Por isso, a mulherada ficava doida por ele. Só paramos de transar porque ele não quis mais", contou. Certa vez, Ari perguntou se Anderson era gilete, gíria comum nos anos 1980 usada para classificar homens bissexuais. Ele garantiu que era heterossexual, porém transava com gays, segundo ele, porque nem todas as mulheres da casa gostavam de fazer sexo anal. Ele também teria dito ao "filho" que homens fazem sexo oral infinitamente melhor do que as mulheres. Sobre os rituais ocorridos no quarto secreto, Ari disse que a prática parecia mais um fetiche sexual de Anderson e Flor do que algo propriamente satânico. "Aquele antro era literalmente a casa da mãe-joana, pois parecia uma seita desorganizada. Tinha muita bagunça. Um comia o outro. As crianças gritavam de dia pela sala, e os adultos gemiam à noite pelos quartos. Tipo prostíbulo, sabe? No meio desse pardieiro, a gente era proibido de fumar e de tomar bebidas alcoólica por causa da igreja. Muita hipocrisia", relatou.

Paralelamente aos rituais envolvendo sexo, Anderson levava adiante o projeto de transformar Flordelis em uma estrela gospel e resgatou o antigo plano de ordená-la pastora da Assembleia de Deus. O casal procurou a regional mais próxima da organização e descobriu que naquela época, segunda metade da década de 1990, a instituição protestante só aceitava líderes com diploma do curso de Teologia, algo muito distante da realidade da missionária. Anderson, porém, percebeu que algumas unidades da Assembleia de Deus no entorno do Jacarezinho fugiam a essa regra e voltou a procurar Zé da Igreja, que recebeu Flor em seu gabinete e lhe deu um passa-fora. "Nós realmente estamos ordenando pastores sem diploma de Teologia, mas exigimos dos candidatos o dom para o ofício, pois cansamos de charlatanismo barato. Que tipo de profecia você já teve? Que tipo de voz você ouve dentro de si? Nem para herdar os poderes da mãe você serviu. Perdeu tempo recolhendo marginais da rua, fugindo da polícia. A Carmozina previu a morte do filho [Amilton], do marido [Chicão] e até a sua desgraça. E você? Sabe quando o Anderson vai morrer? [...] Também estamos exigindo dos novos pastores evidências irrefutáveis de poderes de cura. Quando você for uma bruxa completa, volte para a gente conversar", descartou o ministro.

Sem ver a menor chance de emplacar Flordelis na Assembleia de Deus, Anderson resolveu criar uma instituição religiosa para ela. Comprou sessenta cadeiras de plástico usadas, a R$ 1,99 cada – algumas estavam quebradas –, e arrumou-as lado a lado na garagem da casa do Rio Comprido. Batizou o ministério de Atalaia da Última Hora e criou um *slogan*: "O ponto mais alto de onde Deus te protege". Também equipou o espaço com microfones e amplificador para repercutir as canções gospel que Alexsander tocaria num teclado eletrônico. Por estratégia do mercado religioso, o primeiro culto foi realizado em uma tarde de sábado, com metade dos assentos ocupada pela grande família – no restante dos lugares estavam coleguinhas de classe dos "filhos", recrutados por ordem de Anderson, e alguns familiares. Michelle, irmã do aprendiz de empresário evangélico, apareceu na inauguração do templo e chamou a atenção de Carlos Ubiraci, com quem teria trocado beijos. Arrependido por trair Cristiana, o jovem teve uma recaída e cheirou uma carreira de cocaína –

levada por Xaropinho e Orelhinha, os traficantes adolescentes, que pretendiam subornar o gerente da casa com pó para obter regalias, como a comida guardada na geladeira especial. Outra barafunda ocorrida na inauguração do ministério foi causada por Vanúbia, que usava roupas muito curtas e desfilava pelo ambiente balançando os quadris. Repreendida por Simone, ela rebateu: "Deus olha para a alma, não para as nossas vestes". A data ainda foi marcada por outra confusão. Aldeci, latrocida, ex-presidiário e ex-namorado de Selma, tomou escondido umas latas de cerveja e tentou beijar a garota, que a princípio evitou. Mais tarde, no entanto, cedeu e foi flagrada por Olival. O bandido traído puxou uma arma da cintura e apontou para a cabeça do rival. A briga só não manchou a estreia de Flordelis nos púlpitos porque Flávio e Carlos Ubiraci contiveram o fuzuê.

No meio do espetáculo, sob muitos aplausos, Flordelis finalmente ordenou-se pastora. A essa altura, sua igreja particular estava lotada, pois os gritos fervorosos de louvor ecoavam na vizinhança e atraíam quem passava pela rua. Mais de 200 pessoas se espremiam na área externa da casa, perguntando quem era aquela mulher. Anderson subiu ao púlpito, cochichou no ouvido da amada e Flor anunciou, aos berros, que acabara de ter uma visão profética sublinhada por Deus. Pediu silêncio, mandou todos fecharem os olhos e ouvir atentamente o que tinha para dizer. Por cinco minutos, então, falou com uma voz incompreensível, como se rugisse. O público reagiu levantando as mãos para o alto e alguns fiéis seguraram Bíblias. Num ato teatral, ela apontou o dedo indicador para a plateia e gritou: "Você, irmão!". "Quem? Eu?", respondeu um anônimo. "Não! Ele aí ao seu lado!", devolveu a pastora. Era Carlos Ubiraci, que pescou na hora a encenação. Flor continuou a pregar: "Você andava no inferno. Lambuzava-se na sujeira do Satanás. Foi tirado do mundo porco das drogas e trazido para uma vida de glória. Mas parece que andastes novamente flertando com o Demônio. Meu filho, não se preocupes. Como todo cristão, pagarás teus pecados com sacrifício e serás acolhido novamente. Porque quem está do meu lado está ao lado Dele!", bradou com fervor. Mais uma chuva de gritos e aplausos. Mãe Flor encerrou o culto cantando hinos evangélicos, inclusive a música *Ninguém se esconde*, e anunciando uma nova pregação para o dia seguinte. Com o tempo, sua pequena igreja passou a receber mais de mil ovelhas.

Apesar do sucesso, as receitas dos cultos ficavam aquém do esperado, pois Flordelis era tímida ao pedir dinheiro aos fiéis. "Precisamos comprar cadeiras novas, gente. Quem puder colaborar, eu agradeço de coração", anunciava ao microfone. Com tanta polidez, o caixa fechava com menos de 200 reais por dia – e só chegava a esse valor porque alguns "filhos" ficavam na porta vendendo fitas cassete com as músicas de Mãe Flor, ao preço de 5 reais. Mas poucas pessoas compravam. Todo o dinheiro arrecadado pela família, incluindo o auxílio dos irmãos Werneck, era depositado na conta de Anderson, no Banco do Brasil. Depois da abertura da igreja, o patriarca começou a traçar estratégias com Wagner, o Misael, para melhorar a arrecadação religiosa e os donativos de simpatizantes da causa da adoção.

Logo depois do culto inaugural, algumas demandas urgentes foram resolvidas. Flordelis ficara revoltada com as brigas no meio da sua pregação. Enquanto todos jantavam sopa com pão numa mesa enorme, posta na varanda, Carlos Ubiraci detalhava em voz alta as confusões de cada um durante a tarde. "O Aldeci puxou até uma arma, mãe", dedurou. Nessa lavação de roupa suja, Cristiana disse que o namorado não tinha moral para acusar ninguém, pois beijara a "tia" Michelle, irmã biológica de Anderson. Aldeci, por sua vez, revelou que o gerente havia "cafungado pó". Diante do silêncio sepulcral instalado no ambiente, Flordelis incorporou Queturiene. Furiosa, pegou um martelo de carne e bateu com violência na cabeça de Carlos Ubiraci, um de seus "filhos" mais importantes. O golpe provocou traumatismo craniano e o sangue do rapaz esguichou sobre a mesa, respingando na panela de sopa. A cena horripilante assustou toda a família, principalmente as crianças. "Foi essa a visão divina que ela teve?", debochou Vanúbia. Carlos Ubiraci caiu no chão e começou a estrebuchar, repetindo diversas vezes: "Mãe, por que a senhora fez isso? Logo eu que te amo tanto. Por quê?" Aos prantos, Anderson levou o jovem ao pronto-atendimento. Flor chegou em seguida e pediu perdão, com o rosto ensopado de lágrimas. Carlos Ubiraci a perdoou e nunca mais tocaram no assunto. A vítima ficou com afundamento no crânio e teve sequelas mentais. No entanto, ninguém sabe se seus problemas psiquiátricos são consequência do uso excessivo de drogas, da pancada com o martelo ou das duas coisas juntas. Quando alguém pergunta por que sua cabeça é achatada, ele responde que foi atingido por uma panela de pressão. Depois desse episódio, os "filhos" passaram a temer a "mãe" como o cristão teme o Diabo.

Do Rio Comprido, a grande família mudou-se para Jacarepaguá por causa da chegada de mais "filhos". Eles brotavam de todos os lugares: continuavam sendo deixados pelas mães biológicas e resgatados das ruas. No final da década de 1990, a pastora tentava desesperadamente engravidar de Anderson. Sem sucesso, ele passou a considerar a possibilidade de ser estéril. No meio desse dilema, Flor contou ao companheiro ter tido uma visão celestial na qual ela seria mãe da mesma forma que Maria engravidou do Espírito Santo – na verdade, estava planejando roubar mais um bebê para satisfazer a vontade do casal de ter uma criança biológica. Nessa época, a casa de Jacarepaguá recebia visitas de muitas mulheres que queriam deixar ali seus filhos adolescentes. Por meio de uma delas, Flor soube de uma moça chamada Janaína Barbosa, de 18 anos, grávida pela segunda vez. A moça teria dito a amigas que, tão logo seu nenê nascesse, ela o mataria, pois não tinha mais paciência para cuidar de recém-nascidos. Flor ouviu a história horrorizada e perguntou onde Janaína morava. Com o endereço em mãos, seguiu com Anderson até lá e, em meio a orações, disse à jovem que Deus a havia mandado para impedir uma tragédia. No dia do parto, ocorrido em 18 de janeiro de 1998 na Casa de Saúde Santa Helena, o casal foi para a maternidade e saiu de lá com o menino e a guia de nascido vivo, documento essencial para o registro em cartório. Janaína tentou impedir, argumentando que sentia vontade de amamentar. Flor a convenceu do contrário, dizendo que Deus dera um prazo muito curto para abençoar o garotinho num ritual secreto. Após ouvir a promessa de que poderia ver o filho quantas vezes quisesse, concordou.

Na primeira visita, Janaína participou de um culto de Mãe Flor e não viu o bebê, que estaria com Carmozina. Na segunda, a criança teria sido levada ao médico. Na terceira, estaria passeando na praia. Como todas as vezes havia combinado os encontros com o casal, a moça resolveu dar uma incerta. Na aparição surpresa, finalmente encontrou o menino – mas, ameaçada de forma velada por Orelhinha e Xaropinho, que estavam armados, não pôde pegá-lo no colo. Ao contar a Flor sobre a presença de bandidos na porta, ouviu: "Armas aqui? Imagina. Meus filhos são uns amores". Janaína anunciou que levaria o herdeiro, mas a missionária começou a chorar e disse que um empresário muito rico bancava o aluguel e a alimentação daquelas mais de cinquenta crianças. "Ele ficou encantado com o seu bebê. Se você o levar embora, ele vai suspender a ajuda e todos voltarão a morar debaixo do viaduto", mentiu. Sem querer carregar a culpa pelo desmanche da casa de acolhimento, a garota abriu mão do filho. Houve festa na grande família. Para comemorar a chegada do primeiro "filho biológico", Anderson e Flor foram a um cartório no Méier (10ª Circunscrição do Registro Civil) no dia 24 de abril de 1998 para selar a união civil. Quando assinaram a papelada do casamento, ela tinha 37 anos, e ele, 21. Dois meses depois, o casal voltou ao cartório com o bebê no colo para cometer um crime. No dia 18 de junho de 1998, Anderson e Flor registraram o menino de cinco meses como se fossem pais legítimos. Deram o nome de Daniel dos Santos Souza. O Artigo 242 do Código Penal prevê pena de dois a seis anos de cadeia para quem registra como seu o filho de outra pessoa. Quem assinou como testemunha da fraude foi Carlos Ubiraci. Na família, houve uma ordem expressa para que o roubo da criança fosse um segredo inviolável. Danielzinho, como era carinhosamente chamado, cresceu cercado de amor e mentiras.

Ao longo dos anos, Anderson continuava empenhado na transformação de Flordelis em estrela gospel. Com seus contatos, agendou uma série de reportagens com a esposa – mas queria mais do que os noticiários locais, como o RJTV. Conseguiu colocar a família no *Jornal Hoje, Jornal da Globo, Fantástico, Planeta Xuxa, É de Casa* e *Mais Você,* todos da TV Globo, além do *Programa da Hebe* (SBT), *Hora do Faro* (Record) e *Sem Censura* (TV Cultura – SP) Tantos holofotes deixaram a turma eufórica. Para a entrevista com a apresentadora Ana Maria Braga, em 2009, a grande família passou por um perrengue. O *Mais Você* era apresentado ao vivo em uma casa suspensa, construída num sítio dentro da área da Globo, em

Jacarepaguá. A produção ficou de enviar um ônibus com 50 lugares para buscar a grande família. Na véspera da entrevista, porém, Anderson e Flordelis ficaram desesperados. A pastora era conhecida na mídia como "a mãe de cinquenta", e não havia gente suficiente com ficha limpa para completar as cinco dezenas. Nessa época, quase 70 crianças, adolescentes e adultos transitavam pela casa. No entanto, depois de uma operação pente-fino feita na prole, descobriu-se que somente 27 "filhos" poderiam pôr a cara na TV, já que mais da metade da família era composta por infratores procurados pela polícia. Para fazer número, Simone e Carlos Ubiraci saíram pela vizinhança pedindo crianças emprestadas para levar à TV. Aflita, Flordelis ligou para as irmãs convidando os sobrinhos para participar do programa matinal, prometendo que virariam artistas de novela. Com muito sacrifício, conseguiram juntar 42 cabeças. "Já pensou se a Ana Maria resolve conferir quantos filhos a gente levou?", questionou a pastora. "Um minuto na TV corresponde a uma hora. Imagina se ela vai perder todo esse tempo conferindo crianças", ponderou o marido, demonstrando intimidade com a mídia televisiva. Na porta do estúdio, uma produtora recebeu a família e passou um comando aos convidados:

– Fiquem todos do lado de fora, em fila indiana. A Ana Maria vai contar um a um para saber se vocês realmente têm cinquenta filhos – anunciou.

Flor e Anderson se entreolharam e deram um sorriso amarelo. Sem graça, o casal subiu uma escada ao encontro da apresentadora, que cumprimentou os dois com beijos no rosto e foi lá fora pedir para a centopeia humana entrar.

– Vamos lá! Vou começar a contar: um, dois, três, quatro, cinco, seis, sete, oito, nove, dez, onze, doze, treze... quarenta, quarenta e um, quarenta e dois. Ué, cadê o resto? – questionou Ana Maria.

CAPÍTULO 8
UM CORPO QUE CAI

"Faça silêncio, por favor! Deus está falando comigo, mas não consigo escutar."

"Mãe é aquela que cuida, educa, ampara e corrige. Que alimenta, dá carinho e enfrenta junto os desafios e os problemas. [pausa dramática] Olha, gente, ela morava na favela do Jacarezinho e começou a trabalhar com crianças dependentes de drogas. Quando procurava por uma delas na Central do Brasil, encontrou uma adolescente que havia jogado seu filho, um bebê de 15 dias, no lixo! Ela levou mãe e filho para casa. A mãe não ficou, mas o bebê está com ela até hoje. Foi o primeiro filho especial que ganhou. [...] Em fevereiro de 1994, houve uma chacina na Central do Brasil. Os sobreviventes pegaram o seu endereço e, de uma hora para outra, essa mulher ganhou 37 crianças. Hoje ela tem quatro filhos biológicos e a guarda de todos os outros. Flordelis é uma mãe de verdade! Uma mãe especial de 44! Vamos conhecê-la?".

Foi com essas palavras melosas e os olhos marejados que a apresentadora Xuxa Meneghel abriu seu programa especial do Dia das Mães de 2002, na TV Globo. As personagens centrais da atração eram Mãe Flor e sua centopeia humana. Metade do que Xuxa leu no *teleprompter* era falso, mas a apresentadora não sabia. De tanto repetir na televisão a ladainha da matriarca sofrida, Queturiene amoleceu o coração do Brasil. A comoção nacional se refletiu diretamente em seu rebanho de ovelhas: o número de fiéis da pastora aumentou feito as pragas do Egito nos anos seguintes.

Com tantos discípulos chegando, a Atalaia da Última Hora deixou de ser uma igreja de fundo de quintal. Depois de uma pesquisa de mercado para descobrir onde seria mais vantajoso erguer uma sede, o ministério ganhou um templo com capacidade para 1.200 pessoas na periferia do município de São Gonçalo, região metropolitana do Rio de Janeiro, logo após a entrevista no programa da Xuxa. No novo endereço, a instituição passou a ter uma placa bem grande na fachada com letras garrafais: Ministério Flordelis. Na mesma época, Anderson fez um curso de Teologia, autoproclamou-se ministro evangélico e também começou a realizar cultos. Para aumentar a arrecadação religiosa, o casal se inspirou nos pastores Demóstenes e Zé da Igreja, líderes emblemáticos dos tempos da Assembleia de Deus do Jacarezinho nas décadas de 1980 e 1990. Flor e Anderson cobravam o dízimo e pediam dinheiro de forma descarada e agressiva. No púlpito, diziam precisar de recursos para concluir as obras de acabamento do ministério e, lógico, para ajudar na alimentação das criancinhas sem pai nem mãe que ainda recolhiam das ruas. Inspirado no "desafio da fechadura" feito por Zé da Igreja, Anderson elaborou um jeito desonesto de arrancar dinheiro dos fiéis. No culto inaugural do Ministério Flordelis, na noite de 16 de novembro de 2002, um sábado, ele mandou fechar todas as portas do templo e as luzes foram apagadas por Vanúbia e Pascoal, seus "filhos" e cúmplices. Mais de mil pessoas gritaram na escuridão. Enfático ao microfone, Anderson anunciou que a energia elétrica fora cortada pelo Diabo por falta de pagamento. "Irmãos, a Casa de Deus não vive de vento. Temos contas divinas a pagar. Sem a colaboração de vocês, não temos como manter o nosso ministério de pé. Mas há uma luz! Estou vendo uma luz! Vocês não podem enxergar, mas Deus está passeando no meio desse breu, entre as fileiras. Ele está abençoando cada um de vocês!". Nessa hora, houve um grito de histeria e os fiéis começaram a abraçar o vento, acreditando agarrar Nosso Senhor. Mulheres da primeira fila desmaiaram. A maioria dos presentes subiu na cadeira e gritava "aleluia!". Anderson fez uma pausa para as ovelhas delirarem um pouco mais, e logo continuou a pregação. "Façam silêncio, por favor! Deus está falando comigo, mas não consigo escutar. [silêncio] Pessoal, é o seguinte: Deus mandou mais um recado importante. Ouçam bem o que eu vou falar porque Ele está me usando para dirigir a palavra a vocês".

O truque barato era banal em certos templos evangélicos, mas sempre funcionava. Anderson mudou o tom da voz, recorrendo a um timbre grave. Como se tivesse uma procuração de Deus, arregalou os olhos e falou pausadamente: "Agora, meus irmãos, vou fazer um pedido. Um pedido não, uma súplica sagrada, um apelo celestial. Temos de sair da escuridão imposta pelo Demônio agora! Para isso, vocês têm de se desfazer de todo o dinheiro que possuem nas bolsas e carteiras. Fiquem apenas com o necessário para a passagem de ônibus. Quem veio a pé ou de bicicleta tem de doar tudo porque não precisará pagar transporte. Deixem até as moedas, pois o amor divino também está nos detalhes. Esta é a minha vontade. Só assim vocês conseguirão a minha graça em forma de luz". Enquanto Anderson finalizava o comando espúrio, os "filhos" Ari e Pascoal colocaram uma caixa de papelão perto do altar e os fiéis fizeram fila indiana para entregar notas de 1, 2 e 5 reais. Do alto, o pastor percebeu que suas ovelhas estavam econômicas e reagiu já com o tom de voz habitual: "Não sejam mãos de vaca na hora de doar, pois Deus sabe que vocês gastam muito dinheiro na mesa do bar bebendo com Satanás!". A caixa com todo o dinheiro foi recolhida por Wagner "Misael", responsável pela contabilidade do ministério. A noite rendeu uma receita de quase 2 mil reais, quantia excelente para os padrões de uma igreja de favela. No final, as luzes foram acesas sob gritos de regozijo e o famoso clichê bíblico "Deus é meu pastor, nada me faltará". Para coroar a noite, Flordelis subiu ao palco e fez um show gospel.

Com os negócios religiosos crescendo no início da década de 2000 e com a cara de Flordelis estampada na televisão, o casal tentou dar um passo maior do que as pernas. Em 2004, Queturiene se filiou ao Partido do Movimento Democrático Brasileiro (PMDB) e candidatou-se a uma vaga na Câmara Municipal de São Gonçalo, mas não se elegeu por causa do resultado pífio: 2.262 votos. Em seu quarto de oração, ela teria conversado com Deus para discutir a baixa popularidade. Nosso Senhor, então, teria dito para ela esperar mais um pouco até se enveredar na política.

Em Jacarepaguá, a vida parecia a estação de trem descrita na música *Encontros e despedidas*, de Milton Nascimento. Todos os dias era um vaivém: gente chegando para ficar e gente saindo para nunca mais voltar. Selma, Olival, Aldeci e mais doze agregados foram embora no mesmo mês. "Vocês estão vomitando no prato em que comeram. Escondi vocês da polícia. Dei abrigo, afeto, cama macia e comida. Seus ingratos do inferno!", gritou Queturiene. Vanúbia também anunciou sua partida porque era constantemente censurada por Simone por causa das roupas minúsculas que vestia. "Se sair por aquela porta, sua alma será tragada pelo inferno e você morrerá atropelada!", profetizou a evangélica. Com medo de morrer, Vanúbia resolveu ficar.

Anderson e Flordelis não se enfureciam à toa com a evasão de seus "filhos". Eles temiam que a pastora perdesse o título "Mãe de 50", base de sustentação de seus negócios. Depois da primeira grande debandada de rebentos, foi promovido um intensivão de novas adoções. Num curto intervalo de tempo, uma nova leva de integrantes – entre bebês, crianças, adolescentes e até adultos – entrou para a seita de Flordelis. A lista era enorme: Alex Vigna, Erick, Erika, Gerson, Iago, Kelly, Kikita, Lucas, Lúcio, Luiz, Maria, Marzy, Monique, Nilane, Paulo Alexandre, Paulo Roberto, Paulo Silva, Renato, Ricardo, Tayane, Viviane e Welberth, a maioria aliciada na igreja da família e seus arredores. Alguns já conheciam a dinâmica daquele grupo e, mesmo tendo casa, batiam à porta de Jacarepaguá para pedir abrigo. Mães também procuravam pela pastora para lhe entregar seus filhos voluntariamente. Na mesma época, chamou a atenção um combo de novos membros da turma com nomes terminados em EL. Em um ano, chegaram Abel, Adriel, Anabel, Claribel, Eliel, Isabel, Ismael, Joel, Josebel, Mabel, Manuel, Maxwel, Michel, Oziel e Samuel. No auge, a "estação de trem" chegou a ter setenta passageiros.

Com tanta gente debaixo das asas de Queturiene, havia variações de humor, inimizades, punições e, principalmente, intrigas amorosas. A regra de os "filhos" só cometerem "incesto" mediante autorização da matriarca estava mantida, mas era impossível controlar um aglomerado de pessoas sob o mesmo teto. Vânia engravidou duas vezes de dois "irmãos" diferentes. As duas gestações acabaram em briga, pois ela se recusou a revelar com quem havia transado. Como punição, levou três tapas no rosto desferidos por Anderson. Machucada, a moça quis ir embora daquele pardieiro, mas acabou ficando porque não tinha para onde ir. Com medo de apanhar durante a segunda gravidez, ela cobria a barriga com faixas apertadas. Não teve jeito. No oitavo mês, a gestação foi descoberta e a jovem levou mais uma surra, dessa vez aplicada por Queturiene. "Vagabunda! Cadela! Piranha!", gritava a pastora.

A relação sexual entre os "filhos" deixava Flor e Anderson extremamente irritados. Mas não havia problema quando eram os biológicos que transavam com as "irmãs" adotivas. Flávio namorou cinco delas no período de um ano. Só parou de xavecar as meninas quando passou a morar com Tatiana, que conheceu em um aplicativo de paquera. Depois de uma série de agressões, porém, ela o denunciou à Delegacia da Mulher e uma medida restritiva tentava impedi-lo de procurar a ex. Com o fim do casamento, Flávio foi morar com a avó Carmozina. Mais para a frente, bêbado, ele violou a medida judicial e acabou denunciado à polícia pela ex-companheira, tornando-se um foragido. Simone também gostava de conquistar "irmãos". Em dois anos, teria transado com pelo menos dez. Já os membros do segundo escalão ficavam entre si sempre escondidos. Vanúbia, de figurino provocante, era a mais requisitada em Jacarepaguá. Certa noite, ela dormia na cama de cima de seu beliche quando acordou com Maxwel apalpando seus seios. Com a casa cheia, os dois só conseguiram uma oportunidade de ficar sozinhos na semana seguinte. Depois de uma hora de sexo ininterrupta, ele vestiu-se às pressas, com medo de ser flagrado e denunciado à Mãe Flor. Quando estava prestes a sair do quarto, Vanúbia o interpelou:

– Aonde você vai tão ligeiro?
– Você quer dar mais uma?
– Não! Quero mesmo é fazer a cobrança!
– Como assim? Que cobrança?! – assustou-se o rapaz.
– Sou garota de negócios e minha hora custa 50 reais! – anunciou Vanúbia.
– Tá louca? Não tenho esse dinheiro! Você deveria ter avisado antes!
– Você tem 24 horas para me pagar, caso contrário vou contar à Mãe Flor que você forçou uma situação.
– Você não teria coragem!
– Capaz de meus irmãos cortarem seu pinto fora! – previu Vanúbia, enquanto esfregava uma lixa nas unhas.

Não era segredo para ninguém que o grupo de Queturiene tinha toda sorte de marginais, inclusive traficantes, como Orelhinha e Xaropinho.

Com medo de ser castrado, Maxwel arrumou dinheiro com um agiota e pagou pelo programa. Na semana seguinte, espalhou-se na casa que Vanúbia era prostituta. Ela já tinha transado com uns dez "irmãos" quando Carlos Ubiraci, o gerente da casa, levou a informação até Anderson. O patriarca chamou a moça para uma conversa. Ela não só confirmou a denúncia como se propôs a transar com o "pai". Os dois se relacionaram por três meses e a garota nunca cobrou um real pelo serviço. No entanto, para manter segredo, Vanúbia fez uma chantagem branca: pediu para o "cliente" custear um implante de silicone, pois seus seios estavam caindo. O pastor bancou a cirurgia e fez questão de ser o primeiro a fazer amor com ela depois do procedimento. Como nada escapava aos ouvidos de Queturiene, não demorou para ela descobrir que Anderson vinha transando com as meninas da família. Para não ficar por baixo, a bruxa intensificou seus rituais sexuais com os "filhos" mais atraentes. O primeiro a cair em suas garras foi Ricardo, um cantor de pagode gospel recrutado junto com a namorada, Viviane. Os dois frequentavam os cultos da igreja de São Gonçalo. Durante um jantar, Flor pediu para Ricardo comparecer às 3 horas da madrugada ao quarto secreto, vestindo roupas brancas. Segundo ela, o jovem participaria de uma sessão de purificação. Na hora marcada, e de mãos dadas com Viviane, pois achou que o convite se estendia a ela, ele bateu suavemente na porta. Anderson o colocou para dentro do cômodo, fechou a porta e levou a garota até a varanda do primeiro andar, onde explicou as regras do ritual de purificação. "Queturiene só depura almas masculinas, meu amor. Se você quiser ser santificada, podemos fazer isso juntos", sugeriu. Viviane, uma das mulheres mais bonitas da casa, agradeceu o convite educadamente, mas recusou. Ressabiada, preferiu aguardar seu namorado sozinha na cama.

Enquanto isso, Queturiene transava com Ricardo, que acreditava fazer amor com um ser celestial. Flordelis e o músico fizeram sexo todos os dias por duas semanas. Viviane perguntou a ele inúmeras vezes que tipo de coisa acontecia entre as quatro paredes do quarto de orações. "A gente fica orando para a minha carreira de cantor decolar", mentia o músico. Desconfiada dos encontros noturnos, Viviane foi até o cômodo e tentou invadir o ritual, mas a porta estava trancada à chave. A jovem encostou o ouvido na madeira e ouviu gemidos e sussurros. Descontrolada, desceu as escadas gritando e quebrando objetos, acordando a grande família. Em estado de choque, Viviane não contou o que tinha ouvido. No dia seguinte, porém, colocou o namorado contra a parede na frente de outro "filho" da pastora, Alex Vigna. Ricardo continuou negando que tivesse transado com a "mãe". Lutador de *muay thai* e boxeador, Alex relatou ao casal que também havia sofrido abuso sexual ao ficar trancado com Flordelis, nu, por mais de cinco horas no quarto secreto. "Você é um anjo sem memória e eu sou a sacerdotisa-mãe. Você tem de me obedecer", teria determinado ela. Apavorado, Alex correu para o banheiro. Feito uma serpente, Queturiene rastejou-se pelo chão em sua direção. Segundo ele relatou, seus olhos não tinham a parte branca.

"Lavei meu rosto acreditando que aquela cena de filme de terror fosse um pesadelo", contou Alex em outubro de 2022, aos 50 anos, já ordenado pastor evangélico. "Falar da Flordelis é mexer no vespeiro do inferno, no ninho de marimbondos de Satanás. Vim do baixo clero. Já li a Bíblia inteira 35 vezes. O mundo não se resume às quatro paredes que vemos ao nosso redor. Existe um mundo espiritual que os nossos olhos não podem ver, a não ser que Deus os abra para que possamos enxergar além. Se Deus abrir os nossos olhos de verdade, contemplaremos a fúria de Satanás na pele de Queturiene e de todos os seus asseclas, todos os seus demônios do inferno e da magia negra, do vodu, daqueles que fazem atrocidades malignas como ela. [...] A função dessa mulher na Terra foi desgraçar a vida de muitas pessoas, inclusive dos seus filhos. Acontece que o Diabo não brinca de ser Diabo. Essa falsa pastora mexia com satanismo, seguia os preceitos do livro de São Cipriano e Baphomet. Impossível ela escapar das garras de Satanás", profetizou Alex Vigna. Alex, Ricardo e Viviane fugiram de Jacarepaguá em 2002, bem na época em que Anderson selecionava quem participaria do programa *Planeta Xuxa*.

Em meio às idas e vindas da casa, a supermãe disse ter tido certo dia uma visão. Um anjo cairia do céu para transformá-la numa outra mulher. "No meu sonho, vejo esse ser iluminado me pondo num pedestal onde jamais imaginaria estar. Mas algo me diz que, lá no final, ele mesmo vai me decepcionar", contou. A previsão não demorou a se concretizar. A participação de Flordelis no *Planeta Xuxa* chamou a atenção do produtor de moda Marco Antônio Ferraz, que já tinha assinado editoriais em revistas de prestígio, como *Marie Claire, GQ* e *Vogue*. Sensibilizado pelo drama de Flordelis, ele a procurou e se ofereceu para cuidar de sua imagem, como *personal stylist*, sem cobrar um tostão. "Você não pode frequentar programas de televisão com essa aparência triste de dar dó", justificou. Anderson, já empresário da esposa, adorou a ideia, pois a proposta do profissional casava com o projeto de levar Queturiene ao estrelato. Da noite para o dia, o produtor apresentou um outro mundo a Mãe Flor, conforme profetizado por ela. A mudança foi radical e repentina: a pastora passou a frequentar desfiles de moda vestindo peças de grife como Calvin Klein e Alexander McQueen. Marco Antônio também introduziu as perucas icônicas na cabeça de Queturiene. A primeira, um modelo básico levemente ruivo, comprado por 3.500 reais, era confeccionada em fibra sintética e tinha fios praticamente idênticos ao cabelo natural. O profissional ainda conseguiu para sua musa diversos vestidos de luxo que sobravam de ensaios de moda. Aos poucos, ela perdia a aparência de pobre coitada, ao mesmo tempo que passava por um processo de branqueamento racial. A maquiagem deixava a pele de seu rosto alva, e as perucas tinham cabelos extremamente escorridos.

O pulo do gato de Mãe Flor para a glória veio em 2009, também pelas mãos do seu "anjo". Com seus contatos, Marco Antônio conseguiu realizar uma cinebiografia em forma de docudrama, protagonizada pela pastora como intérprete de si mesma. Intitulada *Flordelis – Basta uma palavra para mudar,* dirigida pelo *personal stylist* e pelo cineasta Anderson Corrêa, tinha personagens reais representados por uma constelação de astros globais, como Bruna Marquezine (Rayane), Cauã Reymond (Carlos Ubiraci) e Deborah Secco (Simone). Todos os artistas envolvidos na produção trabalharam de graça e depois se disseram arrependidos. O filme era cheio de passagens fantasiosas contadas por Flordelis em suas entrevistas. Apesar do elenco estrelado, a produção era amadora e hoje se mostra constrangedora pela péssima atuação, pela direção fraca e irregular e, principalmente, pelo destino de Flordelis. A captação de som ficou tão ruim que não havia capacidade técnica para o filme ser exibido nas salas comerciais de cinema. O combinado era que 100% da arrecadação com as vendas do DVD e dos CDs com a trilha sonora, cantada por Flordelis, seria revertida para o bolso do casal evangélico, que compraria uma casa própria para a grande família. Anderson, entretanto, ficou decepcionado quando viu valores irrisórios pingando em sua conta a cada três meses. Para aumentar os lucros, Adriano, Orelhinha e Xaropinho pegaram o DVD original e fizeram mais de mil cópias piratas para vender na porta do Ministério Flordelis. Badalado por causa dos famosos, o filme colocou a missionária nos cadernos de cultura dos grandes jornais e, novamente, em diversos programas de televisão, onde ela turbinou suas lorotas dramáticas.

Empresário dedicado, Anderson acompanhava a transformação da esposa de perto, opinando e dando a palavra final em tudo: cor do vestido, tipo de perucas e programas em que valia a pena comparecer para divulgar o filme. A intromissão incomodava Marco Antônio. O pastor começou a ficar preocupado com o excesso de *retrofit* aplicado em sua artista. Para se livrar do profissional, Anderson fez uma intriga. Ele teria dito que Marco Antônio se encantara com a beleza de Erick, "filho" de 16 anos. Os dois viviam grudados e surgiram maledicências na casa sobre tanto chamego entre os rapazes. Para evitar um possível romance homoafetivo no seio familiar, Anderson sugeriu à esposa dispensar o produtor. Ela não aceitou e, por precaução, chamou Erick para uma conversa. Ele disse que Marco Antônio havia elogiado sua beleza e prometido introduzi-lo no mundo da moda. Para isso, o jovem precisaria fazer um book fotográfico. Flor o proibiu de posar para as lentes de seu assistente de moda, mas já era tarde. Marco Antônio supostamente levou Erick para sua casa sem autorização dos "pais" e feito com ele um ensaio sensual, segundo relatos da família. Quando soube, Queturiene foi soltando fogo pelas ventas até o apartamento do profissional, em Copacabana, e ficou enfurecida ao ver fotos do "filho-modelo" sem roupa num álbum, na mesa de centro da sala. Houve muito bate-boca e, desde então, não trabalharam mais juntos. Em 2022, o produtor de moda foi procurado para comentar o suposto *affair*, mas ele não quis se pronunciar.

Enquanto Flor ascendia, Anderson e Wagner cuidavam dos negócios religiosos. Em 2010, apenas com o dinheiro do dízimo e das doações financeiras, o casal construiu a segunda unidade do Ministério Flordelis, intitulada Cidade do Fogo, o principal templo da família. Também erguido em São Gonçalo, funcionava numa área de 15 mil metros quadrados e tinha capacidade para receber 7 mil almas em um único culto. A casa vivia lotada e as colaborações dos fiéis em dinheiro vivo se multiplicavam no caixa como os milagres de Jesus. Com projeto de som e luz típicos das arenas de shows, era lá que Anderson mais pregava e Flor soltava a voz. Um painel de LED enorme e colorido fazia projeções, elevando a congregação a outro patamar. Quase todos os agregados eram funcionários dos templos – mas só os prediletos recebiam pagamento. Carlos Ubiraci, Alexsander e Wagner foram ordenados pastores e ministravam cultos remunerados nas duas igrejas. Danielzinho tocava teclado para acompanhar Flordelis e também recebia pela função artística. Tayane tinha talento para cantar e abria os shows da "mãe". Sua voz poderosa e afinada começou a chamar a atenção do público quando ela tinha 20 anos. Com o sucesso de suas apresentações, a jovem cantora procurou Wagner para pedir salário, já que era ele quem cuidava do caixa. O "irmão" achou justo, mas aconselhou Tayane a pedir a Anderson. Após uma performance arrebatadora, ao ser aplaudida por milhares de fiéis, ela aproveitou a oportunidade:

– Pai, o senhor não acha que mereço um salário, que nem o Danielzinho? Meus shows fazem muito sucesso.

– Você é talentosíssima, filha. Cubra-se de glórias!

– Obrigada. Mas não teria como eu ser remunerada? Nem que seja com um dinheirinho...

– Não sei se você percebeu. Você já é remunerada faz tempo.

– Como assim? O Wagner nunca me pagou nada.

– Seu salário é pago todo dia, pois você mora e come de graça na nossa casa faz anos.

Essa era a desculpa dada por Anderson a quem pedia para receber pelos trabalhos realizados nas igrejas da família. Mesmo as "filhas" que pegavam pesado diariamente, feito domésticas – faxinando, cozinhando, lavando a roupa e o banheiro –, não recebiam nada. Tayane ficou tão decepcionada que resolveu arrumar suas coisas e ir embora. Num arroubo materno, porém, Flordelis passou a pagar cachê sempre que a "filha" subia ao palco para se apresentar e, mais tarde, acomodou-a no conjunto vocal que lhe dava apoio. Por outro lado, Danielzinho recebia dinheiro do pai sempre que pedia e era presenteado com telefones celulares de última geração, brinquedos eletrônicos e instrumentos musicais de valor, para se aprimorar na música. Às vezes, o pastor ouvia os demais reclamando dos privilégios dados ao jovem. Certa vez, irritada com esse excesso de regalias, Vanúbia fez nova chantagem com o "pai": pediu um tratamento odontológico, uma escova progressiva e uma limpeza de pele com *peeling* facial. Diante da negativa do patriarca, a moça ameaçou dizer a Daniel que ele não era filho biológico de Anderson e levar o garoto para conhecer Janaína, sua verdadeira genitora, que dava expediente num salão de beleza em Copacabana. Incrédulo, Anderson virou as costas e deixou a chantagista falando sozinha. De repente, Vanúbia soltou um grito: "Danielzinho, corre aqui! Acabei de descobrir o terceiro segredo de

Fátima!". Despachada, atrevida, insubordinada e espaçosa, Vanúbia foi parar em Jacarepaguá porque não tinha onde morar. Cria de mãe solteira, saiu de casa aos 12 anos, depois de sofrer abuso sexual do padrasto, e pediu abrigo a uma tia. Aos 14, trabalhava como doméstica, mas não parava em emprego algum. Quando completou 16 anos, a mãe morreu e a parente se mudou para o interior. Sozinha no mundo, procurou Flordelis e acabou "adotada". Quando viu que a "filha" estava disposta a revelar que Daniel fora roubado, Anderson bancou os tratamentos estéticos da moça. Na semana seguinte, Vanúbia estava com aparelho ortodôntico, os cabelos escorridos e a pele macia feito um pêssego.

O passar dos anos levou mais prosperidade aos negócios religiosos da dupla e à carreira artística de Flordelis. Em 2010, ela assinou contrato com o grupo MK, um conglomerado de rádio (93 FM), portal de notícias (Pleno News) e gravadora especializada em música gospel de propriedade do então deputado federal Arolde de Oliveira (PSD-RJ), morto em 2020, aos 83 anos, vítima de covid-19. O político e a esposa, Yvelise, procuraram os pastores para colaborar com a cinebiografia de Flordelis. Solidários à causa da adoção e comovidos com o melodrama da grande família, os dois cederam músicas do catálogo da gravadora para o filme e se encarregaram de registrar e distribuir o CD com a trilha sonora, sem cobrar pelo serviço. Arolde e Yvelise aproximaram-se dos evangélicos depois de uma tragédia familiar. Em 6 de fevereiro de 2010, o filho dos empresários, Benoni Assis Vieira de Oliveira, de 45 anos, pegou seu ultraleve e levou o cunhado, Sérgio Ribeiro de Menezes, de 44, para sobrevoar o Rio de Janeiro. No final da tarde, a aeronave caiu numa lagoa atrás do Autódromo de Jacarepaguá e ambos morreram afogados. Para confortar os pais, Flordelis comandou sessões diárias de oração na mansão de Arolde durante um mês. De tão agradecido pelo gesto, o casal ofereceu a ela um contrato para gravar seus discos – que venderam feito água, embalados pelas performances nas igrejas e pela promoção de videoclipes produzidos pela MK Music. Agenciada pela gravadora, Flordelis começou a fazer shows por todo o Brasil e até no exterior. Ao longo de sua carreira, ela gravou oito álbuns de estúdio e dois ao vivo, que tiveram cerca de 10 milhões de cópias vendidas. Todo o dinheiro arrecadado era administrado por Anderson. Se Flor quisesse 1 real para comprar uma bala, tinha de pedir a ele, como faziam todos os outros parentes – o controle era exercido com mãos de ferro.

Numa viagem a Miami, a pastora entrou numa loja de luxo e viu uma peruca loira, comprida, confeccionada com cabelo humano. Segundo a vendedora, a peça de fios sedosos e brilhantes era assinada pela mesma artesã que trabalhava para a cantora Beyoncé. Quando viu o preço na etiqueta (4,5 mil dólares), Anderson disse: "Jamais!". Flor saiu da loja com um modelo bem mais simples, de 200 dólares. Ele só começou a investir muito dinheiro nos acessórios da esposa quando Yvelise reclamou das perucas vagabundas usadas por sua estrela gospel. A empresária também exigiu que Flordelis colocasse porcelana nos dentes, que eram escuros e tortos. Muquirana, Anderson pagou um procedimento estético-bucal com resina, bem mais em conta, de qualidade infinitamente inferior. Perto do ensaio fotográfico para a capa do CD *Questiona ou adora*, em 2012, Yvelise deu à artista uma peruca de 2 mil dólares e fez questão de informar o valor a Anderson. "Sua mulher precisa estar sempre arrumada com o que tem de melhor no mercado. Faça isso que ela vai longe", orientou Arolde depois de ouvir reclamações de Flor sobre a avareza do pastor. Desde então, Anderson não economizou mais com as perucas e a missionária passou a colecioná-las.

Logo após o lançamento do álbum *Questiona ou adora*, a grande família teve um baque. Num exame de rotina, Simone descobriu estar com câncer. Uma primeira radiografia identificou vinte tumores espalhados pelo fígado, cervical, mediastino, pulmão, pélvis e peritônio – um tempo depois, num retorno ao laboratório, ela foi diagnosticada também com melanoma grau 4, o estágio mais avançado da doença.

Com 32 anos na época, a jovem fez quimioterapia e radioterapia no Instituto do Câncer (Inca) do Rio de Janeiro, mas as células malignas não diminuíram. Pelo contrário, avançaram para 35 tumores. Em 2017, ainda doente, Simone se inscreveu como voluntária num tratamento oncológico experimental do Hospital Albert Einstein, em São Paulo. Para custear as passagens aéreas, hospedagem e alimentação na capital paulista, a primogênita pediu ajuda ao "pai", que controlava a verba da casa. Anderson liberou o dinheiro, mas teria imposto como condição voltar a transar com ela, com quem havia namorado no início da década de 1990. Simone pegou o dinheiro e foi para São Paulo. Quando estava supostamente curada, Flordelis lançou pela MK Produções uma canção chamada *A volta por cima,* com versos que dizem: "Olham para mim, já julgando o meu final / Esquecendo que o meu Deus é um Deus sobrenatural". O videoclipe da música, com quase meio milhão de visualizações no YouTube, tem imagens de Simone raspando a cabeça, chorando e apegada aos filhos – Lorrane, Rafaela e Ramon. Nos púlpitos da sua igreja, Flordelis pregava de mãos dadas com Simone, dizendo que ela estava curada graças às suas orações. Um laudo médico do Albert Einstein, no entanto, assegurou que a doença era incurável, apesar de estar sob controle na época. De volta para casa, ainda em fase de recuperação, Simone teria sido procurada por Anderson e voltado a transar com ele. Na sequência, assim como Vanúbia, ela pediu dinheiro para colocar silicone nos seios, prejudicados pelo tratamento pesado contra a doença. Anderson concordou. Para não magoar a mãe, Simone diz que escondeu de Flordelis seu relacionamento com o pastor. Quando o caso entre os dois veio a público, porém, ela classificou as investidas de "abuso sexual e estupro", apesar de nem sempre as relações terem sido forçadas.

A escalada dos evangélicos ao topo da montanha seguia de forma fantástica, assim como a promiscuidade sexual intrafamiliar. Com uma avalanche de fiéis, o casal inaugurou mais quatro unidades do Ministério Flordelis: em Niterói, Maricá, Itaboraí e Rio Bonito, somando seis no total. Havia uma sétima filial em obra. No entanto, Flor era residente na igreja-sede, a Cidade do Fogo – onde, segundo dizia, ficava mais próxima de Deus. O crescimento das instituições religiosas acompanhou outra mudança de endereço. Mantenedores da moradia da grande família desde a época do Rio Comprido, os irmãos Werneck propuseram dar entrada em uma casa financiada pela Caixa Econômica Federal. As prestações seriam pagas por Flordelis, já que os negócios prosperavam.

O imóvel escolhido ficava na Rua Cruzeiro, 45, bairro do Badu, em Niterói. Tinha três andares, doze quartos, dezenas de camas, piscina, sótão e porão. Uma residência de três quartos localizada no mesmo terreno foi cedida para Carlos Ubiraci e Cristiana, que já tinham uma menina, Raquel, e acabaram adotando mais duas por imposição de Flordelis e Anderson: Roberta, a garota raquítica supostamente encontrada em uma caixa de sapatos e esquecida por Cristiana na fuga do Rio Comprido, e Rebeca. Essa menina, na verdade, era filha biológica de Michelle, irmã de Anderson. Quando o pastor repassou a sobrinha para o casal criar, comentava-se que Rebeca seria fruto da relação extraconjugal de Carlos Ubiraci com Michelle.

Outro arranjo familiar envolveu o segundo bebê de Vânia, a mulher da bala no fígado. Queturiene tomou a criança dos braços da mãe assim que ela completou três dias de vida e a entregou para Simone criar como se fosse filho biológico. Vânia ficou revoltadíssima, mas não teve escolha. "Aqui quem manda sou eu!", gritou a missionária. O bebê recebeu o nome de Moisés. "Você ganhou um presentão de Deus: a chegada do seu filho. Isso é uma bênção maravilhosa", anunciou a matriarca na hora de repassar a criança a Simone, com a naturalidade de quem bebe um copo de água. Essa adoção foi registrada em vídeo e postada na internet. Por decisão de Flordelis, Simone e o marido-irmão André Luiz também assumiram Rayane e legalizaram sua situação em cartório. A jovem era a filha afetiva número 1 de Mãe Flor e fora arrancada dos braços de Joana Cara de Cadáver, usuária de drogas, no Centro do Rio, no início da década de 1990. Mas Flor mentia sustentando que ela fora tirada do lixão da Central do Brasil. Em tempo: todos os envolvidos negam esse passa-repassa de gente na casa de Queturiene.

Atendendo a um chamado de Deus e a um convite de Arolde de Oliveira, Flordelis filiou-se ao Partido Social Democrático (PSD) e concorreu ao cargo de deputado federal nas eleições de 2018. Colada ao então candidato a presidente Jair Bolsonaro, Flor tinha a frase "Mãe de 55 filhos" como slogan. Capitaneada por Anderson, toda a prole trabalhou na campanha milionária de Queturiene. No Tribunal Superior Eleitoral (TSE), consta que ela tinha um limite de gastos da ordem de 2 milhões de reais. Foi arrecadado, no entanto, 1,1 milhão de reais, sendo 1 milhão do fundo partidário. Entre as pessoas físicas, incluíram-se como doadores o ex-prefeito do Rio de Janeiro, César Maia (3,9 mil reais), e Wagner Pimenta, o Misael (7,6 mil reais). Na página de Flordelis, no site do TSE, ela se autodeclarava branca e com grau de instrução "ensino médio completo".

No programa eleitoral gratuito da televisão, Mãe Flor aparecia por apenas 15 segundos, falando às pressas como o folclórico candidato Enéas Carneiro, morto em 2007. Seus vídeos eram gravados na rua, com a "família", em lugares ligados à sua falsa biografia. "Olá! Sou Flordelis, mãe de 55 filhos. Muitos deles vieram aqui da Central do Brasil. Você conhece a minha história e a minha luta. Com pouco, mudei a vida de muitos. Como deputada federal, vou mudar muito mais. Vote 5593". Apesar da grande visibilidade da TV, o principal foco da campanha da pastora eram suas redes sociais e os palcos de suas igrejas. No Instagram, ela acumulava 800 mil seguidores. No YouTube, seus vídeos somavam

50 milhões de visualizações. No Facebook, por fim, seu público computava quase 700 mil pessoas. Para produzir conteúdo para as plataformas digitais, a campanha criou a caminhada do amor, onde ela dava "abraços de luz" em populares. No púlpito, Queturiene fazia previsões para seus eleitores e, por orientação de Anderson, só enxergava coisas boas, já que o objetivo era a eleição. A estratégia deu certo. Com 196.959 votos, Flordelis foi a quinta deputada federal mais votada do Rio de Janeiro – e a primeira entre as mulheres –, ficando à frente até do deputado Rodrigo Maia (DEM), presidente da Câmara dos Deputados de 2016 a 2021.

Com tanto prestígio, Queturiene pegou carona num jato da Força Aérea Brasileira (FAB) e viajou com o marido a Brasília para acompanhar a posse do presidente Bolsonaro. Sem qualquer experiência e conhecimento sobre o Legislativo, Flordelis tornou-se um fantoche nas mãos de Anderson. Ele decidia tudo no gabinete. Nos corredores do Congresso, o pastor era conhecido como o 514º deputado, pois escolheu todos os funcionários da esposa e carregava no peito um crachá parlamentar especial de livre trânsito para circular pelo plenário e até pela mesa-diretora – isso sem que sequer fizesse parte do quadro da casa. Como parlamentar, Flor recebia um salário bruto de 33.763 reais – esse dinheiro ficava com ela – e seu marido administrava toda a verba anual do gabinete da esposa, fixada em 1,1 milhão de reais no primeiro ano da legislatura. Nepotistas, Flordelis e Anderson contrataram para "trabalhar" no gabinete André Luiz e Carlos Ubiraci, além da "nora" Luana Pimenta, a esposa de Wagner, o Misael. Nomeados para cargos de secretário parlamentar, ganhavam ordenado bruto de 15.698 reais. O gabinete, no entanto, era mais um adepto da prática da rachadinha: muitos assessores eram obrigados a repassar parte do pagamento a Anderson. Neném, Bigode e Luana, segundo denúncia do Ministério Público, devolviam 10 mil reais cada um, todos os meses. Nessa época, Wagner exercia mandato de vereador em São Gonçalo e também era adepto de rachadinhas.

Pastora de multidões, cantora de sucesso, deputada de prestígio. Apesar de todos esses predicados, Flordelis continuava sem mandar na própria vida: era Anderson quem dizia o que ela deveria fazer, onde estar e com quem se relacionar, principalmente no Congresso e no meio gospel. A supermãe aceitou o papel de submissa e servil por atribuir a ele todo o seu sucesso. Nem nos melhores sonhos da época em que era a "vassourinha" do Jacarezinho ela imaginava chegar tão longe e tão alto – posando para foto ao lado de um presidente da República ou viajando na primeira classe de um avião para cantar e pregar no exterior. Quanto mais a esposa subia, mais Anderson a blindava das pessoas, inclusive da família dela. Cada vez mais controlador e agindo dentro de casa como um ditador, ele não aceitava visitas de desconhecidos na casa de Niterói. Se os "filhos" levassem amigos para tomar banho de piscina, por exemplo, ele gritava para todo mundo ouvir: "Já disse que não quero gente estranha na minha casa! Fora todo mundo!". No rol de quem não podia aparecer estavam Carmozina, a mãe; Laudicéia, Eliane (Abigail) e Fábio, os irmãos – este último era *persona non grata*. "Até hoje não sei o que eu fiz para a minha irmã me virar as costas", disse ele, em maio de 2022.

Quando Anderson viajava a negócios, Flor recebia Carmozina em segredo e mandava dinheiro principalmente para Laudicéia, que passava por dificuldades financeiras. Segundo o pastor, a família de Flordelis era "um bando de sanguessugas". Para evitar brigas, ela optou mais tarde por se afastar dos parentes do Jacarezinho. Os laços afetivos de Flor com a mãe e as irmãs se quebraram em duas ocasiões. Primeiro, quando Carmozina, já com 86 anos, sem dinheiro e quase cega, precisou fazer uma cirurgia de catarata para restabelecer a visão. Quando sondou a filha bem-sucedida para bancar o tratamento em um hospital particular, ao custo de 16 mil reais, Flor disse que não poderia ajudar porque o marido não havia liberado o dinheiro. A idosa entrou na fila do Sistema Único de Saúde (SUS) e fez a operação no Hospital do Olho Duque de Caxias – há quem diga que partiu de Flor, e não de Anderson, a decisão de não ajudar, pois ela guardaria uma mágoa profunda da época em que Carmozina ameaçou ligar para a polícia denunciando a filha na fuga com as crianças pelas ruas do Rio de Janeiro. A segunda ocasião ocorreu no fim de 2018. Flor estava organizando uma grande festa de Natal em Niterói. Laudicéia ligou para a irmã e se ofereceu para ir com a mãe e as filhas, já que era uma festa de família. "A gente está sem dinheiro para fazer a ceia", justificou. Novamente, a pastora ficou de consultar o marido, pois haveria convidados importantes, como o senador eleito Arolde de Oliveira e Silas Malafaia. No dia seguinte, Laudicéia telefonou e ouviu da irmã uma boa notícia: um carro os apanharia às 20 horas em ponto. Às 18 horas de 24 de dezembro, todo o mundo começou a se arrumar e Carmozina providenciou cartões e presentes para os netos biológicos –

Simone, Flávio e Adriano. Às 19 horas, estavam prontos, incluindo Fábio e a esposa, Ieda. Às 20 horas, nada. Quando o relógio marcou 21 horas, Laudicéia ligou e ninguém atendeu. Passou a mandar várias mensagens pelo celular endereçadas aos "filhos" da deputada. Eles recebiam, liam o texto e não respondiam. O clã do Jacarezinho foi completamente ignorado e esquecido.

Assim como Flor, Anderson deu uma repaginada no visual. Colocou dentes de resina para o sorriso ficar branco como algodão, vestia ternos bem cortados e mantinha o cabelo fixado com gel. Também começou a andar com seguranças particulares – ninguém menos do que Orelhinha e Xaropinho, "contratados" para a função. Dois ex-policiais militares também ajudavam na tarefa de protegê-lo, porque ele costumava andar com grande quantidade de dinheiro vivo. Bem relacionado, Anderson recebia em sua casa políticos como os deputados e pastores Cezinha de Madureira (PSD-SP) e Abílio Santana (PSC-BA), além do deputado Hugo Leal (PSD-RJ). Quando recepcionava religiosos de fora do Brasil, oferecia suas "filhas" a eles, com o aval de Flordelis. Vanúbia era a predileta. "Pode levar para um passeio, mas ela cobra dízimo", alertava. Para essas visitas ilustres, Anderson dizia que Flordelis era uma marca sua, um projeto de sua autoria. "Se não fosse eu, ela estaria até hoje vagando feito uma morta de fome pelas ruas do Jacarezinho com uma penca de trombadinhas", glorificava-se. Quando perguntavam como tudo havia começado, ele respondia na frente da esposa: "A Flor recolhia crianças fedidas da rua e levava para casa. Aí eu falei que ela estava com a faca e o queijo na mão para crescer. Bastava saber o que fazer com aqueles pivetes. Tive a ideia de fazer dela a supermãe do Jacarezinho. Eu fui atrás da ajuda de empresários! Eu pus ela na TV. Eu levei na Xuxa, na Ana Maria Braga, no Rodrigo Faro e até na Marília Gabriela. Eu a vesti como uma mulher de classe. Eu ensinei a falar em público. A Flor não falava plural. Era um tal de 'nós vai', 'três pão', 'dois bebê'. Ela só acertava plural de 'pires' e 'ônibus' porque essas palavras já vinham com S no final. [Nessa hora, todos gargalhavam e Flordelis baixava a cabeça.] Eu ensinei a cantar e pregar. Defini cada passo, cada movimento para ela sair da merda. Eu! Eu! Eu! Tudo eu!", falava Anderson, feito um disco arranhado, principalmente quando bebia vinho.

Com o tempo, sua arrogância evoluiu para a violência doméstica contra a esposa. Segundo relatos de Flordelis, na hora do sexo Anderson apertava seu pescoço enquanto a penetrava. Era comum ele usar um travesseiro para sufocá-la, como havia feito com o "filho" Ari, com quem transou por dois anos. Certa vez, o casal estava fazendo sexo no quarto secreto, rodeado pelas imagens de Baphomet, Exu Caveira e São Cipriano, para comemorar o sucesso da vida. Pouco antes de gozar, ele deu dois murros no rosto da mulher e ela caiu da cama. O barulho despertou a atenção de Simone, que já conhecia o perfil violento do "pai-amante". Hebreia bateu à porta do quarto, mas ninguém abriu. Do lado de fora, ela perguntou para a mãe se estava tudo bem. Flor respondeu positivamente. No dia seguinte, ela não tinha hematomas. "Mãe, por que a senhora aceita tudo isso calada? A senhora é deputada. Não precisa desse demônio. Por que a senhora não se separa?", perguntou a primogênita. André Luiz também sugeriu o divórcio. "Não posso. Uma separação escandalizaria a igreja", respondeu Flor.

Mesmo sendo submetida a violência, conforme relatava para os "filhos", a pastora continuava subindo ao púlpito da Cidade do Fogo e se declarando em público ao marido agressor. Uma vez por mês, ela falava apenas para casais. "Se você tem problemas conjugais, venha amanhã à minha igreja que vou fazê-los desaparecer", anunciava na véspera das sessões de reconciliação. Em março de 2019, ela pregou: "Mulheres de Deus que estão aqui, prestem atenção! Ainda hoje uma profetisa do cão me falou. Uma profetisa do cão coisa nenhuma. Era uma mulher sem eira nem beira. Ela me parou ali atrás para dizer que isso tudo aqui está perto do fim. Teria profetizado que o meu ministério vai acabar, que virará um estado de fogo. Ela disse que eu tenho um calcanhar de aquiles. Eu fiquei parada olhando para a cara da infeliz. Ela disse que meu ponto fraco é o meu casamento. Que basta destruir meu casamento que isso tudo aqui acaba. Tá amarrado, Satanás! Meu casamento é de Deus. Meu marido foi Ele quem me deu!", gritou e pulou ao mesmo tempo. Anderson estava na plateia e aplaudiu a esposa com fervor. À noite, teria dado mais uns sopapos na cara dela.

Depois dos cultos das sextas-feiras, Anderson, Flordelis, Simone e André Luiz costumavam seguir para casas de swing. As preferidas eram o Paris Café Club, na Barra da Tijuca, e 2A2, em Botafogo. Para não ser reconhecida, no início a missionária usava máscaras venezianas. Com o passar do tempo, a gerência das duas casas começou a reservar ambientes exclusivos para eles. Geralmente, Anderson e Simone saíam pelo salão recrutando casais para fazer a troca de pares. As aventuras sexuais da família nas casas de sexo coletivo produziram situações embaraçosas no Ministério Flordelis. A primeira delas ocorreu em 2018, quando a diaconisa Karla Evelyn de Oliveira, de 31 anos, levou uma amiga para visitar o templo Cidade do Fogo. De repente, Flordelis subiu ao palco para pregar e a moça levou um susto.

– Karla, quem é aquela mulher lá no púlpito?
– É minha pastora. Chama-se Flordelis.
– Essa mulher frequenta a mesma casa de swing que vou, na Barra.
– Não pode ser! Ela é uma pastora famosa!
– Estavam lá sábado passado: ela, o marido e mais um casal no maior troca-troca. Essa senhora, inclusive, desceu as escadas bêbada, carregada, vestindo calça jeans e jaqueta branca.

No dia seguinte, Karlinha, como era conhecida na igreja, foi tirar satisfações com Flor e Anderson. Eles negaram, e ela descreveu a roupa de cada um deles, inclusive de Simone. O pastor, então, tentou convencê-la de que o Diabo cria situações, falsas visões e fofocas para destruir as coisas de Deus. Quando a denúncia veio a público, Flordelis ficou revoltadíssima e mandou um recado à diaconisa pelas redes sociais. "Tudo que você fala tem de ser provado, lindona. Que eu e meu marido frequentávamos casa de swing? Ah! Misericórdia, Senhor. E se fosse verdade? Infelizmente não é verdade! Olha, minha cara, se eu fosse você, iria na Barra agora na tal casa de swing procurar por uma filmagem! Mas tem de ter euzinha trêbada, sendo carregada! Porque se não tiver nenhum videozinho, meu amor, você vai ter de me pagar por danos morais. Tem dinheiro não? Começa a fazer faxina. Tem dinheiro não? Vende tudo que tem dentro da sua casa", sugeriu. Simone também protagonizava escândalos sexuais na Cidade do Fogo.

Frequentadora assídua dos cultos de Anderson, a ovelha Priscila Bessa ia na companhia do marido, Márcio da Costa Paulo, o Buba, assessor parlamentar de Flordelis. Simone estreitou laços com o casal e conseguiu convencer Buba a ir à casa de swing. Os dois transaram na 2A2 diversas vezes. Apaixonada, Simone avisou que terminaria o casamento com André para ficar com o amante. Buba sugeriu que ambos permanecessem casados e se encontrassem clandestinamente, pois ele não estava disposto a se separar, uma vez que Priscila o amava. Simone concordou, mas fez uma maldade. Com o celular, filmou os dois fazendo sexo e mandou o vídeo para Priscila. Revoltada, a mulher traída expôs o caso extraconjugal nas redes sociais. Simone ficou sem André e sem Buba, mas não se manteve sozinha por muito tempo: logo engatou namoro com um taxista chamado Valtinho Porto, de 45 anos, cujo maior sonho era ser vereador de Rio das Ostras. Numa eleição para o posto, teve só dezoito votos.

André Luiz se separou de Simone logo após a eleição da "mãe" e foi morar no apartamento funcional da deputada, na Asa Norte, em Brasília. No entanto, o ex-casal dormia junto sempre que se encontrava. "Não consigo me desapegar, ele é muito bom de cama", justificava a moça ao ser questionada sobre as recaídas sexuais. Com a mudança de parte da prole para a capital do país, novas chegadas e partidas movimentaram Niterói. Vânia, Vanúbia, Rayane e Wagner "Misael" saíram por motivos diferentes. As duas primeiras se cansaram da dinâmica ditatorial da casa. "Misael" se casou com Luana Vedovi, produtora de conteúdo digital. Aos 25 anos, Rayane saiu para viver com o namorado, André Felipe. Mais tarde os dois também se mudaram para o imóvel de Brasília. Em 2019, ela atuava como assistente pessoal de Flordelis: cuidava das perucas, da alimentação, fazia as unhas e passava as roupas de Flor. Acertou com Anderson um salário de 15 mil reais. No primeiro mês, porém, recebeu apenas 2,5 mil reais. "Mãe, o Anderson não está me pagando direito", queixou-se. "Você sabe como ele é. Mas deixa comigo, vou falar com seu avô", prometeu a deputada. Certo dia, a moça se deitou na cama com o namorado, enrolada em uma toalha de banho, dentro do quarto fechado. Flor transava com Anderson no cômodo ao lado, mas ele não teria gozado porque a esposa estava cansada. Só de cueca, ele chamou André Felipe à sala e o mandou levar um documento ao gabinete da deputada. Em seguida, entrou no quarto de Rayane e, segundo relato dela, puxou a toalha e tocou sua vagina enquanto se masturbava. Para evitar que ele a penetrasse com os dedos, ela virou o corpo para o lado. "O seu salário está baixo, né? Você se queixou para sua avó. Não quer ganhar 15 mil, sua piranha? Então facilita a minha vida, liberando a bocetinha..." Rayane deixou-se ser penetrada – até porque, como contou, não era a primeira vez que sofria esse tipo de violência. Anderson teria abusado da "filha", que depois virou "neta", desde a adolescência. Quando tinha 11 anos, a garota surgiu na cozinha do Jacarepaguá vestindo uma blusa folgada e o pastor teria posto a mão em seus mamilos. "Deixa o papai ver se já nasceu peitinho na filhinha", disse. "Olha, tá bem pequenininho, mas já tem uma uvinha aí". Em seguida, pegou-a pelo braço e a arrastou para o banheiro, onde a teria estuprado.

No seio da grande família, outros dois "filhos" de Queturiene deixaram de fazer figuração e passaram a ter destaque durante a campanha eleitoral: Lucas Cezar dos Santos de Souza, então com 22 anos, conhecido como "Pirulito", e Marzy Teixeira da Silva, com 34, uma das mais dedicadas, prestativas, submissas e subservientes a Mãe Flor. Sua história é de partir o coração. Quando ela tinha 8 anos, a pessoa mais importante em sua vida era o tio-avô, José Nisolino, de 49 anos na época. Distante da mãe, a menina criou laços afetivos com ele porque recebia carinho e era presenteada com brinquedos, bonecas e material escolar. Nos finais de semana, José a pegava em casa para ir ao parque com outras primas da mesma idade. Em comparação com o ambiente doméstico infernal, a felicidade de Marzy nessas atividades recreativas era um bálsamo. O pai, Maurício Nunes da Silva, batia todos os dias na mãe, Maria Lúcia Teixeira da Silva. "As melhores horas de minha vida eram quando estava com meu tio-avô, os únicos momentos em que eu conseguia rir. Quando os passeios estavam acabando, já me batia uma angústia, pois tentava imaginar de que forma meu pai iria espancar minha mãe", contou ela a uma assistente social. Aos 11 anos, Marzy acordou e viu o pai, bêbado e nu, entrando no banheiro. A mãe, também sem roupa, estava toda ensanguentada no sofá da sala, embriagada, segurando uma garrafa de pinga. Maria Lúcia levantou, caminhou cambaleando até a cozinha, abriu uma gaveta e pegou uma faca. O casal esteve bebendo por dois dias seguidos. Marzy olhou fixamente para a mãe, que seguia rumo ao banheiro com a arma branca em punho. Dentro de casa, a filha parecia invisível aos olhos do casal. Do lado de fora, porém, um carro soou a buzina: era José Nisolino, chamando a sobrinha-neta para mais um passeio. Sem se despedir dos pais, ela saiu de casa em jejum, vestindo pijama, e se abriu com o tio-avô sobre a violência doméstica, pontuando o desejo de um deles morrer para ter paz dentro de casa. José ficou o dia inteiro com a menina. Levou-a à praia, almoçaram, passearam no shopping e seguiram ao parque de diversões já no finalzinho da tarde. Na roda-gigante, o tio-avô de quase 50 anos aproveitava o momento em que a cadeira oscilante estava na parte mais alta para pôr a mão na vagina da criança. Marzy não viu malícia no abuso sexual de José e até ria quando a roda panorâmica enfeitada com luzes coloridas girava rapidamente, levando-a para os ares.

Na semana seguinte, aconteceu algo bom: o casal se separou. Quem saiu de casa foi a mãe, que nunca mais deu sinal de vida. Marzy e seu pai fizeram um pacto de cuidar um do outro para sempre, mas ele nunca cumpriu sua parte no acordo. Incentivada por Maurício, que queria a casa livre para receber as amigas do bar, a jovem saía com o tio-avô quase todos os dias. Nos passeios, sempre que houvesse oportunidade, José Nisolino pegava no sexo da garota, que não fazia qualquer objeção – ao contrário, chegava a achar graça nos momentos das carícias, deixando o abusador ainda mais à vontade. Certo dia, ao se ver preterida diante de uma coleguinha da mesma idade, Marzy ficou irritada e disse que só sairia outra vez com o parente se estivessem sozinhos. Pediu para ir de novo à roda-gigante e, lá em cima, colocou a mão do tio-avô sobre seu sexo. A partir daí, começou a ser violentada de forma sistemática até completar 15 anos. Só veio a entender o tipo de atrocidade que sofria perto de completar 18. Aos 22, saiu de casa. "O mais absurdo é que eu era abusada na infância e gostava, porque não entendia como aquilo impactava em mim. Quando meu tio-avô desapareceu, eu me sentia atraída por ele. Ele me tocava e eu adorava, porque não era um estranho. Me sentia até segura. Só vim entender que estava sendo estuprada quando me relacionei com outras pessoas de forma espontânea", contou a uma psicóloga. Confusa, deprimida e com vários transtornos mentais, Marzy foi morar de favor na casa de amigas até parar nos braços de Flordelis, em 2009. Quando a pastora se elegeu deputada federal e passou a viajar para o exterior, como celebridade, Marzy ficou deslumbrada e concluiu: é essa a mãe que sempre sonhei ter para mim. Desde então, passou a venerar a missionária como se ela fosse uma rainha. "Minha fidelidade será canina! Farei qualquer coisa para protegê-la! Eu disse: qualquer coisa!", decidiu.

Na cozinha da Cidade do Fogo, Marzy foi assediada sexualmente por Anderson. Adulta e com a experiência de quem morou na rua, ela deu um chega pra lá no pastor. Segundo relatos, ele teria tentado outras vezes. Certa vez, a jovem preparava o almoço para os funcionários da igreja e Anderson a agarrou por trás, esfregando na "filha" o pênis ereto por cima da calça. Marzy pediu para ele sair, mas o "pai" continuou bolinando-a. Para se vingar, ela aproveitou uma distração de Anderson e roubou 5 mil reais do dízimo da igreja. Quando ele deu falta do dinheiro, houve um escândalo. Marzy confessou e acabou expulsa de casa. "Aceito até filho veado e sapatão, como tem aos montes aqui em casa.

Mas não tolero ladrão!", esbravejou. Flor intercedeu por Marzy. Anderson mantinha-se irredutível. A larápia pediu desculpas ao "pai", disse que não sobreviveria sem o amor de Mãe Flor e prometeu nunca mais mexer nas coisas dele. Foi perdoada e voltou a morar na casa de Niterói exclusivamente para servir aos interesses de Queturiene.

Lucas chegou à grande família levado pela dupla de traficantes Orelhinha e Xaropinho, em 2012. Os três se conheceram na época em que roubavam telefones celulares nas ruas do Rio de Janeiro. Depois de ver Flordelis no programa da Xuxa, Lucas pediu para os amigos arrumarem uma vaga na casa. Xaropinho falou da facilidade em se esconder da polícia estando sob as asas de Mãe Flor, citando o abrigo dado por ela a Selma, Olival e Aldeci por vários anos. Os dois marginais deram boas e más referências da casa ao companheiro:

– Mãe Flor é protegida por um juiz e tem moral com a polícia e com os chefes do tráfico – disse Orelhinha.

– Mas não vai achando que lá é um paraíso. A casa parece o Titanic. Tem gente que viaja na primeira classe, comendo do bom e do melhor. Mas tem os pobres diabos que nem nós, que seguem no porão, sendo humilhados, trabalhando feito escravos e comendo o pão que Satanás amassou – definiu Xaropinho, rindo.

– Mas vocês acham que vale a pena?

– Cara, a família é toda torta, esquisita. O pai come filha, come filho, come neta. Tem irmã que dá para o irmão e a mãe transa com o filho. Aí depois todo mundo vai fazer oração. Tem ainda um quarto secreto com imagens sinistras. Se você não ligar para essas coisas, vale a pena, sim. Pelo menos a gente tem quem chamar de mãe.

Assim como Orelhinha e Xaropinho, Lucas passou a morar esporadicamente na casa de Mãe Flor. Saía para traficar, praticava pequenos furtos e voltava para se esconder. Já acumulava passagens pela polícia desde a adolescência e falava com as gírias da bandidagem. Certa vez, testemunhou Anderson brigando com Wagner "Misael". O pai pegou uma cadeira e jogou contra o "filho" por causa de uma discussão que envolvia planos políticos e dinheiro. Misael queria seguir os passos da mãe e se candidatar a deputado federal. O pastor o humilhou, dizendo que o "filho" não tinha brilho para almejar um posto tão alto na vida pública. "Você nasceu para ser vereador de favela", encerrou. Na primeira refeição, Lucas sentiu cheiro de carne assada e foi olhar na cozinha, por volta do meio-dia. Viu três fogões de seis bocas com dezoito panelas cozinhando alimentos a todo o vapor. Havia arroz com brócolis, bife, batata frita, macarrão, purê de batata, farofa, feijão-preto bem temperado, maionese, salada de legumes... Voltou meia hora depois, pegou um prato e abriu cada panela, sem saber por onde começar. A cozinheira, Débora Vianna, o interpelou: "Você ficou doido? Ponha-se no seu lugar. Os filhos afetivos são os últimos a comer", avisou. Flor, Anderson, Simone, Adriano e Danielzinho serviram-se de filé-mignon, feijão, arroz e fritas. Depois foi a vez de Carlos Ubiraci, Wagner, Cristiana, Alexsander e os filhos biológicos de Simone, para quem havia salada, bife de alcatra e macarrão com molho de tomate. Às 15 horas, os mais de trinta integrantes da "terceira classe" foram chamados. A cozinheira fez um mexidão com arroz, feijão, ovo e salsicha, serviu em pratos de plástico e uma ajudante avisou: "Usem farinha de mandioca à vontade, porque ela faz o rango render". Simone fazia as compras da casa: ia ao supermercado três vezes na semana e voltava cheia de coisas. Mas havia um código para não misturar os alimentos. As sacolas fechadas com nó deviam ser levadas para a geladeira de cima ou acomodadas numa despensa. E a discrepância no tratamento dos moradores não se restringia ao cardápio. Os quartos destinados aos "filhos" inferiores ficavam no primeiro andar e não tinham janelas. Os aposentos do núcleo principal, no segundo andar, exibiam janelões, camas macias e ar-condicionado. "Aqui, a promoção é por merecimento", dizia Flor.

A agressividade dentro de casa refletia-se nas igrejas. Todas as unidades do Ministério Flordelis tinham uma boa receita porque as cobranças ficavam cada vez mais intensas. Num culto, Anderson pediu aos fiéis com dízimo atrasado para evitar sair de casa, pois Deus não cuidava de ovelhas inadimplentes e acidentes poderiam acontecer com os caloteiros. "Outro dia, uma senhora levou uma bala perdida na favela e os parentes vieram aqui choramingar. Fomos olhar nos relatórios e o dízimo estava atrasado. Não adianta ficar perguntando se a bala foi disparada por traficantes ou policiais. Quem leva as almas da Terra é Deus. Por isso, vocês têm de manter o dízimo em dia", pregou. Na mesma ocasião, uma mulher procurou o pastor para justificar por que sua mãe, frequentadora assídua da Cidade do Fogo, estava com a contribuição atrasada. "Ela é fanática pela Flordelis. Não tem vindo porque está internada com câncer terminal. O médico disse que ela vai morrer em breve. Gastamos todo o nosso dinheiro com o tratamento. Assim que as coisas melhorarem, a gente paga o dízimo atrasado, tá?", explicou a fiel. Anderson não deixou barato. "Irmã, pague o dízimo pela sua mãe. Se ela está quase morrendo, o dízimo tem de estar em dia porque ele é essencial para Deus recebê-la em seus braços na sua mais pura luz. Se a coitada morrer com o dízimo atrasado, nem sei onde ela vai parar depois de morta, pois no céu ela não vai entrar", avisou. "Mas eu não tenho dinheiro", chorou a mulher. "Venda algum eletrodoméstico, faça uma vaquinha na vizinhança, mas não deixe sua mãe sem amparo num momento como esse. A senhora será responsabilizada pelo destino dela após a morte", determinou Anderson. Com cobranças controversas, Anderson conseguia arrecadar mensalmente, em média, 600 mil reais nas oito igrejas do ministério. Uma parte era investida na construção de mais um templo e na manutenção das unidades em funcionamento. Outra parte servia para as despesas da casa, incluindo as parcelas do financiamento da Caixa Econômica Federal. Para sonegar impostos, o pastor costumava levar semanalmente cerca de 30 mil reais em dinheiro vivo da igreja para casa, dentro de uma mochila de couro. Os valores eram guardados em dois cofres, no quatro secreto, atrás de Baphomet, Exu Caveira e São Cipriano. Ele também colocava notas de 100 reais sob as imagens, como forma de agradecimento.

Desde 1991, quando deram o primeiro beijo, Anderson e Flordelis mantiveram uma relação aberta. Ela era adepta do amor livre desde a década de 1970, quando namorou simultaneamente um padeiro e um alfaiate. Ele saía com várias mulheres, e a partir de 2019, quando esse modelo de convivência se intensificou, engatou romance com uma ovelha da igreja chamada Regina. Apaixonado, o casal não escondia o envolvimento. Queturiene, por sua vez, perpetuava as características da velha "vassourinha". Num culto na Cidade do Fogo, ela conheceu outro Anderson, casado com Debora Vilela. Em crise conjugal, ambos recorreram à bruxaria de Mãe Flor para tentar remendar o matrimônio. Mas o par acabou desfeito pela própria Flordelis, que transou com Anderson Vilela, de 46 anos na época, com a velha desculpa de purificá-lo. "Fui lá na Cidade do Fogo tentar salvar o meu casamento e acabei saindo sem marido", reclamou Debora ao portal Metrópoles, em junho de 2021. Romântica, Flor deu de presente ao amante um carro zero-quilômetro e ainda conseguiu para ele uma sinecura em seu gabinete. Tanto a ex-parlamentar quanto seu ex-assessor negaram o *affair*.

Flor ficou três anos com Anderson Vilela, mas o trocou por um jovem de 22 anos, pois sempre teve predileção por novinhos: Soares, que trabalhava organizando agendas de cantores gospel e logo se mudou para a casa de Niterói. O romance começou secreto, para não causar mais um escândalo na Cidade do Fogo. No auge da paixão, Flor, Allan e Anderson do Carmo fizeram uma foto juntos, sugerindo um relacionamento a três, e a imagem foi publicada numa rede social. Allan nega que tenha namorado Queturiene enquanto ela estava casada com o pastor. "Existe uma Flordelis que só eu enxergo. Uma mulher que a mídia não mostra, que as pessoas não veem. É essa mulher que eu amarei incondicionalmente até o fim dos meus dias", disse o rapaz, em abril de 2021. Com a vida amorosa extraconjugal de vento em popa e com ódio mortal do marido tirano e controlador, Flor resolveu traçar um plano para se livrar de Anderson. A decisão definitiva pelo fim do matrimônio veio depois de uma miniturnê com três apresentações dela na Bélgica, entre 17 e 19 de maio de 2019. Todos os shows e cultos da cantora eram acertados por ele, que repassava em média 10% do cachê à mulher e embolsava o restante. Flor nunca falava em valores e sempre se contentava com o que recebia. A apresentação em Bruxelas, por exemplo, rendeu 5 mil reais. Pela primeira vez, porém, ela achou pouco e resolveu se inteirar das finanças da sua carreira artística.

– Amor, quanto eles pagaram por esses shows?

– Uma miséria, minha linda. Só 50 mil reais. Mas achei que valeu a pena aceitar porque a gente conheceu um país diferente – ponderou Anderson.

De fato, o casal aproveitou a viagem: visitaram a Grand-Place, viram a estátua de Manneken Pis, estiveram nas Galeries Royales Saint-Hubert. De volta ao hotel, Anderson tomava banho enquanto Flordelis arrumava a bagagem para regressar ao Brasil. Ao se deparar com uma pasta na mala do pastor, encontrou a cópia do contrato dos três shows feitos em Bruxelas: o valor negociado havia sido de 120 mil reais, e não 50 mil. Anderson, portanto, havia gatunado 115 mil reais. Esperta, Flor não confrontou o esposo. Mas, dali em diante, decidiu que jamais seria explorada novamente pelo mercenário.

No retorno ao Rio de Janeiro, ela se reuniu com os filhos biológicos,

Simone, Flávio e Adriano. Contou a eles que não aguentava mais viver com o marido – pintado como Satanás, pois a ludibriava desde a época do Jacarezinho. Adriano sugeriu a separação, mas a mãe ponderou que essa alternativa traria prejuízos enormes à sua reputação e ao seu patrimônio, pois ele levaria junto pelo menos metade do Ministério Flordelis, cujas finanças eram inteiramente administradas por Anderson e seu grupo de "filhos", liderados por Wagner "Misael", Alexsander "Luan" e Danielzinho. Em um segundo momento, Flordelis comentou os golpes com Marzy e Rayane. A princípio, não falou abertamente "vamos matar o pastor". Mas ficava claro, nessas primeiras reuniões familiares, que assassiná-lo seria a única saída.

A decepção sofrida em Bruxelas foi só a gota d'água. Alguns meses antes, durante a campanha eleitoral, Flordelis se sentiu sufocada como nunca. Eleita deputada, quis começar uma vida nova bem longe do companheiro. Logo depois do Tribunal Superior Eleitoral (TSE) confirmar sua eleição, ela resolveu envenenar Anderson. Para as suspeitas não recaírem sobre ela, fingiu amá-lo e não economizava nas demonstrações de afeto, principalmente nas redes sociais e no púlpito da Cidade do Fogo. Para colocar o plano do envenenamento em ação, Queturiene cooptou seus principais querubins: Simone, André Luiz, Rayane e Marzy. Quando Anderson saía de casa, o grupo se reunia no quarto secreto, sob os olhos de Baphomet, São Cipriano e Exu Caveira. Prestativa e obediente, Marzy usou o Google para pesquisar sobre a substância que seria mais eficaz. Digitou na barra de buscas: "veneno para matar pessoa que seja letal e fácil de comprar".

Não se sabe se usaram arsênico, cianeto, chumbinho – o famoso raticida – ou outra substância. O veneno era administrado de forma insidiosa e gradual nas refeições da vítima, em pequenas doses, que devia agir devagar no organismo do pastor. Inicialmente, segundo denúncia do Ministério Público, Simone e Marzy assumiram a função de fazer o "pai" ingerir os alimentos contaminados. Anderson tinha o hábito, no café da manhã, de tomar bebidas feitas à base de leite fermentado, como Yakult e Chamyto, indicadas para equilibrar a flora intestinal. Orientadas por Flordelis, na madrugada, as moças usaram uma seringa com agulha fina para injetar o veneno pela tampa do produto, evitando a violação do lacre. Anderson acordou, agitou a garrafinha e bebeu de uma só vez. À tarde, estava no pronto-atendimento do Hospital Niterói D'Or com vômito, diarreia, sudorese e uma terrível dor abdominal. Cínica, Flordelis ficou orando no leito do marido e ainda comemorou quando ele recebeu alta médica. Alguns dias depois, o veneno foi colocado numa jarra de suco de laranja. O pastor tomou um copo na hora do almoço e ofereceu um pouco a Cristiana, que deu somente três goles. Ela deu entrada na emergência e ficou internada por cinco dias, com suspeita de intoxicação alimentar. Tayane também quase morreu ao tomar por engano um Chamyto batizado. "Filha, bebe leite urgente que você melhora", receitou Mãe Flor à sua "filha" cantora. A essa altura, a família inteira já sabia do plano de Queturiene, mas ninguém disse nada. Pelo contrário, mantiveram segredo e até se articularam para evitar que os alimentos da geladeira destinados a Anderson fossem parar no estômago de pessoas erradas.

Certa vez, no carro, a caminho do cinema, Carlos Ubiraci alertou Wagner: "Misael, quando você for lá em casa, não bebe nem come nada porque ela [Flordelis] está tentando matar o Niel [Anderson]". Alexsander "Luan" também tomou conhecimento da tentativa de homicídio e se calou. "Estou botando remédio na comida do Niel. Mas ele é tão ruim que não morre", confessou Simone ao "irmão". Numa mensagem enviada para o celular de André Luiz, Flordelis chega a ser debochada ao pedir para o "filho" tentar eliminar o "pai": "Faz o Niel comer um arrozinho ou um franguinho porque falta pouco para a gente se livrar desse traste". De tanto ser envenenado, o pastor foi internado seis vezes, mas resistiu. "Meu 'pai' é um touro", comentou Carlos Ubiraci com Wagner ao se referir à resistência de Anderson. Ele atribuía as dores no estômago a uma gastrite aguda por causa do estresse da campanha eleitoral da esposa.

Com a posse de Queturiene como deputada, os planos de executar Anderson ganharam outros contornos: ela teve a ideia de contratar um matador de aluguel. Marzy entrou em cena e escalou Lucas para a missão, oferecendo um cachê de 5 mil reais, mais a coleção de relógios do pastor, para ele dar cabo do "pai". "O Niel está atrapalhando a vida da minha mãe. Aqui em casa ninguém mais está aguentando. Você não quer dar fim dele? Finge um assalto, faz qualquer coisa... Podemos contar com você?", perguntou a moça pelo celular. Apesar de viver do crime, Lucas ficou estarrecido com a proposta e se negou a participar do plano. Marzy mandou outras mensagens para o "irmão" traficante com prints da tela de um telefone onde era possível ver que a ordem de matar Anderson vinha de Flordelis – e o escolhido para a missão era Lucas.

Para se certificar de que a "mãe" realmente havia dado aquele comando, o traficante mostrou tudo a Flor, que fingiu espanto. "Olha que absurdo! Isso é coisa de Marzy!", desconversou. Em seguida, Queturiene pegou o aparelho das mãos de Lucas e apagou as mensagens comprometedoras.

Toda a conversa entre Marzy e Lucas acabou no tablet de Anderson, sincronizado com o celular dela. Um texto digitado por Flordelis falando dos planos de assassinato foi escrito no bloco de notas do iPad e apagado na sequência. Mesmo assim, ele viu – e é incrível que tenha feito tão pouco caso do complô diabólico. "Misael, estão querendo me matar. Você acredita? A Marzy ofereceu 5 mil reais ao Lucas para me matar. Olha aqui no meu iPad", falou com naturalidade.

Anderson acreditava que a "filha" queria eliminá-lo por ter sido expulsa de casa após o furto dos 5 mil reais que, por ironia, seriam usados para executá-lo. "Pai, se liga! A Marzy não tem onde cair morta", ponderou Wagner, escondendo do religioso as tentativas de envenenamento ocorridas há pouco. Anderson reuniu toda a família em casa e falou que estava sabendo do plano sórdido. Disse que tinha sido duro em alguns momentos, mas que faria um esforço para melhorar como "pai" e marido. No final, teve abraço coletivo e até lágrimas. Mas nada faria Queturiene mudar de ideia. Flordelis repassou 5 mil reais em dinheiro vivo a Simone e ordenou que Rayane fosse aliciada para o crime. A Hebreia deu o dinheiro à "filha" e orientou: "Convida o Lucas mais uma vez. Ele já tem ficha suja mesmo, já foi preso. Mais um crime nas costas dele não fará a menor diferença". Obediente, Rayane entrou em contado com o "tio". "Você não quer matar o pastor? Esse crápula tá fazendo um monte de coisa ilícita aqui em Brasília. Tenho 5 mil reais para o serviço. Você pode contratar um matador por 2,5 mil e ficar com o restante", sugeriu Rayane, reiterando que Lucas ficaria também com a coleção de relógios. O jovem recusou mais uma vez, e Rayane, então, teria ela mesma contratado um assassino de aluguel. No acerto, o criminoso receberia 5 mil após eliminar o pastor na saída da igreja, simulando um latrocínio. Mas o plano não deu certo, porque Anderson havia trocado de carro e o pistoleiro ficou confuso com as coordenadas. Mesmo sem fazer o serviço, o bandido fez a cobrança. Rayane se recusou a pagá-lo e foi ameaçada de morte. Flordelis, então, deu 2 mil reais a André Luiz e mandou o "filho" pagar o bandido.

Depois de várias tentativas fracassadas, Flordelis encontrou uma solução definitiva para se livrar do marido: ela teria repassado 8.500 reais a Flávio, filho biológico, para financiar o crime. Lucas pegou o dinheiro e foi até Nova Holanda, complexo de favelas da Maré, onde comprou uma pistola Bersa de 9 milímetros, juntamente com Flávio. O plano, dessa vez, era bem simples. Flordelis teria que tirar Anderson de casa na noite de 16 de junho de 2019, um domingo. Na volta, ele seria alvejado. Queturiene usou como isca uma comemoração atrasada do Dia dos Namorados, regada a muito sexo na praia. O pastor se empolgou e os dois saíram num Honda esportivo. Segundo relatos da assassina, atravessaram a ponte Rio-Niterói e chegaram a Copacabana. Passearam pelo calçadão, comeram iscas de peixe num quiosque e se beijaram. Molharam os pés na água do mar e se beijaram mais uma vez. Queturiene estava com um vestido preto esvoaçante e Anderson usava bermuda e camiseta branca. Na narrativa romântica da missionária, ele teria perguntado: "Amor, já disse hoje que eu te amo?". Flor respondeu "não". "Eu te amo!", teria dito ele. "Não ouvi!", devolveu a criminosa. Anderson subiu numa cadeira em pleno calçadão e, de braços abertos como o Cristo Redentor, gritou três vezes: "Eu te amo! Eu te amo! Eu te amo!" Em seguida, foram para uma praia deserta e transaram no capô do carro. Nunca se saberá se essa narrativa poética é verdadeira ou falsa. A polícia acredita que a história seja fictícia, pois o trajeto do carro feito por eles não aparece nas câmeras de segurança instaladas na Avenida Atlântica, por exemplo.

No caminho de volta para Niterói, Flor mandou uma mensagem a Marzy pedindo que Flávio se preparasse para o bote. Por volta das 3h30 da madrugada, Anderson, de 42 anos, entrou com o carro na garagem. A mulher desceu rapidamente, para deixá-lo morrer sozinho, e seguiu para o quarto do neto Ramon. Flávio foi até a garagem e disparou quatro vezes contra o "pai". Atingido a curta distância na cabeça – dentro do ouvido direito – e no peito, ele morreu na hora. Depois de cair no chão, recebeu mais dois tiros na genitália, sugerindo vingança pela série de abusos sexuais que cometera ao longo dos anos. Como o calibre da pistola Bersa é transfixante, cada disparo produziu mais de uma perfuração, totalizando mais de trinta orifícios no corpo da vítima. Logo após os disparos, a casa comemorou a morte do patriarca com gritos, abraços e sorrisos.

Anderson foi velado no Ministério Flordelis no dia 17 de junho de 2019. O sepultamento ocorreu no mesmo dia, no Memorial Parque Nycteroy, em São Gonçalo, região metropolitana do Rio. No funeral,

Flordelis chorou feito viúva de novela. Falou em latrocínio e disse que o marido morreu para salvar a família. A polícia, porém, já desconfiava de uma execução, pois não havia sinais de roubo na casa. O primeiro a ser capturado foi Lucas. Flávio foi detido ainda no cemitério por causa de um mandado de prisão referente aos espancamentos contra a ex-mulher. Na cadeia, ele confessou ter matado o "pai" em razão dos abusos sexuais cometidos contra Simone, sua irmã biológica, e outras mulheres da casa. Adriano, o Pequeno, também foi preso por envolvimento no crime. Na sequência, foram encarcerados André Luiz, Marzy, Carlos Ubiraci e Rayane. Flordelis só não teve a prisão decretada porque tinha imunidade parlamentar, mas ganhou uma tornozeleira eletrônica para ser localizada rapidamente pela delegada Bárbara Lomba todas as vezes em que era intimada a depor no inquérito.

A morte do pastor Anderson causou um racha na grande família. Wagner "Misael" e Alexsander "Luan" passaram a colaborar com a Justiça. Danielzinho saiu da casa logo após o crime e foi morar com Misael. No bojo do inquérito que investigava a morte do "pai", ele ficou em estado de choque ao descobrir, aos 21 anos, que havia sido roubado da mãe biológica. Na casa de Niterói restaram apenas os "filhos" que defendiam a inocência da supermãe. Em 2022, o financiamento do imóvel ainda estava em nome dos irmãos Werneck, que já haviam pedido para o que restou da centopeia humana dar um jeito de assumir a dívida ou cair fora.

Solta, Flordelis não parou de causar. Assumiu o relacionamento com o produtor musical Allan Soares e gravava vídeos beijando o jovem à noite, na praia. "Oi. Ai, gente! Estou no Recreio dos Bandeirantes com o meu amor. O lugar é lindo como o Allanzinho", declarou. Paradoxalmente, a pastora ainda chamava Anderson do Carmo de "meu amor". Em um documentário sobre o crime – *Em nome da mãe*, da HBO –, ela aparece no cemitério, agarrada à sepultura do marido morto. Feito atriz mexicana, Flordelis aceitou fazer uma tomada esparramada sobre o túmulo, quase arrancando a lápide. "Metade minha está aqui com você. Eu não tenho mais paz de tanto pensar nas coisas que descobri depois que você morreu. [...] Vem me ajudar, amor. Eu não matei você. Diz que é mentira!" Depois da tomada, ela saiu para jantar com o namorado.

Prestes a ser presa, Flordelis fazia cultos em seu ministério exibindo a tornozeleira eletrônica e pregando inocência. "Puseram na minha perna o acessório do Diabo. Acontece que Deus é mais, e esse tipo de energia negativa não bate em mim", pregava. Orientada pelos primeiros advogados que a defenderam, escreveu de próprio punho uma carta de três páginas se passando pelo filho Lucas. No texto, a autoria do crime era atribuída exclusivamente a ele. "Contratei pessoas para matar o pastor a mando de Misael (Wagner) e Luan (Alexsander)", diz um trecho da correspondência. A ideia de Flor era incriminar os querubins preferidos do religioso, que àquela altura das investigações já acusavam a matriarca em depoimentos. Para fazer Lucas assumir tudo, Flor havia prometido ao jovem traficante os melhores advogados do mundo para defendê-lo de todos os crimes, um carro zero-quilômetro e uma passagem só de ida para os Estados Unidos. Para a carta falsa chegar até ele, entrou em contato com Andrea Santos Maia, de 45 anos, esposa do miliciano Marcos Siqueira, de 49, condenado a dois séculos de prisão por ter participado da chacina da Baixada Fluminense, em 2005, com saldo de 29 mortes. O bandido e Lucas estavam na mesma cadeia; por exercer a função de faxineiro, Marcos circulava em todas as galerias. Por 2 mil reais – valor pago por Flordelis com transferência bancária e comprovante enviado por celular –, Andrea repassou a carta para o marido, que a fez chegar até Flávio para que a entregasse ao "irmão". Lucas, então, copiou o texto, e a mensagem com sua caligrafia fez o caminho de volta. Na sequência, a pastora deu uma entrevista ao *Fantástico* dizendo que tinha recebido uma carta muito triste, na qual o filho Lucas confessava tudo. "Meu coração está dilacerado", lamentou a impostora. O plano não deu certo: Flordelis, Andrea e o miliciano foram descobertos e indiciados por fraude processual.

A família de Anderson, enquanto isso, parecia viver uma maldição. Três meses após o assassinato, sua irmã, Michelle, morreu aos 39 anos vítima de uma anemia provocada pelos efeitos devastadores da Aids. Em abril de 2020, a mãe, Maria Edna, teve um infarto aos 65 anos, enquanto via televisão em casa. Chegou a ser hospitalizada, mas não resistiu. O terceiro a partir foi o pai, Jorge de Souza, que infartou em dezembro de 2021. Tinha 81 anos e atuava como assistente de acusação no processo movido contra Flordelis e seus filhos.

Três meses antes de perder o sogro, Flordelis teve o mandato parlamentar cassado por seus pares. Para tentar salvar o cargo da mãe, Simone confessou ter mandado Flávio matar o pastor. "Fiz tudo sozinha. Minha mãe não tem nada a ver com isso", mentiu. A prisão de Queturiene foi decretada pela Justiça logo após a perda do mandato. Quando os policiais chegaram para prendê-la, Flor pediu um momento e dirigiu-se a seu quarto para gravar um vídeo de despedida. "Olá, povo de Deus. Eu quero clamar por todos os cristãos do Brasil inteiro. Que orem pela minha vida, que façam uma corrente poderosa de orações. Estou indo presa. Mas estou indo de cabeça erguida, porque não fiz nada! Não cometi nenhum crime! Não sou uma assassina! Não mandei matar o meu marido! Não sou mandante de nenhum crime. Não sei por que Deus está permitindo que eu passe por tudo isso. Para tudo, Nosso Senhor tem um propósito. [...] Clamem ao Altíssimo pela minha vida! Vou presa com a força de Deus! Vamos embora, gente, porque eu sei que no final disso tudo vai ter uma volta por cima!".

Levada à penitenciária Talavera Bruce, Queturiene continuou aprontando traquinagens. Pastora das detentas, começou a fazer cultos nas galerias. Dava autógrafos em Bíblias, cantava suas canções e trocava cartas de amor com Allan Soares. Para tentar manter visitas íntimas com o rapaz, tentou se casar com ele. Mas sua advogada, Janira Rocha, desaconselhou o enlace para não prejudicar o julgamento. "Você é acusada de matar seu marido e quer se casar com outro. O que você acha que a opinião pública vai pensar?", alertou. "Mas é ele quem quer", disse Flor. Na cadeia, recebia a visita da "filha" Isabel, da mãe Carmozina e da irmã Laudicéia, que pedia dinheiro em todos os encontros. Morta de saudade do namorado, Flor pegou um celular emprestado de uma bandida e ligou para ele. Flagrada, foi punida: as detentas a espancaram pelo vacilo. Em outra ocasião, foi pega com 70 reais escondidos na genitália. Seus advogados disseram que o dinheiro serviria para pagar uma extorsão da qual Florzinha era vítima.

No banco dos réus, os querubins tiveram destinos diferentes. Para Flávio, matador confesso, 29 anos e dois meses de prisão por homicídio triplamente qualificado, porte ilegal de arma, uso de documento ilegal e associação criminosa armada. Comprador da pistola, Lucas foi sentenciado a sete anos e meio por homicídio triplamente qualificado – sua pena foi reduzida por ter colaborado com as investigações. Carlos Ubiraci, absolvido das acusações de participar das tentativas anteriores de assassinato, recebeu dois anos por associação criminosa armada. Solto depois de passar um ano e oito meses encarcerado, fundou uma igreja para pastorar as ovelhas do Ministério Flordelis, que teve os templos fechados. Adriano dos Santos Rodrigues, caçula biológico da ex-deputada, foi condenado por associação criminosa armada e uso de documento falso ao envolver-se no plano da carta. Está em liberdade condicional. No mesmo julgamento, ocorrido na 8ª Câmara Criminal do Tribunal de Justiça do Rio, em novembro de 2021, o miliciano Marcos Siqueira ganhou mais cinco anos em sua pena de dois séculos por associação criminosa e uso de documento falso. Ele chegou a rir dessa nova condenação. "Nem faz cócegas", desdenhou. Sua esposa, Andrea, que era ré primária, foi condenada a quatro anos pelo mesmo crime do marido.

Em novembro de 2022, chegou a vez de Flordelis, Simone, André Luiz, Rayane e Marzy enfrentarem o tribunal. O julgamento durou uma semana. Contra os réus, depuseram Misael, Luan, entre outros. A favor de Queturiene, compareceu o desembargador Siro Darlan. "Conheci o Anderson como filho, depois ele se casou com a Flor e assumiu um protagonismo tal que quem falava comigo não era a Flor, mas Anderson. Ele assumiu uma posição de pai desses filhos/irmãos. Passou a ser um gerente, o cara que decidia e comandava esse produto 'família Flordelis'. Flor quase nem falava comigo e, quando falava, estava sempre de cabeça baixa. Já o Anderson, não. Anderson era o cara", descreveu o magistrado. "Me perdoa!", exclamou Queturiene no finalzinho do testemunho dele. A delegada Bárbara Lomba, que comandou a primeira fase do inquérito, foi taxativa em seu depoimento: "Não havia o amor de pai e mãe naquela família. Flordelis e Anderson conviviam juntos, seguiam um relacionamento aberto e mantinham com as pessoas da casa relações de cunho sexual". Titular da segunda fase das investigações, o delegado Allan Duarte pontuou na Justiça: "Flordelis tem predileção pelo absurdo. Ela prefere matar o marido a provocar um escândalo junto à igreja". Categórico, o investigador Tiago Vaz afirmou: "Eram facções. Uma facção ajudou no cometimento do crime, outra ficou insatisfeita e acabou denunciando a existência desse conluio". Para proteger a mãe, Simone reiterou ser a mandante e saiu do tribunal com uma pena de 31 anos de cadeia. Uma curiosidade: Hebreia riu várias vezes durante o julgamento, mas também passou mal e recebeu atendimento médico em outros momentos. Apesar de Marzy ter confessado que tentou eliminar Anderson, foi inocentada pelo júri e ganhou a liberdade. Rayane e André também foram absolvidos depois de ficarem presos por mais de um ano. Na saída da penitenciária, Marzy manteve o que disse anteriormente: "Tive, sim, a intenção de matar o pastor, mas desisti e não segui adiante. No dia do crime, eu nem estava lá". Ela garantiu que vai apoiar Queturiene até o fim dos seus dias. O Ministério Público recorreu da absolvição dos três.

Para o julgamento, Flordelis mudou o visual. Sem as tradicionais perucas, surgiu no tribunal com cabelos claros e alisados, cortados na altura dos ombros. Antes, gravou um vídeo aos prantos, contando ter sido abusada por Anderson. A emoção soou falsa. No julgamento, ela também se esforçou para derramar lágrimas, principalmente na hora de depor. Sua performance era tão fingida que um jurado perguntou se o choro era verdadeiro. "É, sim!", garantiu. Na hora do veredicto, Flordelis se recolheu a uma sala reservada e fez um intensivo de orações. A juíza Nearis dos Santos Arce iniciou a leitura da sentença. "Os diversos disparos efetuados contra a vítima de apenas 42 anos de idade concentraram-se em regiões vitais, como crânio, tórax e abdome, sendo ele morto em horário de repouso noturno, no imóvel de moradia também de inúmeros filhos adotivos e de criação, evidenciando ainda mais a frieza e menosprezo pela vida humana durante a empreitada criminosa praticada", narrou a magistrada. "Eu não mandei matar meu marido, meu Deus! Me escute, por favor!", suplicava a pastora. "Houve emprego de meio cruel, posto que Anderson foi alvejado por dezenas de disparos de arma de fogo, inclusive na região próxima às genitálias, agonizando com imenso sofrimento até sua morte", prosseguia a juíza. "Deus, isso não é verdade! Não me abandone!", insistia a deputada federal cassada. "A ação criminosa evidencia, portanto, verdadeira e bárbara execução, caracterizando uma demonstração explícita de ódio", declamava a magistrada. "Deus! Deus! Deus! O senhor é o juiz dos juízes!", clamava a cantora gospel. "É de extrema audácia da ré tentar imputar a pessoas inocentes seu crime doloso contra a vida do marido", arrematou Nearis. "Pelo amor de Deus, eu sou inocente! Pelo amor de Deus, sou inocente!", apelou a supermãe aos céus. Não adiantou. O martelo da Justiça é ateu. Flordelis foi condenada a meio século de prisão em regime fechado.

ÁLBUM DE FAMÍLIA

O RETRATO DA SAGA FANTÁSTICA DE FLORDELIS, ANDERSON E SEUS "FILHOS"

Carmozina e Chicão: brigas por causa do fanatismo religioso da mãe de Flordelis

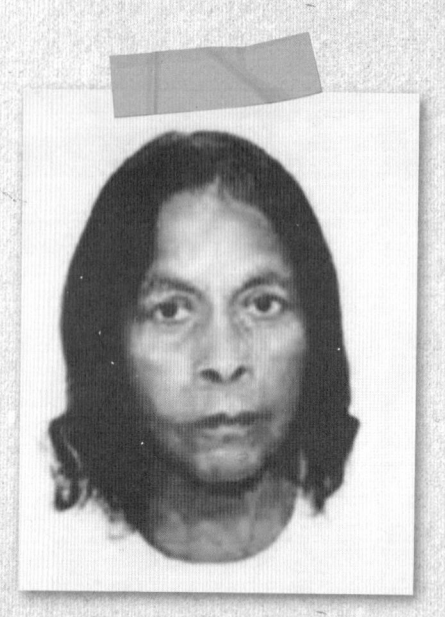

Carmozina

Chicão

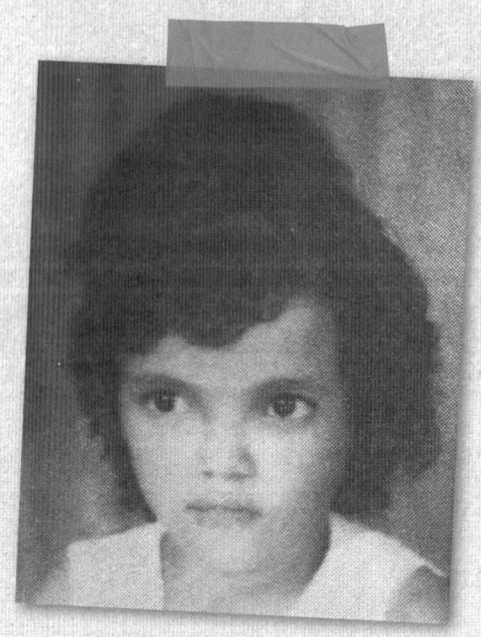

Flordelis criança

Família marcada por tragédias

Conjunto Angelical e a notícia da tragédia que dizimou os músicos, incluindo Chicão

Caminhão atropela 11 na Via Dutra: sete mortos

Entidades cultuadas secretamente por Carmozina e Flordelis

Baphomet

Exu Caveira

São Cipriano

A destemida Sandra Sapatão

Pastor Paulo Xavier, primeiro marido de Flordelis: traições e filhos fora do casamento

Favela do Jacarezinho na década de 1990

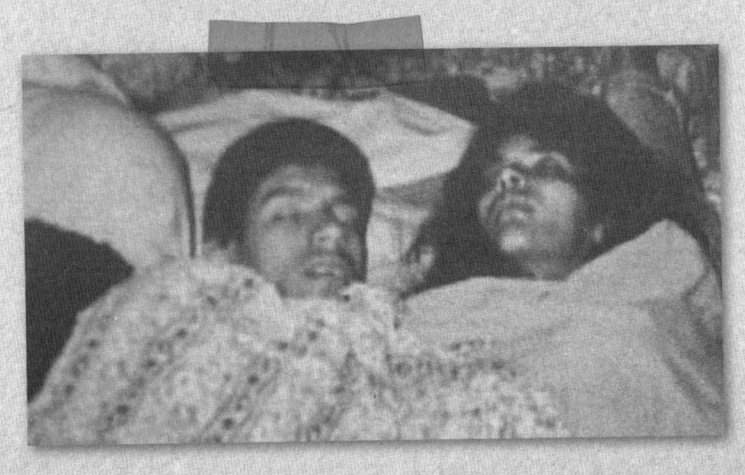

Anderson e Flordelis dormindo na rua

A grande família na casa do Irajá: moradia clandestina

Última formação da família

Abrigo cedido pelo traficante Robertinho de Lucas

Três bebês sem nome

No RJTV, da Rede Globo

No programa da Xuxa: entrevistas catapultavam Flordelis

Anderson, Wagner e Flordelis

Anderson do Carmo, o Niel

Os únicos filhos biológicos de Flordelis tinham tratamento especial na casa. Acabaram presos por envolvimento na morte do pastor

Simone

Flávio

Adriano

Os primeiros "filhos" a compor a grande família faziam parte do núcleo principal

Carlos Ubiraci

André Luiz (Bigode)

FLORDELIS

Rayane

Wagner (Mizael)

Cristiana

Carlos Ubiraci e Cristiana:
casamento entre "irmãos"

Alexsander

Roberta: supostamente "entregue"
numa caixa de sapatos

Desembargador Siro Darlan, um "anjo" no caminho de Flordelis

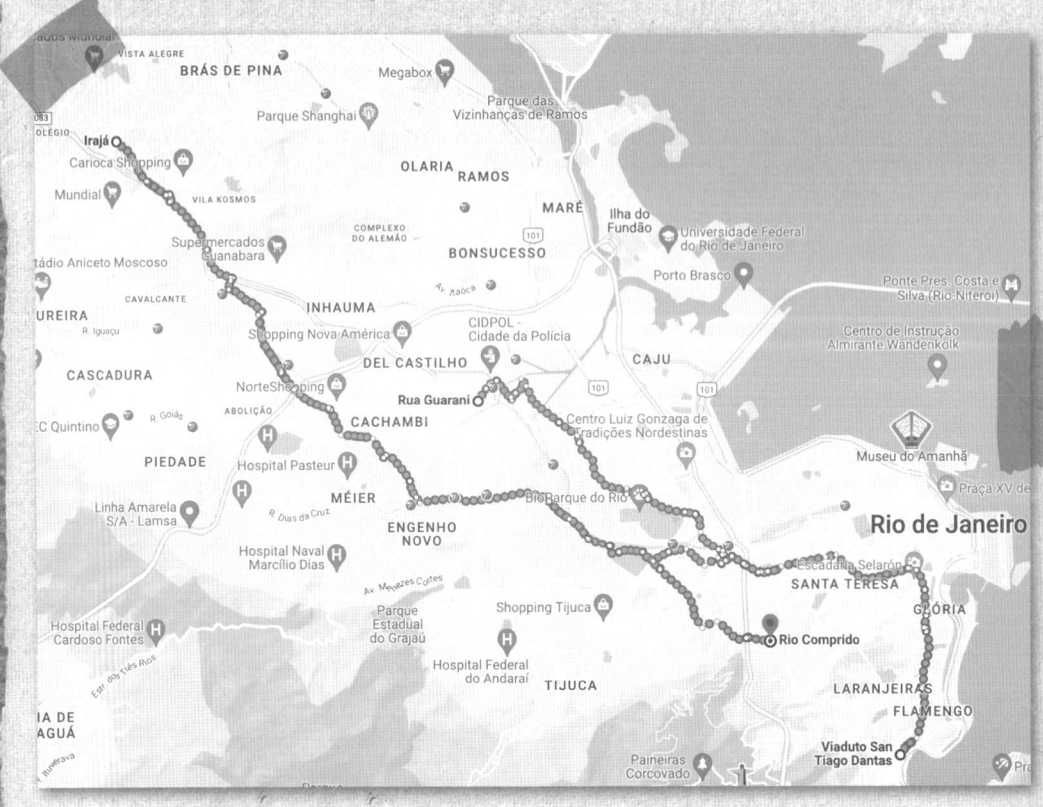

Trajeto percorrido pela família durante a fuga no Rio de Janeiro

Flordelis: sedução à flor da pele

Pastor Alex Vigna acusa Flordelis de abuso sexual

A supermãe, supostamente, transava com seus "filhos" num banho de batismo, com consentimento de Anderson do Carmo

Anderson e Flordelis

Wagner (Mizael) e sua "mãe"

Flor e Alexsander, o Luan

Flor e Yvelize: branqueamento para alcançar o estrelato

Nos estúdios da MK: a pastora repaginada

Quando chegou ao estrelato, Flordelis usava porcelana nos dentes e perucas de até 12 mil reais

Sucesso como pastora ou cantora: multidões na plateia

Danielzinho, apresentado por Flordelis como único filho biológico dela e Anderson; segundo a polícia, o garoto foi "roubado" da verdadeira mãe

No auge da carreira gospel, Flordelis tinha nove igrejas em seu nome. Todas administradas por Anderson, que também atuava como pastor

Carismática, Flordelis enganava celebridades. Atores trabalharam de graça em sua cinebiografia e posavam para fotos

O casal com Reynaldo Gianecchini

Bruna Marquezine e Anderson

Flor e Luana Piovani

Santinho de campanha

Abraços de luz

Simone, Flor e Carmozina

Flor, Simone e Anderson.
Ele namorou mãe e filha

Deputada mais votada do Rio, Flordelis chegou a presidir sessões na Câmara Federal

Com Jair Bolsonaro

Com Michelle Bolsonaro

Com Damares Alves, que na ocasião comandava o Ministério da Mulher, da Família e dos Direitos Humanos

Com Sergio Moro, então ministro da Justiça

Adriano, o Pequeno, Mãe Flor e Simone:
filhos incriminados na morte do pastor

Flordelis e Anderson

Anderson em seu último aniversário

Nas redes sociais, Flor e Anderson eram um grude só. Na vida real, ela vinha planejando sua morte

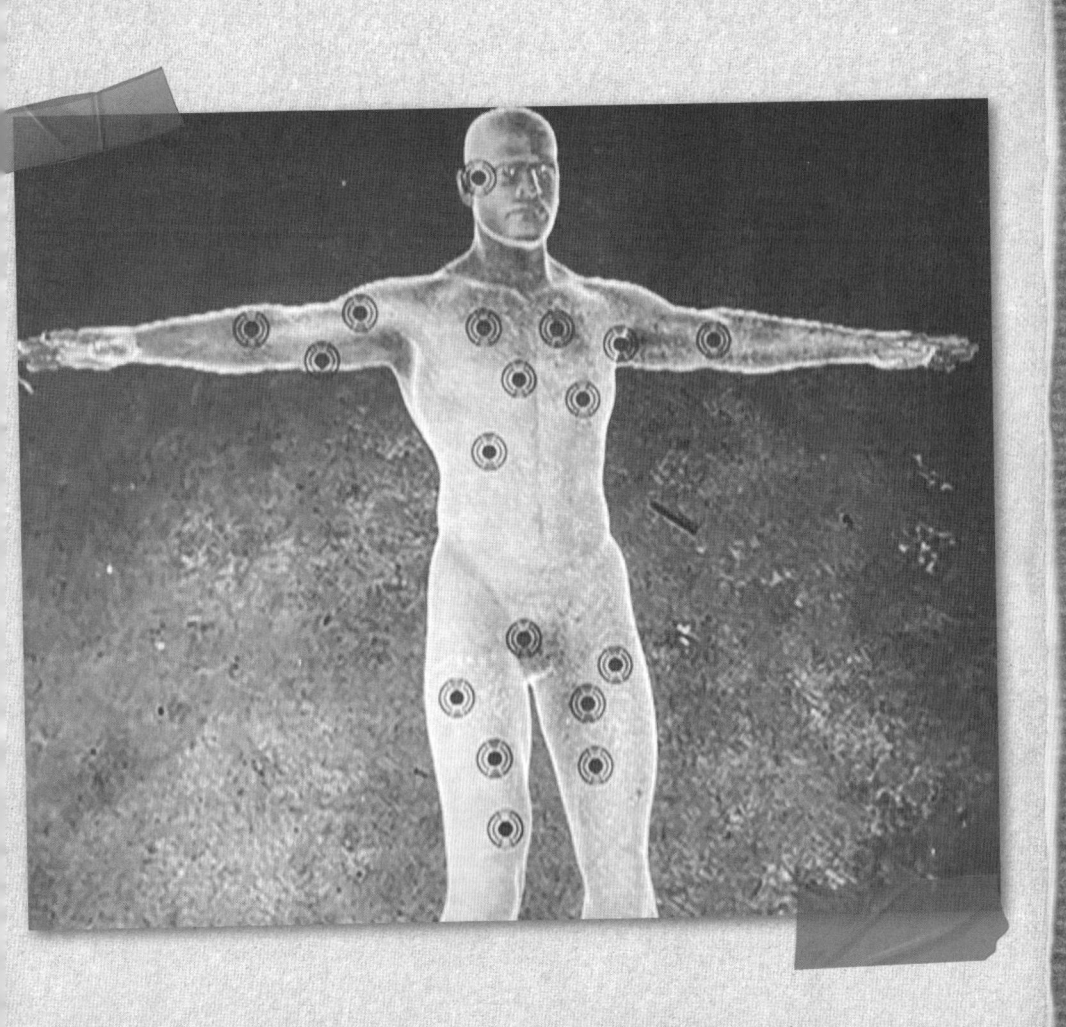

Anderson levou seis tiros de uma pistola Bersa calibre 9 milímetros, mas seu corpo foi perfurado cerca de 30 vezes, pois cada projétil é capaz de fazer mais de um orifício. Uma das balas atingiu a cabeça; outras três, a região da genitália. Dois disparos foram dados quando ele já estava caído no chão

Na delegacia, Flávio assumiu a autoria dos disparos e isentou a mãe do crime: 33 anos de prisão

Filho afetivo, Lucas comprou a pistola usada para matar o pastor: nove anos de pena

Jogo de cena: Flordelis, viúva, chora lágrimas de crocodilo sobre o caixão do marido

Flor e Flávio: unidos no mesmo crime

Entrevista no enterro para sustentar a tese de latrocínio: "Meu marido morreu para salvar a família"

Com Marzy: veneno para matar o pastor

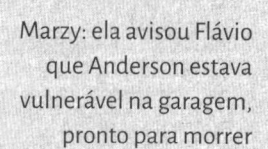

Marzy: ela avisou Flávio que Anderson estava vulnerável na garagem, pronto para morrer

Com Simone, diagnosticada com câncer: a filha alegou sofrer abuso sexual para mandar matar Anderson

Flordelis usava vestidos longos para esconder a tornozeleira eletrônica

No programa *Conversa com Bial*, declarações de amor ao marido morto e juras de inocência

Flor entre Anderson, o marido, e Allan, o namorado

Beijos quentes com Allan

Allan

No sexo, Flor era insaciável. Transava com "filhos" e frequentava casas de swing. Emendava namoros e dopava mulheres rivais com o famoso "Boa noite, cinderela"

Os demônios de batina

O então coroinha Fabiano, aos 15 anos, com o monsenhor Luiz Marques Barbosa, autor de abusos sexuais por quase uma década em Arapiraca (AL). "Até hoje tenho pesadelos", diz a vítima

Ex-coroinha, Anderson Farias Silva hoje é policial militar. Adolescente, ele aceitava as investidas do monsenhor Raimundo Gomes por acreditar que o abuso sexual de um sacerdote fosse algo sagrado

Predador sexual, padre Pedro Leandro Ricardo abusava de coroinhas na sua paróquia, em Assis (SP). Condenado, pegou 21 anos de cadeia em 2022, mas segue em liberdade

Padre Bonifácio Buzzi: sexo com criança de 10 anos com aval da mãe da vítima

Flor em 2020: medo do banco dos réus

Já denunciada pelo Ministério Público, Flordelis clamava inocência:
"Deus me deu um fardo e serei capaz de suportar mais uma provação"